岩波講座
ソフトウェア科学

2

THE IWANAMI
SOFTWARE SCIENCE SERIES

岩波講座
ソフトウェア科学

2

THE IWANAMI SOFTWARE SCIENCE SERIES

プログラミングの方法

川合　慧

岩波書店

装幀　国東照幸

ソフトウェア科学を学ぶために

今日，コンピュータの情報処理能力はけた違いに大きくなり，あらゆる分野でコンピュータが必要不可欠のものとなっている．そしてコンピュータを中心とする情報システムの軸がソフトウェアであり，ソフトウェアの良否こそがシステムの性能を決めるということが広く認識されるようになった．

しかしながら，よいソフトウェアを作るのは容易なことではない．多くの応用分野において，要求されるソフトウェアは年々巨大化・複雑化してきており，これを有限の人数と限られた期間で作ることの困難さから，"ソフトウェア危機"という言葉さえ生まれてきた．

このような状況を克服するには，ソフトウェアの中にひそむ基本的メカニズムや一般的な性質を明らかにし，ソフトウェアを理解しやすく，作りやすいシステムとして把握できるようにすることが必要である．ソフトウェアは，いわば人間の思考の現れであり，また思考の具体的表現がプログラムであるから，ソフトウェア科学は我々の思考法を解明し，体系化する仕事でもある．

我々がここに企画し，読者の皆さんにお届けする岩波講座『ソフトウェア科学』は，このような背景のもとに，ソフトウェア科学の全体像を，できるだけ理解しやすい形に体系化したものである．以下に本講座の構成と学習の指針を示すことにする．

［基礎］
1 計算システム入門
2 プログラミングの方法
3 アルゴリズムとデータ構造
4 プログラミング言語

本講座は，まず第一にソフトウェアの学問体系を明確に示すことを主眼としているが，それは学生や現場のプログラマ，システムエンジニアにとって

十分役立ち，参考になるものであることも意図している．したがってソフト
ウェアが具体的に使え，また作れるようになることを重視し，そのために必
須の学習テーマを最初の4巻とした．ここでは，計算のメカニズムを理解す
るとともに，プログラミングの方法とアルゴリズムを学んでいただく．また，
問題に応じていろいろなプログラミング言語を使いこなすことも学んでいた
だきたい．［基礎］の4巻をマスターすれば，自分の持っている問題をプログ
ラムにし，コンピュータを使って答を得る能力が身につく．

　いずれの巻も予備知識は前提とせずに，本質をわかりやすく具体的に解説
している．また，豊富な練習問題によって自然に応用力がつくように工夫し
た．

　［環境］
　　5　プログラミング言語処理系
　　6　オペレーティングシステム
　　7　ソフトウェア実行/開発環境

コンピュータは，その上でソフトウェアを開発したり実行したりする環境
と考えることができる．この環境を構成する要素は，プログラミング言語と
その処理系，オペレーティングシステム，そして一群のユーティリティであ
るが，最近はこれらを有機的に統合し，より使いやすいシステムへと改革す
ることが進行している．そうした動向を踏まえながら，コンパイラおよびオ
ペレーティングシステムについて解説する．さらに今後重要な分散化とヒュ
ーマンインタフェースの技術を紹介する．

　［処理］
　　8　記号処理プログラミング
　　9　数値処理プログラミング
　　10　グラフィクスとマンマシンシステム

　ここでは，応用プログラムの基本要素である数値処理，記号処理，対話処
理のそれぞれについて，基礎的な理論とモデルについて解説し，各種の実際
的な問題解決法，アルゴリズムとプログラム技法を示す．

　［環境］と［処理］まで学習が進めば，複雑で高度なプログラムを書き，コン
ピュータの能力を十分に活用することができるし，一流のシステムプログラ
マの仲間入りができることになるだろう．

［理論］

　11　ソフトウェア科学のための論理学

　12　計算モデルの基礎理論

　13　プログラムの基礎理論

ソフトウェア科学を学問として基礎づけるために，ソフトウェア科学に有用なさまざまな数理論理形式，計算過程の数学的モデルとその記述言語について解説する．現実を適切に抽象化し，理論的な枠組みの中でとらえなおすことは，分析を深化し，新しい概念や方法を発見するのに大きく貢献するだろう．この学問を志す人には必須の内容である．

［知識］

　14　知識と推論

　15　自然言語処理

　16　認識と学習

今後ますます大切になる，人間的なソフトウェアシステムを作っていくために不可欠な内容をまとめた．複雑困難な問題に対して，ソフトウェアが人間のように柔軟に対処するのに必要な，パターン認識，言語能力，試行錯誤的推論などについて，基礎から最先端の内容に至るまで，順を追って体系的に解説する．

［展望］

　17　モデルと表現

ソフトウェアは人間の思考の表現であるが，どのように表現するかというプログラミングパラダイムの問題は，これからのソフトウェアの方法論として欠くことができない．ここでは重要なソフトウェア作成の方法論を紹介し，今後のソフトウェアの進化の方向を展望する．

　初めてこの分野に足を踏み入れた学生の皆さんは，まず［基礎］をじっくり，繰り返し学習し，身につけていただきたい．将来コンピュータを専門としない学生にとっても，この部分は必修であり，必ず役に立つことと思う．コンピュータを専門とする者にとっては言うまでもない．

　また［環境］の各巻は，コンピュータを専門とする人はもちろん必修であるが，そうでない読者にとっても，実用的で非常に役立つことが書かれている

ので，ぜひ学習してもらいたい．十分な紙数をさいてていねいに解説しているので，つまずかずに読み進むことができるはずである．

　その後はそれぞれ関心のあるところを学習していただければよいが，実際に応用プログラムを作るためには[処理]の中の必要な巻をマスターしていただきたい．またどの分野に進むにしても，およそソフトウェア科学に関わるからには，[理論]のうちのどれか1冊は読んでおいていただきたい．人工知能を志す人には，[知識]の全巻は必修である．[理論]も[知識]も独創的なソフトウェアを作るためにぜひ学習していただきたいテーマである．

　すでにコンピュータに関わっている読者は，それぞれの関心に従って，いずれの巻を読んでいただいてもよいのはもちろんだが，ここであらためて[基礎]の各巻を眺めてみることをお勧めする．きっと自分の方法や知識を整理したり，見直したりするきっかけとなることだろう．そのためにさらに[理論]の各巻を学習するのは，今後の向上のためによいことだと思う．また現在のソフトウェアの水準を知り，今後を展望するために，[知識]と[展望]の一読をお勧めしたい．

　幸いすべての巻に日本のソフトウェア科学界の第一人者を得ることができ，充実した内容を読者にお届けすることができた．皆さんがこの講座を活用され，日本のソフトウェア科学の発展に貢献されることを切に願うものである．

長　尾　　　真

前　川　　　守

川　合　　　慧

所　　真　理　雄

米　澤　明　憲

まえがき

　本書は，"プログラミング"そのものを中心的な課題としてとらえた，プログラミングの入門書であり，かつ解説書である．本書では，プログラムおよびプログラミングの基礎的なことがらから始めて，最終的には実用レベルのプログラムをきちんと作ることができる能力を読者が身につけることを目標としている．

　プログラミング(programming)とは，いうまでもなくプログラム(program)を作成することである．そして現実世界におけるプログラムは，まとめられてソフトウェアとなり，コンピュータ(電子計算機)をただの電子部品の集合体から，きわめて強力で高速な情報処理システムへと変身させる．プログラム自体は，それを表現している物理的媒体，たとえば紙やフロッピーディスクとは独立したものである．ある意味では，抽象的な存在であるといってもよい．したがってその複写はきわめて簡単である．たった1台のコンピュータで，数値計算から図形表示，はては工作機械の制御や銀行のオンラインまで，非常に広い範囲の処理を行なうことができるのはこのためである．この，変身のためのソフトウェアこそが，コンピュータを真に有用なものとするのに重要であり，情報化社会を作り上げる鍵であるということができる．

　ソフトウェア作りの基本であるプログラミングは，以上のことからもわかるとおり，分野ごとにいろいろな形で与えられる問題を解決するために，本質的に重要な役割を持っている．ところが，プログラミングの理解と習得，すなわちプログラミングの学習については，系統的な方法が確立しているわけではなく，反復練習による経験の蓄積と勘の養成しか行なわれてこなかった．よく，"習うより慣れろ"ということが言われるが，系統立った訓練方針がない場合には，不完全で一人よがりの"慣れ"が身についてしまう．このような慣れは，小さな練習用のプログラムを作る場合には大いに役立つ．しかし，作るプログラムに対して厳しい信頼性が要求される場合や，中規模以

上のプログラムをきちんと作成しなければならない場合には，プログラミングに関する明確な指導原理を身につけていることが，絶対的な条件である．いわゆるアマとプロの差はここにある．

　本書をきちんと学ぶことによって，プログラミングのプロになることができる（と期待される）．本書以前にプログラムを作った経験のある読者にとっては，ある部分は当り前の内容と思えるかもしれない．その場合でもその部分を読みとばしたりしないで，ひととおり目を通していただきたい．本書が，これまでプログラミングの世界で無視あるいは軽視されてきた諸事項に，別の角度から新しい光を当てていることに気づくことになろう．また，本書でプログラミングに初めて触れる読者は，かなりの長丁場ではあるが，あせらずじっくりと学習していただきたい．実際のプログラミングを通じて，アルゴリズム，計算，問題解決といった，ソフトウェアについての基本事項のそれぞれを，互いに関係し合った明確な概念として習得することができるはずである．

　プログラミングの学習のためには，ある一つのプログラム言語を利用するのがふつうである．このための言語として本書では，国際標準ともなったPascal を使用した．本書の水準のプログラミングには，Pascal が最適であると判断したからである．言語にとらわれない教育という目的で，仮想的な言語を使う流儀もあるが，アルゴリズム記述の具体性，読者の利便，および教科書中のプログラムの信頼性，といった各点において，実在のプログラム言語を用いた方がよいと思われる．

　以上示したように，本書の内容の理解によって得られるものは，単なるプログラムコードの作成技術ではなく，ソフトウェア科学の基本的なことがらの深い理解である．このことを念頭において，本書を学習していただきたい．

　1988 年 4 月

　　　　　　　　　　　　　　　　　　　　　　　川　合　　慧

学習の手引き

　本書では，プログラミングの方法を修得することを目的としている．プログラミングは，問題解決そのものである．ここでは，現在の情報処理環境でもっとも一般的な，命令型のプログラム言語およびその処理系による問題解決を扱う．したがって，本書で学んだプログラミングの方法は，幅広い応用分野にわたって有効なものとなるはずである．注意すべきことは，与えられた問題がごく単純な計算問題である場合を除いて，問題の複雑さと言語の基本要素のそれとの間には，絶望的なほど大きなギャップが存在することである．プログラミング未経験の人が，学習の初期に味わうこの断絶感は，以後相当な重圧感を与え続けることになりかねない．

　この事情に対処する唯一の方法は，プログラム言語の基本要素の役割を把握することと，問題を分割および構成するやり方を修得することである．このためには，それらに的を絞った丁寧な説明・演習が必須である．本書は，これを実現するためのガイド役として書かれている．入門書として 400 ページは大部にすぎると思われる方もあろう．しかしながら，上で述べたように，問題解決の学習の効果という面からみて，この分量が大きすぎることは決してない．対象が入門学習であるとすればなおさらである．

　コンピュータプログラミングの学習で重要なことは，たくさんの知識を単に覚えることではなく，与えられた問題を解決する能力を身につけることである．百の実例よりもひとつの根本原理が重要である．天下り的な説明や具体例で育ったプログラマは，"問題解決"という世界観が希薄で，場当り的なプログラム作りしかできなくなることが多い．本書ではこのようなことが起きないように，できるかぎり丁寧な説明を行なった．したがって，分量の割には楽に読み進むことができるはずである．世界的に見ても，きちんと書かれた教科書は本書以上の厚さであることが多い．

本書の概要を次に示す.

第1章『計算とプログラム』では,問題解決の基本である計算,その記述のためのプログラム言語,およびプログラム全体の概略を学ぶ.こまかな事項は含まれていない.

第2章『値とその扱い』では,計算の基本要素である値について学ぶ.定数や変数の概念も導入される.

第3章『実行制御の構造』では,計算手順を組み立てる仕組みである制御構造を学ぶ.

第4章『数え上げと構造データ型』では,プログラム言語における処理の対象であるデータの扱い方,とくにその構造化方法を学ぶ.

第5章『手続きと関数』では,現実的なプログラミングに欠かすことができない副プログラムの概念を学ぶ.Pascalにおける副プログラムは手続き・関数と呼ばれる.これらは,プログラムをモジュール化手法により作ってゆく上で必須のしかけであると同時に,問題解決の手順を見通しよく構成するための重要事項でもある.

第6章『配列』では,計算効率のうえで重要な役割をもつ配列について,その基本概念と種々の利用法を学ぶ.ここでは同時に,アルゴリズムの計算量という概念に触れる.

第7章『ファイル』では,端からしか読み書きできない構造データとしてのファイルについて学ぶ.

第8章『ポインタとデータ構造』では,これまでの範囲では効率的な扱いが困難な複雑なデータを扱うための,ポインタによるプログラミングを学ぶ.

第9章『プログラミングの方法』では,プログラムに関する若干の数学的扱いと,問題解決の典型的な手法について学ぶ.問題解決の知識の修得がかなりたいへんなことであるのは事実であるが,ここに示されている基本原理をしっかりと学んでおくことによって,広い範囲の応用が可能となる.

第10章『プログラミングと言語』では,Pascal以外の言語における要素をざっと学ぶ.

本書では,プログラミングに必要な概念の導入と,それに基づいた実際のプログラミングの方法とが,交互に概念の水準の順序で書かれている.概念

導入の部分は，天下りを避けるためにくどいほど丁寧に記述してあるので，先を急ぐあまり読みとばすようなことはしないでほしい．また，専門科目の教科書としても自習書としても使用できるが，おおよそ2学期(1年間)分の内容となっている．プログラミングは，その程度の期間の学習を必要とする内容をもっているのである．しかしながら，諸般の事情により時間が限られている場合には，一部分を省略せざるを得ないであろう．以下に，そのような場合の指針と学習の要点とを示しておく．なお，各節につけた印の意味は以下のとおりである．

　　　　　◎　　　必ず学習する

　　　　　○　　　学習することが望ましい

　　　（無印）　省いてもよい

目　次

2　値とその扱い

3 実行制御の構造

4 数え上げと構造データ型

7　ファイル

10　プログラミングと言語

1

■ ■ ■ ■

計算とプログラム

　コンピュータを使って問題を解くには，解く方法を示した指
令書，すなわちプログラムが必要である．本章では，まず計算
ということについて考え，計算を遂行するために必要ないろい
ろの項目を調べる．次に，プログラムを書き表わすために決め
られた約束事の一つである Pascal について，その大筋を示す．
ただし本章では，大まかな形式を示すにとどめ，詳細について
は次章以降で述べる．

1.1　コンピュータによる計算

計算と一口に言っても，その内容はさまざまである．ここでは，ごく簡単な数値処理を例として，計算のもっとも基本的な要素を示す．

(a)　コンピュータと問題解決

コンピュータの能力について，よく次のようなことが言われる．

　　コンピュータは計算しかできないから，人間がやるような高度な作業をやらせるのは不可能である．

この意見は，感情的な説得力はあるものの，かなり不適確なものであるといえよう．その理由は次の3点にある．

(1) "計算"という言葉の意味がきちんと定義されていない．コンピュータ内で，そろばんの盤面で行なわれるような四則と開平程度の数値演算のみが実行されるのか，より複雑な処理が実行され得るのかによって，"計算"の意味が異なってくる．上記の意見では，"計算"は数値演算程度のものとして考えられているようだが，実際には，より複雑な処理を実行する機構が備わっている．

(2) "高度な"作業の意味もはっきりしない．結果として高度なものに見えても，実は機械的な作業の繰返しであることもある．2の平方根を筆算で1000桁求める作業を高度なものであるという人はいないであろう．

(3) "不可能"ということは，絶対にできないということであり，本当は証明を必要とする．どうやってもできないということがきちんと示されていない限り，不可能と思われていたことが可能になる"可能性"もある．たとえば，"πの10,000,000桁目の数字は7である"という数学の命題の証明は，コンピュータの出現以前には不可能であったが，今では楽々とできる．ちなみに，この命題は真である．

　この3項目は，実は情報科学的に見ても，非常に重要な意味を持っている．計算に関しては計算機構と計算量の問題が，問題の解法(作業)の性質についてはアルゴリズムが，そして計算可能性については計算の理論が，それぞれ深くかかわっている．これらの各項目については，少し進んだ学習を必要と

するので，本書ではほとんど扱わないことにする．

　ここで扱った意見を適切なものに変えるとすると，次のようなものとなる．

　　　コンピュータは基本的な計算機能をもとにしているので，人間がやる
　　　ような複雑な作業をやらせるのは，計算時間と記憶量の制限から，実
　　　現不可能であることが多い．

それでは，コンピュータ技術が発達して，計算速度や記憶容量がどんどん高
まれば，それに応じて，どんな問題でも解けるようになるかというと，そう
ではない．

　　　問題解決の方法が不明な作業はコンピュータにはできない．

これはかなりきびしい事実である．それでは，問題解決の方法自体を，コン
ピュータを使って解明できないであろうか．これについては，

　　　"一般的な問題解決の方法を解明する"という問題を解決する方法は
　　　ない

という事実がある．もちろんこれは，範囲を限らない任意の問題についての
話である．現時点においても，非常に限定された範囲内においてではあるが，
自動問題解決に関する研究が盛んに行なわれている．

(b) 計算の要素

　日常生活にみられるさまざまな"作業"を例として，計算の要素を探って
みることにしよう．

　[例 1.1]　年利率 7% の複利計算で，4 年後までの元利合計の元金に対す
る比率を求める．□

　複利計算はいうまでもなく，それまでについた利息を元金に繰り入れた上
で，次の利息を計算するやり方である．この利率を r とすれば，求める比率
は次のようにして求められる(図 1.1)．

　　　　0 年後　　　　1
　　　　1 年後　　　　$1+r$
　　　　2 年後　　　　$(1+r)^2$
　　　　3 年後　　　　$(1+r)^3$
　　　　4 年後　　　　$(1+r)^4$

すなわち，一般に n 年後の比率は $(1+r)^n$ で求められる．ただしここで r

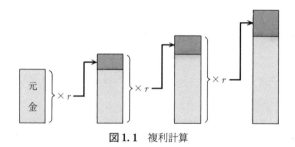

図1.1　複利計算

は小数表示，すなわち，たとえば1%のときは0.01とする．この例題ではr=0.07である．さて，n年後の比率をR_nとすると，上の形から簡単に，次のように表わすことができる．

［解1.1a］

$$R_0 = 1 \qquad\qquad\qquad\qquad\qquad \cdots 1.00000$$
$$R_1 = 1+r \qquad\qquad\qquad\qquad \cdots 1.07000$$
$$R_2 = (1+r)*(1+r) \qquad\qquad \cdots 1.14490$$
$$R_3 = (1+r)*(1+r)*(1+r) \qquad \cdots 1.22504$$
$$R_4 = (1+r)*(1+r)*(1+r)*(1+r) \quad \cdots 1.31080 \quad ∎$$

ただし $*$ は乗算の記号とする．右には r=0.07 の場合の値を小数点以下5桁まで示した．もし元金が10万円であれば，この最下桁は1円の位になるので，庶民にとってはこのくらい求めておけば充分であろう．

　上に示した各 R に対する式は，べき乗の定義をそのまま使ったものである．しかし，せっかく R_3 まで計算してあるのに，R_4 の計算をまた一から始めるのはいかにも無駄な感じがする．もともとべき乗には

$$x^n = x^{n-1}*x$$

という性質があるので，次のようにしてもかまわないはずである．

［解1.1b］

$$R_0 = 1$$
$$R_1 = R_0*(1+r)$$
$$R_2 = R_1*(1+r)$$
$$R_3 = R_2*(1+r)$$
$$R_4 = R_3*(1+r) \qquad\qquad\qquad\qquad ∎$$

実際に電卓などで計算する場合でも，最初に $1+r$ をメモリにいれておき，

それを次々と掛けてゆけば $R_1, R_2, \cdots$ が順々に求められる.

　さて，この二つの解において，等式の右辺は値を計算するための式，左辺はその結果として定義される値の名前が，それぞれ書かれている．また，等式はそれぞれ5個ずつあるが，その使われ方は少し異なる．解1.1a では，5個の等式の右辺の式は互いに独立であり，どんな順序で計算してもよい．たとえば，R_3, R_1, R_4, R_2, R_0 の順序で求めてもかまわない．ところが解1.1b ではそうはいかない．計算の順序は R_0, R_1, R_2, R_3, R_4 でなければならず，そうでないと計算できない．これを言い換えると，解1.1a を"改良"した解1.1b では，計算の無駄を取り除いた結果，"計算の手順"が決められてしまったことになる（常にこうなるわけではない）（図1.2）.

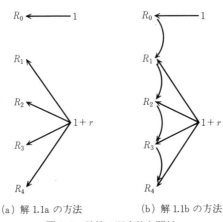

(a) 解 1.1a の方法　　　　(b) 解 1.1b の方法

図 1.2　計算の順序依存関係

　ところで，解1.1b では何が改良されていたのだろうか．それは

$$ *(1+r) $$

という計算の必要回数である．これが4回ですむところが，解1.1a では6回（より厳密には10回）必要である．この改良作業では，$*(1+r)$ という操作を，一種の操作要素として考えていたことになる.

　これまでの範囲内で，計算の基本要素について考えてみよう.

　要素　$1+r$ を掛けること，等式の右辺を計算すること，さらには 1 と r とを足して $1+r$ の値を求めること，などが計算の基本要素となる．これらがさまざまに組み合わされて，全体の計算が成り立っている.

　順序づけ　計算の要素，あるいはそれらをまとめたものの間には，計算の

実行順序が決められていることがある．この順序に従って計算しないと，正しい結果は得られない．

(c) 反復計算

解 1.1b について考えよう．R_0 から順に値が決められるが，各 R については値の定義が 1 回だけなされる．この値定義の 5 本の式を簡潔に表現するやり方として，次のようなものがある．

［解 1.1c］

$$R_0 = 1$$
$$R_i = R_{i-1} * (1+r) \qquad i = 1, 2, 3, 4$$

これは式（の集まり）の形の規則性を利用する方法であるが，同時に計算の進行方向（$i=1,2,3,4$）も表現している．すなわち，2 番目の式は，まず $i=1$ の場合をやって R_1 を求め，次に $i=2$ の場合をやって R_2 を求め，という具合に繰り返して使われる．そこで，あるまとまった手順を繰り返して計算するという，また新たな基本要素を導入しよう．

反復　いくつかの基本要素をまとめて，繰り返し計算を行なう．反復の形式としては次の二つがある．

反復(1)　決められた回数だけ繰り返す．

反復(2)　指定された条件が成立している間，繰り返す．

解 1.1c は反復(1)の形式である．反復(2)の形式は，次の例題のような状況で使われる．

［例 1.2］　年利率 7% の複利計算で，元利合計が最初の元金の 5 割増しを超す最小の年数を求める．

n 年後の元利合計は，最初の元金の $(1+r)^n$ 倍である．したがってこの例題では

$$(1+r)^i > 1.5$$

を満たす最小の整数 i を求めればよい．こった方法をとらないとすれば，この解は次のようにすれば求められる．

［解 1.2a］

$$R_0 = 1$$
$$i = 0$$

$$\textbf{while}\ \ R_i \leqq 1.5\ \ \textbf{do}$$
$$i = i+1$$
$$R_i = R_{i-1} * (1+r)$$

英単語 **while** は，以下に続く計算を，指定された条件(ここでは $R_i \leqq 1.5$)が満たされている間，繰り返して実行することを表わす.

この解で問題となるのは i の扱いである．第 4 行目に

$$i = i+1$$

という式があるが，これをふつうの数学の式であると考えると，解けない．ここでは，右辺の計算結果，すなわち現在の i の値に 1 を加えた結果を，新たな i の値と**再定義**することを意味している．このような性質を持つもの，すなわち計算の進行に従って，再定義により値が変化し得るものを**変数**と呼ぶ．つまり，i は変数である．解 1.2a の計算の進行をみてみよう．r の値は 0.07 とする.

$$i = 0 \qquad R_0 = 1.00000$$
$$i = 1 \qquad R_1 = 1.07000$$
$$i = 2 \qquad R_2 = 1.14490$$
$$i = 3 \qquad R_3 = 1.22504$$
$$i = 4 \qquad R_4 = 1.31080$$
$$i = 5 \qquad R_5 = 1.40255$$
$$i = 6 \qquad R_6 = 1.50073$$

こうして答($i=6$，すなわち 6 年)が求まる.

変数を導入してしまうと，ふつうの意味での等号と，変数の値の再定義との区別がつかなくなる．たとえば，

$$i = 4$$

と書いても，i の値が 4 であるかどうかを調べているのか，i の値を新たに 4 としているのかが，わからなくなる．それで，再定義を表わす新しい表記法を使うことにする.

$$i := 4$$

また，解 1.2a では，R_0 から R_6 までを全部計算しているが，年数だけを求めればよいのであれば，変数を利用して，これらを一つですましてしまうことが可能である.

　［解 1.2b］

$$R := 1$$
$$i := 0$$
while $R \leqq 1.5$ **do**
$\quad\quad i := i+1$
$\quad\quad R := R * (1+r)$ ∎

(d)　選択計算

　反復計算に出てきた条件 $(R \leqq 1.5)$ のようなものは，一般に，成り立つか成り立たないかが決定できる．この二者択一性を使うと，そのときどきの状況に応じて，別々の計算を行なうことができる．

　［例 1.3］　次の 2 種の複利計算を考える．

　（A）　年利率 7% の 1 年複利．1 年未満の半端な期間については 3% の単利．

　（B）　年利率 6% の 3 か月複利．3 か月未満の半端な期間については 3% の単利．

1 年半後の元利合計が，A と B でどちらが大きいかを決定する．∎

　まず計算法の定義を明らかにしておこう．たとえば A 方式で 2 年 4 か月間預けたとすると，元利合計は

$$(1+0.07) * (1+0.07) * (1+0.03*4/12) = 1.15635$$

倍となる．ただし，／は割り算を示す．最後の括弧の中が，半端な期間に対応する部分である．さて，同じ期間 B 方式で預けたとしよう．B 方式の 3 か月分の利率は

$$0.06 * 3/12 = 0.015$$

すなわち 1.5% となる．したがって，元利合計の変化は次のようになる．

3 か月後	1.01500
6 か月後	1.03023
9 か月後	1.04568
1 年後	1.06136
1 年 3 か月後	1.07728

結局，2 年 4 か月後には

$$(1+0.015) * (1+0.015) * \cdots * (1+0.015) \qquad 9\,回$$
$$* (1+0.03 * 1/12)$$
$$= 1.14625$$

となる．比べてみると，明らかに A 方式の方が有利である．それでは例題の解を作ってみよう．

　[解 1.3]

$$a := (1+0.07) * (1+0.03 * 6/12)$$
$$b := 1$$
$$i := 0$$
while $i < 18$ **do**
$\qquad i := i+3$
$\qquad b := b * (1+0.015)$
"ここで比較を行なう"
if $a > b$ **then** "A 方式を選ぶ"
$\qquad\qquad$ **else** "B 方式を選ぶ"

A の方の値 a は，計算が簡単なのでそのまま計算する．B の方の値 b は，$* (1+0.015)$ を 6 回も書くのはたいへんなので，反復計算によって求める．これらの実際の計算値は

$$a = 1.08605$$
$$b = 1.09344$$

となり，意外にも B 方式の方が利息が多いことがわかる．解 1.3 の最後の 2 行が**選択計算**を行なう部分で，英単語 **if** の後ろに条件を書き，

　[1]　それが成立したら **then** に続く計算を

　[2]　成立しなかったら **else** に続く計算を

それぞれ選んで実行することを示している．選ばれなかった方の計算は実行されない．したがってこの計算を実行すると，結果として

　　"B 方式を選ぶ"

ということになる．

(e)　計算要素の役割

　これまでの例で，計算という作業に含まれるさまざまな要素をみてきた．これらは，コンピュータを実際に応用する場合に，それぞれ非常に重要な役

割を持っている.

　計算が順序づけられることは，コンピュータによる計算の過程が明確に把握できることを意味する. 何がどう計算されるかわからないのでは，安心して使うことはできない. また，解 1.1b でも見たように，計算の能率を高めるのにも，順序づけが重要な役目を果たしている.

　反復計算の機能は，コンピュータの高速性を利用するのに必須である. 大量のデータを短時間で処理する計算を指定するには，定型的な処理の反復実行を使わざるを得ない. 例 1.1 で，たとえば 1000 年後までの結果を求めることを考えてみればよくわかる. R_0 から R_{1000} まで求めるのに，解 1.1a(反復なし)のやり方では，値の定義式を 1001 個，$(1+r)$ という文字列を実に

$$1000*1001/2 = 500500$$

回も書かなければならない. この解を全部書くとすると，本書の大きさで約2000 ページを必要とする. これに対して解 1.1c(反復形式)のやり方では

$$R_0 = 1$$
$$R_i = R_{i-1}*(1+r) \qquad i = 1, 2, \cdots, 1000$$

とするだけですみ，わずか 2 行しか必要としない.

　選択計算の機能は，大げさにいえば，コンピュータに知能を与える役割を持っている. 状況に応じて処理を変えることは，知的計算の基礎だからである. 選択の機能がなければ，子供の使いのような決まりきった仕事しかすることができない. 反復計算の第 2 の形式，すなわちある条件が満たされている間，繰り返し計算を行なう機能も，条件判断が含まれているので，同じ目的に使用できる.

　以上でわかるとおり，順序づけ・反復・選択の諸要素は，コンピュータによる計算の核心を構成しているといっても過言ではない.

1.2　計算とプログラム

　計算の手順や方法は，何らかの形式で表現する必要がある. ここではその表現の結果であるプログラムと，それを構成するために必要な種々の名前付けの方法について調べる.

(a)　プログラムとアルゴリズム

　前節では，複利計算を例として，計算の基本要素への分解と，順序づけ・反復・選択という基本パターンについて調べた．ここで基本要素といっているのは，当面の操作単位のことである．それ自身がまたさらに細かい操作に分解されることもある．

　ある計算を実行するやり方を，基本要素とその組合せの方法という形式で示したものを，その計算を実行する**プログラム**(program)と呼ぶ．これまで見てきたものは，複利計算を行なうプログラムである．一般社会では，プログラムというと，音楽会や文化祭の出し物一覧表や，テレビ・ラジオの番組表のようなものを想い浮かべる．これらは，ここで定義した意味のプログラムとは，ずいぶん異なっているように思われる．音楽会や文化祭を"実行"するのは主催者であって，プログラムを買う側の人ではないからである．この場合のプログラムは，音楽会や文化祭の実際の内容を，説明的に書き表わしたものと考えられる．

　プログラムというものは，実はこの二面性を持っている．複利計算を行なうプログラムは，実際に計算をするやり方を示していると同時に，"複利計算"そのものの定義であると見ることもできる．また，ある音楽会のプログラムは，その会の内容の定義であると同時に，その会を進行させる役の人にとっては，いろいろな仕事の手順書という性格も持っている．出演者の送迎，楽器の準備，幕の上げ下ろし，などが要素的な仕事となる．

　プログラムの性格のうち，解法の手順の方を重視するとともに，実際の記

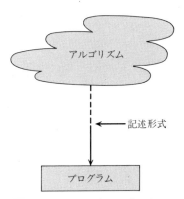

図1.3　アルゴリズムとプログラム

述方法にこだわらず，抽象的な解法についての議論を行なう場合，これを**ア
ルゴリズム**(algorithm)と呼ぶ．すなわち，あるアルゴリズムを，特定の記
述形式で書き表わしたものが，プログラムとなる(図1.3)．また，アルゴリ
ズムでは解法に重点が置かれるので，解が求まらない，あるいは永久に終わ
らないようなものは，アルゴリズムとは呼ばれない．これに対して，解が求
まらない，すなわちアルゴリズムからは導かれないプログラムを書くのは容
易である．

(b)　プログラムの基本記法

　実際にプログラムを書く場合，日本語(や英語やフランス語など)で書くの
はいかにも能率が悪い．記述したい内容にくらべて，字数がかなり多くなる
からである．そこで，プログラム中に出てくるいろいろなもの，たとえば基
本的な操作や量などに，短くてわかりやすい名前をつけ，それを使って書く
ことにする．複利計算の例を使ってこれを示そう．

　まず，いろいろな値を記号的に表わす方法が必要であり，複利計算では以
下のような名前を使った．

$$R_0,\ R_1,\ R_2,\ R_3,\ R_4,\ R,\ r,\ i$$

次に，数学でふつうに使われる等号・不等号を導入した．すなわち

等しい	$=$
小さいか等しい	$\leqq$
小さい	$<$
大きい	$>$

ほかにも，大きいか等しい，等しくない，といった大小関係用の記号が用い
られる．

　変数という概念を新しく導入した際に，値の再定義用の記号として

$$:=$$

を使った．この意味は

　　　　　右辺の(式の)値を左辺の変数の値として再定義する

ということになる．

　反復の形式(2)，および選択を表わす記法も，基本記法に属する．

　　　　while 継続条件 **do** 反復内容

　　　　　if 選択条件 **then** 成立時の計算内容
　　　　　　　　else　　不成立時の計算内容
選択については，条件が成り立たない場合には何もやらないということも許すことにしよう．その場合は
　　　　　if 条件 **then** 成立時の計算内容
と書けばよい．
　反復の形式(1)のための記法は次のようにする．
　　　　　for 変数 := 初期値 **to** 最終値 **do** 反復内容
たとえば解 1.1c は次のように書く．
　　　　$R_0 := 1$
　　　　for $i := 1$ **to** 4 **do** $R_i := R_{i-1} * (1+r)$

(c) 計算に対する名前づけ

　これまでのところでは，名前は値(たとえば r)と変数(i)を表わすのに使われてきた．これに加えて，計算処理そのものに名前がつけられると具合がよい．再び例で示そう．
　[例 1.4]　例 1.3 で考えた A, B 二つの方式の預金について考える．n を与えられた数として，n か月後における A と B の元利合計比率を比較する．ただし，n の値は，前もってはわからないものとする．[]
　解 1.3 では $n=18$(1 年半後)と固定されていた．これを可変とし，任意の値でよいことにするのがこの例である．計算はとくにむずかしくはない．Aの方は経過月数を 12 ずつ増やしながら 1.07 を掛けていき，残りの月数に比例して 1.03 を掛ける．B はこれとほぼ同じで，3 か月ずつ 1.015 を掛けていく．
　[解 1.4a]
　　　　$a := 1$
　　　　$i := 0$
　　　　while $i+12 \leqq n$ **do**　　　　　　A の複利計算部分
　　　　　　$i := i+12$
　　　　　　$a := a * 1.07$
　　　　$a := a * (1+0.03 * (n-i)/12)$　　　A の単利計算部分

$$b := 1$$
$$i := 0$$
while $i+3 \leqq n$ **do**　　　　　　　B の複利計算部分
　　$i := i+3$
　　$b := b*1.015$
$b := b*(1+0.03*(n-i)/12)$　　　　B の単利計算部分
if $a > b$ **then** … **else** …　　　　　　　　　　　　■

一応これで計算はできる．計算方法については，とくにこれ以上直すところはない．ところが，これまでずっと例題を調べてきた読者ではなく，初めてこの例題を見，この解を見せられた人にとっては，それほどわかりやすいわけではない．複利計算のノウハウを，解 1.4a から読み取らなければならないからである．この事情を改善する方法の一つが，**計算に対する名前づけ**である．解 1.4a の前半部は A の，後半部は B の，それぞれ計算を受け持っている．そこで，それにふさわしい名前をつけよう．

　　　fukuriA　　　*fukuriB*

ところがこれでは，計算した値が a と b に入ることがすぐにはわからない．そこで，それを括弧に入れて示すことにする．

　［解 1.4b］

　　　fukuriA (a)
　　　fukuriB (b)
　　　if $a > b$ **then** … **else** …　　　　　　　　　　　　■

これならば，初めて見た人にも，だいたい何を計算しているのかがわかるであろう．もちろん実際には，*fukuriA* と *fukuriB* の内容を別に書いておく必要がある．

　この，計算の名前付けの機能は，次のようにまた別の効果も持っている．解 1.4a を見ればわかるとおり，*fukuriA* と *fukuriB* とは，ほとんど同じ "形" をしている．異なっている点を書き出してみよう．

　　　fukuriA　　　a　　12　　1.07　　$(=1+0.07*12/12)$
　　　fukuriB　　　b　　3　　1.015　　$(=1+0.06*3/12)$

そこで，これらの共通部分を抜き出したような，一つの "計算" *fukuri* を考えよう．

　　　fukuri　　　x　　k　　?　　　$(=1+r*k/12)$

ここで x, k, r の 3 個は，*fukuriA* と *fukuriB* で異なるものであり，一応仮につけた名前である．これを使って，次の解を作ってみよう．

［解 1.4c］

$$fukuri(x, k, r) =$$
$$\quad x := 1$$
$$\quad i := 0$$
while $i+k \leq n$ **do** 　　　　　　　　複利部分
$$\qquad i := i+k$$
$$\qquad x := x * (1 + r * k/12)$$
$$\quad x := x * (1 + 0.03 * (n-i)/12)$$ 　　　単利部分
$$fukuri(a, 12, 0.07)$$
$$fukuri(b, 3, 0.06)$$
if $a < b$ **then** $\cdots$ **else** $\cdots$

これで全体がたいへんすっきりした．概略だけ知りたい人は最後の 3 行だけ見ればよいし，詳細な計算方法を知りたい人は *fukuri* の中身を調べればよい（図 1.4）．

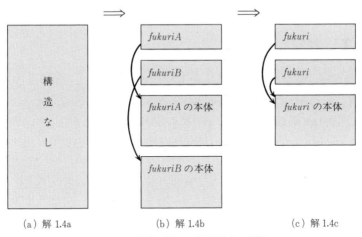

(a) 解 1.4a 　　　　　　(b) 解 1.4b 　　　　　　(c) 解 1.4c

図 1.4 計算に対する名前付けの効果

　この，計算に対する名前付けの機能は，コンピュータに対して複雑な計算をさせるための指令書を作る上で，必要不可欠なものである．

(d)　プログラミング

　これまでの例題では，その解であるプログラムが，あたかも地中から涌き出してきたかのように，ただ単に示されていた．しかし実際には，与えられた問題ごとに，そのためのプログラム(アルゴリズム)を作らなければならない．この作業を**プログラミング**(programming)と呼ぶ．一般に，与えられた問題と結果のプログラムとは，内容的にも似ても似つかないものである．また，ある一つの問題に対するプログラムは，一つに定まるわけではなく，理論的には無数に存在する．

　このような理由によって，プログラミングはむずかしいものとされている．本書のような指導書を学ぶ理由もそこにある．しかしながら，与えられた問題をきちんと把握し，その要素を明確にすることができれば，いくつかの指導原理を適用することによって，比較的簡単にプログラムを得ることができる．ごく限られた範囲の問題に対しては，プログラムの自動合成が試みられているほどである．本書では，読者がこの指導原理の多くを身につけることを目的としている．

1.3　　状態と変数

　最初の節の中で，操作の要素を実行するためには，それらにきちんとした順序づけがなされていることが必要であることを学んだ．ここでは，実行の順序づけがなぜ必要なのかを，あらためて考えてみよう．

(a)　順序づけと状態

　実生活における順序は，もちろん時間の概念と深く結びついている．18時55分の天気予報は，19時00分のニュースより前に放映される．この天気予報とニュースの(時間的な)順序づけは，必然的なものであろうか．実はこれは，天気予報とニュースの内容によるのである．まず，天気予報の中でニュースにはいっさい触れず，ニュースの中でも天気の話題がぜんぜんない場合を考えてみよう．こんなときには，天気予報がニュースの前にある必要はまったくない．後にあってもよいし，ニュースの間に挟まっていてもよい．すなわちこの場合は，順序づけは必要がない．

　つぎに，天気予報の中で，ニュースの一項目に言及する場合，たとえば，"山崩れを起こした激しい雨は，明日も降り続くでしょう"といった予報の場合には，順序が重要になってくる．この場合，ニュースの方では，"山崩れの現場では復旧作業が…明日の雨も心配されている"といった報道になろう．このときは，天気予報が（山崩れのニュースに関して）概略を示し，ニュースの中で詳しく説明するという関係になっていて，天気予報が先に，ニュースが後に，それぞれ配置されていることに意味が出てくる．天気予報の中で，"後でニュースの中で詳しくお伝えしますが…"というようなことを言ったとすれば，なおさら順序づけが重要となる．

　ここで考えた二つの場合の差異は，19時ちょうどにおける視聴者の"状態"の差となって現われる．つまり前者の場合は，天気予報とニュースはまったく独立であり，予報を見終わった時点（19時）では，ニュースに関して白紙の状態である．これに対して後者の場合には19時の時点で，ニュースに関する予見が与えられている．放送する側でも"状態の差"があり得る．予報官が，さっさと帰ってしまう（前者）か，ニュースの中で詳しい予報をするために居残る（山崩れ）か，の差である．

　この例でもわかるように，二つの"操作"の間に順序づけがなされる場合には，その中間における状態が重要となってくる．そして，2番目に実行される操作ではその中間状態が前提となるのである（図1.5）．順序づけをする必要のない場合，すなわちどちらを先にやってもかまわない場合には，中間状態は問題とならない．

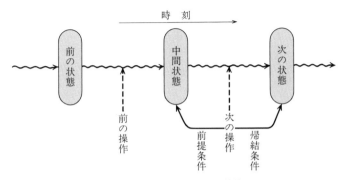

図1.5　計算の順序づけと状態

(b) プログラムの状態

われわれが扱っているプログラムにおける"状態"について考えてみよう.
例として解1.3について調べる. この解で使われた名前のうち, 値が変化する変数名は

$$a, \quad b, \quad i$$

の3個である. 念のため, 解1.3の主要部分を再び示しておく.

$a := (1+0.07) * (1+0.03 * 6/12)$
$b := 1$
$i := 0$
while $i < 18$ **do**
    $i := i+3$
    $b := b * (1+0.015)$

この計算を実行すると, := で示される値の再定義によって, それぞれの値が次のように変化してゆく.

	a	b	i	
(最初)	未定	未定	未定	
	1.08605	未定	未定	$a := \cdots$
	1.08605	1.00000	未定	$b := 1$
	1.08605	1.00000	0	$i := 0$
	1.08605	1.00000	3	$i := i+3$
	1.08605	1.01500	3	$b := b * 1.015$
	1.08605	1.01500	6	$i := i+3$
**	1.08605	1.03023	6	$b := b * 1.015$
	1.08605	1.03023	9	$i := i+3$
	1.08605	1.04568	9	$b := b * 1.015$
	（ 中 略 ）			
	1.08605	1.07728	18	$i := i+3$
	1.08605	1.09344	18	$b := b * 1.015$

計算途中のある時点では, a, b, i の値の組がきちんと定まっている. その定まり方には, もちろん一定の規則がかかわっている. たとえば上の例の ******
を付けた時点, すなわち

$$a = 1.08605, \quad b = 1.03023, \quad i = 6$$

では, 次の条件が成立している.

$a = $ "初期値"

$b = $ "1.015 の $i/3(=2)$ 乗"

b の値がきちんと 1.015^2 となっているからこそ，次にまた 1.015 をかけて 1.015^3 が計算できるわけである．

　このように，解 1.3 では，a, b, i の値の組で規定される "状態" をさまざまに変化させながら，計算が進行していく．そして，ある部分操作で要請されるような状態を，直前の部分操作が実現する．このようにして，部分操作は順序づけされる．それと同時に，順序づけには状態の考え方が必須であることがわかるであろう．

　このように，目的となる条件を設定し，それを満たす状態を実現する手順を構成する，ということを繰り返すのが，現代におけるもっとも一般的なプログラムの作成方法である．したがって，部分操作相互間には，必然的に実行の順序が導入される．また，状態を規定する道具である変数の扱いが，もっとも重要な事項の一つとなる．

1.4　プログラム言語 Pascal

　本節では，プログラム言語の概念と，言語の一例である Pascal の簡単な紹介を行なう．Pascal に関する個々の要素的事項は，次章以降で詳しく調べるので，ここではだいたいの感じをつかんでおくだけでよい．

(a)　プログラム言語

　前節までの部分で，きわめて簡単ではあるが，プログラムの概念の説明を行なった．その中で，変数や部分計算に名前をつけたり，反復や選択などのパターンを示す記法を導入したりした．これらの記法や約束事項は，プログラムを正しく書いたり，そのアルゴリズムを正確に把握したりするために，非常に重要なものである．これがいい加減であると，思いどおりのプログラムが書けない．そこで，アルゴリズムを正確に，あいまいな表現なしに書くことを目的として，ひとまとまりの記法や約束事項が定義されるようになった．これを，**プログラム言語**(programming language)と呼ぶ．

　一般社会で "言語" というと，日本語や英語などの自然言語(natural language)を意味する．これらの言語は，多くの人々によって使われているが，もともとは自然発生的に生まれたものであり，プログラム言語とはまったく異なるもののように思われるかもしれない．しかし，書かれた自然言語(たとえば本書の各文章)について考えてみると，そこには品詞の区別や主語・動詞といった構文(文の構造)，さらには時制の設定といった，数々の約束事項が適用されていることがわかる．また，自然言語の文章は，さまざまな思想・事実・主張などを表現するために書かれるが，これは，プログラムがさまざまなアルゴリズムを表現するために(も)書かれるのと対応している．そこで，プログラム記述用の約束事項のことも，言語と呼んでいる．ただし，自然にできたものではなく人間が作った言語という意味で，**人工言語**(artificial language)と呼ぶこともある．

　本書の主目的はプログラミングの方法を学ぶことであり，特定の，あるいはいろいろなプログラム言語の達人になることではない．しかし，さまざまなアルゴリズムの組み立て方を学ぶには，何らかのプログラム言語を使う必要がある．本書では，この言語として **Pascal** を用いる．Pascal は，現在においてもっとも一般的な，変数と状態遷移の概念を基礎とする言語の中でも，アルゴリズムの記述力に重点を置き，かつ可能な限り単純な構成になるように設計されている．そこで，限られたスペースの中で，プログラミングの方法の本質を学ぶには，もっとも適した言語の一つとしてよく利用されている．

　前節までで利用した記法は，Pascal のそれに範をとったものである．しかしながら，実用的なプログラム言語とするために，Pascal にはほかにさまざまな約束事項や記法が追加されている．ここでは，その主なものを示しておく．

(b) 値と名前と式

　プログラム言語 Pascal で扱う**値**のうち，基本的なものは次の4種類である．

(1) **整数**(integer)

　　3, −15, 1988 といった，小数部のない数．0 も含まれる．ただし，絶対値がある上限(maxint)以下のものに限られる．

(2) **実数**(real)

3.1416, 174.73, −0.055 といった,小数部をもつ数.また,絶対値が非常に大きい(または小さい)数のために,係数(10 のべき乗)つきの記法も用意されている.

例:　　1.74e2　　（＝$1.74×10^2$＝174.0)

　　　　5e−8　　（＝$5×10^{-8}$＝0.00000005)

実数では,有効桁数が,たとえば 10 進 8 桁というぐあいに限られている.

(3) **論理値**(Boolean)

値として true(真)と false(偽)の二つしかない種類.

(4) **文字**(character, char)

人間の目で見える文字."間隔"(スペース,space)は目には見えないが,文字として扱う.表記法としては,文字を引用符で囲む.

例: 'A', 'q', '?', ' '　　（最後の例はスペース)

概念やものを指示するのに使う**名前**(name, identifier)として,Pascal では英数字(*a*〜*z*, 0〜9)の列を使う.ただし先頭は英字に限られ,途中に英数字以外のもの(改行を含む)を挟んではいけない.

例:　　*single*, *page*14, *xyz*74099　　（正しい名前)

　　　　3 km, %*abc*, *drive_in*　　　　（名前とは認められない)

名前とは別に,Pascal では,反復や選択などの構文を表わすために,あらかじめ決められている(一見すると名前のような)記号を使う.複利計算のプログラムに使われた綴り

while, do, if, then, else

などがその例である.これらを**語記号**(word delimiter)と呼ぶ.これらと同じ綴りの名前は使用できない.

上に示した 4 種類の値に対しては,さまざまな**演算**(operation)が用意されている.その一つが**演算子**(operator)によるもので,ふつうの数式の基礎となる.

例:　　3+5(＝8)　　　　＋ が加法演算子

　　　　3.0/4(＝0.75)　　/ が除法演算子

演算子によって演算されるもの(上例では 3, 5, 3.0, 4)を**被演算数**(operand)

と呼ぶ. たとえば, 数式

$$3.14 * 2 - 4.5/2.1 \qquad (* は × の意味)$$

では, 3.14 と 2 が演算子 *(乗法演算子)の, 4.5 と 2.1 が演算子 / の, それぞれ被演算数である. また, 部分数式 3.14 * 2 と 4.5/2.1 が, さらに演算子 −(減法演算子)の被演算数となっている. このように, 小さいものから順に演算をしていって値が求まるものを, 一般に**式**(expression)と呼ぶ. 数値(3など)はそれだけで式とみなされる.

式の値を計算することを, その式の**評価**(evaluation)と呼ぶ. 式の評価は, その式の要素として変数や関数が存在すると, その時点時点で行なわなければならない. たとえば, 式

$$sum + 50$$

の値は, sum の値が 10 であれば 60, 100 であれば 150 と変化するので, 前もって評価しておくわけにはいかない.

(c) 変数と定数

値が変化し得るものを変数と呼ぶことはすでに学んだ. 変数は, 名前をつけて利用する(例外はある). 変数の名前を**変数名**(variable identifier)と呼ぶ. また, 各変数については, それが取り得る値の種類が指定される. たとえば, 解 1.4a 中の a, b は実数型の変数名, i は整数型の変数名である.

変数は, 使用する前にきちんと導入しておかなければならない. この処置を**変数の宣言**(declaration)と呼び, 次のような形式で行なう.

> **var** i : *integer* ;
> 　　　a, b : *real* ;

先頭の **var** は変数を示す語記号である. 同じ型の変数は, 複数個まとめて宣言してもよい.

> **var** $i, j, maximum$: *integer* ;

変数と異なって, プログラムの実行中その値が変わらないものを**定数**(constant)と呼ぶ. 数表記 100, −3.1416 や *true*, 'a' のように値を直接表現したものは, もちろん定数である. そのほかに, 定数に名前をつけることができる. 定数の名前づけの処理を**定数の定義**(constant definition)と呼び, 次の形式で行なう.

> **const** *pi* = 3.14159265 ;
> 　　　　*thisyear* = 1988 ;

定数定義は変数宣言より前になければならない.

　変数の値を再定義によって更新する操作を**代入**(assignment)と呼び, 次の形式で示す.

> $i := 120$

記号 := の右辺には, 一般に式を書くことができる. たとえば

> $i := i+4$

という代入では, そのときの i の値に 4 が加えられて, 再び i へ書き戻される.

　定数はその値を変えることができないので, 代入に相当するものはない.

(d) 実行の制御

　Pascal における基本的な操作は, **文**(statement)と呼ばれる. その中でももっとも基本的なものが**代入文**(assignment statement)である.

> $i := i+10$

また, 名前をつけられたひとまとまりの操作も文となる. このような操作を**手続き**(procedure), 手続きを実行する文を**手続き文**(procedure statement)と呼ぶ.

> *fukuriA*

手続き文には**引数**と呼ばれる可変情報がつくこともある.

> *fukuri*(*a*, 12, 0.07)

　Pascal のプログラムは, 代入文と手続き文とを基本とし, 逐次実行・反復実行・選択実行という 3 種のパターンによって組み上げられていく.

　逐次実行の基本は, 文 1 に続けて文 2 を実行することで

> 文 1 ; 文 2

と書く. これは, いくらでも続けられる.

> 文 1 ; 文 2 ; 文 3 ; … ; 文 n

こうやってつながった複数個の文は, ひとまとめにして一つの**複合文**(compound statement)とすることができる.

> **begin** 文 1 ; 文 2 ; 文 3 ; … ; 文 n **end**

begin と **end** は語記号である．

　反復実行を表わす基本的なパターンは，前節でも扱った WHILE 構文である．

　　　　　while 継続条件 **do** 文

これは継続条件が成立する間，"文"を実行する．複数個の文をまとめて反復実行したい場合は，それらを一つの複合文にまとめる．

　　　　　while $n > 0$ **do**
　　　　　　　begin $sum := sum + 10$; $n := n-1$ **end**

　選択実行のパターンには，IF 構文と CASE 構文とがある．

　　　　　if 選択条件 **then** 文 1 **else** 文 2
　　　　　if 選択条件 **then** 文

IF 構文に使われる選択のための条件は，論理型の値(true と false)を与える式，すなわち論理式である．式の値が true ならば文 1 が，false ならば文 2 が，それぞれ実行される．選択肢に複数個の文を入れたい場合は，それらをまとめて複合文とする．式の値が true のときのみ何かを実行し，false のときは何もやらない場合は，else 部を省略できる．

　　　　　case 式 **of**
　　　　　　　値 1: 文 1;
　　　　　　　値 2: 文 2;
　　　　　　　……
　　　　　　　値 n: 文 n
　　　　　end

CASE 構文では，選択は値によって行なわれる．値はふつうは整数値で，その値で示される選択肢が実行される．複合文の使用法は，WHILE 構文や IF 構文の場合と同じである．

(e) データの構造化

　実行の制御においては，要素的な文の集まりを，一定の形式でまとめ上げていくことが行なわれた．この機能により，要素的な部分を組み合わせて，大きなプログラムを作成することが可能となる．Pascal では，値およびそれを格納する変数についても，同種の機能が用意されている．これを**データ**

の**構造化**(data structuring)と呼ぶ.

　もっとも単純な構造化は，いろいろなデータ型の値を一つにまとめて扱うための**レコード**(record)構造である．この構造を作るには，要素となる個々の値のデータ型と，その値を指定するための名前である**タグ**を決めればよい．

$$\textbf{type}\ person = \textbf{record}\ age : integer ;$$
$$height : real ;$$
$$gender : char$$
$$\textbf{end} ;$$

ここでは，*person* という名のデータ型が定義されている(図1.6)．*person* 型の値は，整数値，実数値，文字値それぞれ一つずつから成っている．この型の変数は

$$\textbf{var}\ he, she : person ;$$

というように宣言される．プログラム実行中にこれらの変数を指定するには，単にその名前を指定する．

$$he := she$$

また，それぞれの構成要素を指定するには，変数名とタグを使用する．

$$he.age := 20 ;\ she.gender := \text{'F'} ;$$
$$he.height := she.height + 18.5$$

タグによって指定された構成要素は，ふつうの変数と同じように扱われる.

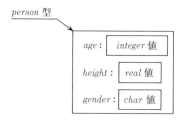

図1.6　レコード型の構造

　つぎに一般的な構造化として，同一のデータ型の値を何個かひとまとめにする**配列**(array)構造がある．この構造は，要素となる値の型と，要素を個別に選択するための値の範囲とで定義される．

$$\textbf{type}\ vector = \textbf{array}[1..3]\ \textbf{of}\ real ;$$

この *vector* 型の値は3個の実数値から成っている(図1.7)．この型の変数は

$$\textbf{var}\ \textit{axis} : \textit{vector}\ ;$$

といったように宣言される．そしてこの変数 *axis* のそれぞれの要素は

$$\textit{axis}[1],\ \textit{axis}[2],\ \textit{axis}[3]$$

で指定される．選択のための値を**添字**(index)と呼ぶ．添字の値は式で指定してもよい．

$$\textit{axis}[\textit{ix} * 5 + 2]$$

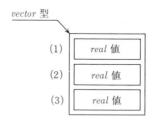

図 1.7　配列型の構造

(f)　プログラムの構造化

　実行の制御によるプログラムの組み上げでは，でき上ったプログラムは相当に大きなものになる．これでは，作るのにもあとで読むのにも，非常な困難がともなうことになる．たとえば，典型的なプログラム言語処理系は，数千から 3 万行ぐらいの大きさがあり，とてもひとまとめにして作ったり読んだりすることはできない．そこで多くのプログラム言語では，あるまとまった仕事をする部分を独立に作り，それに名前をつける機能を提供している．これを**サブルーチン**，**副プログラム**，**手続き**，**関数**などと呼ぶ．Pascal では手続き(procedure)と呼ぶ．

　解 1.4c で部分的な計算に *fukuri* という名前を付けた．これが手続きの例である．Pascal の記法では次のようになる．

```
procedure fukuri(var x : real ; k : integer ; r : real) ;
    var i : integer ;
  begin
    x := 1.0 ; i := 0 ;
    while i+k <= n do
      begin i := i+k ; x := x * (1+r * k/12) end ;
    x := x * (1+0.03 * (n-i)/12)
```

    end;

引数である x, k, r については,そのデータ型を明示する.また x について
は,値を書き込ませる指定として **var** という語記号を付けておく.この手続
きは,たとえば

    fukuri $(b, 3, 0.06)$

という具合に,手続き文として呼び出される.

 手続きと同じような部分プログラムで,その呼出し自体を(ある意味を持
つ)値として扱えるものが利用できる.これを**関数**(function)と呼ぶ.関数
の指定とその使用例を示しておく.

    function *slope* $(a, b : real) : real$;
     begin
      $slope := sqrt(a * a + b * b)$
     end;

この関数 *slope* は,直角を挟む 2 辺の長さが a と b である直角三角形の,斜
辺の長さを計算する.*sqrt* はあらかじめ用意されている関数で,引数値の平
方根を計算する.関数は値を返す,すなわちその呼出しが値を表わすので,
その利用は式の一要素として行なう.たとえば,直角三角形の直角の頂点か
ら斜辺へ降した垂線の長さは,直角を挟む 2 辺の長さを *len*1 と *len*2 とすれ
ば

$$\frac{len1 * len2}{slope(len1, len2)}$$

で求められる(図 1.8).

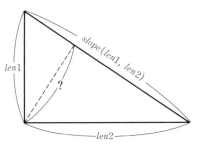

図 1.8 垂線の長さの計算

(g)　入力と出力

これまでのところでは，コンピュータのプログラムは，一種の閉じた世界である．したがって，実行しても結果はわからない．また，処理してほしいデータをプログラムの外から与えることもできない．**出力**(output)は，得られた結果などを外界へ示す手段である．Pascal では，出力専用の標準手続き *write* と *writeln* とが用意されている．*write* は 1 個以上任意個数の式を引数とし，それらを順に出力する．

$$write\,(107, 13, 107 * 13)$$

の実行によって，

```
107        13       1391
```

といった出力が行なわれる．引数としては基本的な型の値のほかに，文字列(string)が許されている．

$$write\,(107, \text{' times', } 13, \text{' equal', } 107 * 13)$$

の出力は

```
107 times        13 equal       1391
```

となる．もう一つの出力手続き *writeln* は，改行を行なう．引数にコロンと整数式を添えると，**出力幅**の指定となる．実数値出力では，さらに小数点以下の桁数も指定できる．詳しくは 7.4 節を参照のこと．

入力(input)は，外界から与えられる値を，プログラム中の変数へ読み込む手段である．Pascal においては標準手続き *read* がこれを行なう．

$$read\,(x, y, z)$$

によって，3 個の値が順に x, y, z へ入力される．値の種類は，読み込む変数の型によって定まる(図 1.9)．

4 個の整数値を読み込んで，その最大値を出力する例を示す．

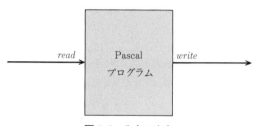

図 1.9　入力と出力

$read(p, q, r, s)$; $m := p$;
if $q > m$ **then** $m := q$;
if $r > m$ **then** $m := r$;
if $s > m$ **then** $m := s$;
$write$('max of', $p, q, r, s,$ '=', m);
$writeln$

(h) Pascal プログラム

これまで示した数々の例は，プログラムの各機能を示すためのもので，完全に"走る"例ではない．完全な Pascal プログラムの形式を示す．

(1) **プログラム頭部** プログラム名や入出力の指定など．

(2) **宣言・定義部** 各種の宣言や定義を行なう．これまでに出てきたものについては，定数定義，変数宣言，手続き・関数宣言，の順でなければならない．

(3) **実行部** 一つの複合文の形をしている．

(4) **末尾部** ピリオドを置く．

例として，整数値を一つ（N とする）読んで，

$$slope(n, m) \quad 1 \leqq n \leqq N,\ 1 \leqq m \leqq n$$

の値を出力する完全なプログラムを示す．

```
program slopes(input, output);
  var n, m : integer;
  function slope(a, b : real) : real;
    begin slope := sqrt(a * a + b * b) end;
begin
  read(n);
  while n > 0 do
    begin m := n;
      while m > 0 do
        begin
          write('n =', n, ' m =', m, ' slope =', slope(n, m));
          writeln;
          m := m - 1
        end;
```

$$n := n-1$$
end
end.

先頭のプログラム頭部では，プログラム名が *slopes* であり，入力と出力が行なわれることを指定している．第2行目は変数 n と m の宣言，第3, 4行目は関数 *slope* の宣言である．第5行目からの実行本体では，まず n に指定値 (N) を読み込んだあと，$n=N$, $n=N-1$, $n=N-2$, $\cdots$, $n=1$ について内側の複合文を反復する．内側の複合文では，まず m に n の値を移したあと，$m=n$, $m=n-1$, $m=n-2$, $\cdots$, $m=1$ について，もっとも内側の複合文を反復実行する．そこでは，n と m，それに $slope(n, m)$ の値が印刷される．$N=4$ と入力した場合，出力は次のようになる．

```
n=      4   m=      4   slope=    5.65685
n=      4   m=      3   slope=    5.00000
n=      4   m=      2   slope=    4.47214
n=      4   m=      1   slope=    4.12311
n=      3   m=      3   slope=    4.24264
n=      3   m=      2   slope=    3.60555
n=      3   m=      1   slope=    3.16228
n=      2   m=      2   slope=    2.82843
n=      2   m=      1   slope=    2.23607
n=      1   m=      1   slope=    1.41421
```

1.5 計算の実行

われわれはここまでの間，与えられた問題に答える計算の手順をどうやって書き表わすか，について考えてきた．ところが，その結果でき上るものは，単なる指令書であり，それをさらに“実行”することが必要になる．そのために用意されているコンピュータ環境について簡単に述べておく．

(a) 言語処理系

あるプログラム言語 P で書かれたプログラムを読んで解釈し，その指示どおりに次々と計算を行なうシステムを，P の**インタプリタ**(**解釈実行系**,

interpreter)と呼ぶ．われわれの場合は Pascal インタプリタとなる．この
システムは，プログラム本体と，必要なら *read* で読まれる入力データとか
ら，計算を行ない，結果を出力する（図 1.10）．ところが，一般に使われてい
るコンピュータは，特定のプログラム言語，たとえば Pascal の解釈実行の
ためだけに作られているわけではない．他のプログラム言語の処理や他の目
的にも使えるように，**機械語**と呼ばれるもっと原始的な機能だけを持つ言語
のインタプリタとして作られている．そこで，Pascal のような高水準のプ
ログラム言語によるプログラムは，まず，同じ計算手順を表わす機械語のプ
ログラムに変換し，それから解釈実行を行なうようになっている．この変換
を行なうシステムを**コンパイラ**（**翻訳系**，compiler）と呼ぶ．すなわち

Pascal コンパイラ＋機械語インタプリタ ＝ Pascal インタプリタ

ということになる．ここで機械語インタプリタは，コンピュータのハードウ
ェアそのものである．また，コンパイラが読むプログラムを**ソースプログラ
ム**（**原始プログラム**，source program），変換して書き出すプログラムを**目的
プログラム**（object program）とそれぞれ呼ぶ（図 1.11）．

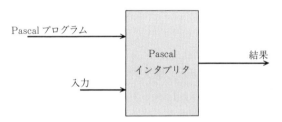

図 1.10 インタプリタの役割

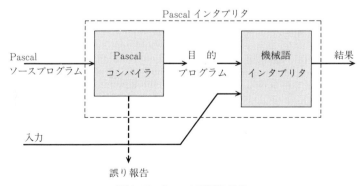

図 1.11 Pascal 言語処理系

コンパイラを利用すると，そのコンピュータの能力を充分に発揮させることができると同時に，変換の段階だけで検出できる**プログラムの誤りを見つける**ことが可能となる．誤りを含んだプログラムをいきなり解釈実行すると，一般に何が起きるかわからない．そのプログラムが機器の制御などに使われている場合を想定してみるとよい．

　以上のように，プログラム言語に関するシステムはいくつかあるが，これらを総称して**言語処理系**(language processors) と呼ぶ．

(b) プログラム作成の支援

コンパイラはプログラムを読み込むが，そのプログラム自体は，ふつう，文字の列として表わされている．プログラムを書いたり読んだりするのは，われわれ人間だからである．この，文字の列としてのプログラムは，やはりわれわれが用意しなければならない．文字列のためのメディアとして，古くは紙カードや紙テープが使われたが，今ではコンピュータシステムの中の**ファイル**(file) と呼ばれるものが使われる．このファイルには直接は手が届かないので，**エディタ**(editor) と呼ばれるシステムを介してプログラムを書いたり，修正したりする．

　プログラムは，始めから正しく書けることはまずなく，いろいろな誤りが含まれているのがふつうである．**構文的な誤り**は，コンパイラが指摘してくれる．しかし**意味的な誤り**は，作成者本人でなければなかなか直せるものではない．たとえば，1.5 の 10 乗を計算するつもりで，

$$x := 1 \,;\; i := 0 \,;$$
$$\textbf{while } i < 10 \;\; x := x * 1.5$$

と書いたりすると，コンパイラによって

　　　　i < 10 の後ろに do がありません

と指摘される．それではというので，その **do** を挿入して

$$x := 1 \,;\; i := 0 \,;$$
$$\textbf{while } i < 10 \;\; \textbf{do} \;\; x := x * 1.5$$

としたとすると，今度はコンパイラは何も言わない．しかしこれを実行させると，ぜんぜん結果が出てこない．反復をいくらやっても i の値が増えないからである．

誤りのあるプログラムを直す場合に，その手助けをするシステムを用意することができる．これを**デバッガ**(debugger)と呼ぶ．デバッガは，ソースプログラムの段階で，ユーザから与えられるいろいろな検査指令を遂行する．上の例では，この WHILE 文が怪しいとわかったら，反復実行の各回における i と x の値を次々と打ち出させれば，i の値が増えていないことがすぐわかる．

(c) オペレーティングシステム

以上述べたようなインタプリタ，コンパイラ，エディタ，それにユーザが作ったプログラムなどは，バラバラに実行されるわけではなく，一つの管理体系のもとにまとめられている．この管理システムを，**オペレーティングシステム(操作系，operating system)**と呼ぶ．オペレーティングシステムは，コンピュータの命令実行の機能や，入力出力の管理，記憶場所の割当て，ファイル組織の管理などを行なう．

多くの言語処理系では，それが動作するにあたって，オペレーティングシステムの機能を利用している．たとえば，Pascal の入力 *read* と出力 *write* とは，オペレーティングシステムに対する要求に置き換えられる．変数や配列用の領域の確保や開放も同じである．1.5 節(a)でコンパイラは機械語のプログラムを作り出すと言ったが，より正確には，オペレーティングシステムが提供する仮想的な機械の言葉で書かれたプログラムを出力しているのである(図 1.12)．

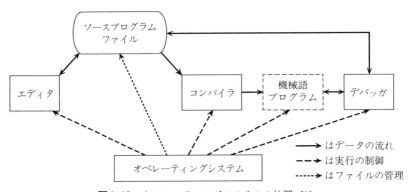

図1.12 オペレーティングシステムの位置づけ

第1章のまとめ

1.1　計算の要素としては，算術演算などの基本的な要素とは別に，順序づけ・反復・選択という実行のパターンがある．

1.2　記述方法にこだわらない解法をアルゴリズムと呼ぶ．これを特定の形式で記述したものがプログラムである．

1.3　プログラムを書くにあたっては，いろいろな操作やものに対する記号化や名前付けが大切である．とくに部分的な計算に対する名前付けは，大きなプログラムを作るうえで必須の機能である．

1.4　値が変化するものを変数と呼ぶ．変数の値の集まりがプログラムの状態を表わす．プログラムの実行中は，その状態が決められた条件を満たすようにすることが重要である．

1.5　プログラム言語とは，プログラムをきちんと書き表わすための記法や約束事項の集まりである．プログラム言語は，自然言語と対比して人工言語と呼ばれる．

1.6　プログラムを作成し実行するための環境として，言語処理系，エディタ，デバッガ，などがある．これらはオペレーティングシステムのもとで運用される．

キーワード

問題解決　　計算の要素　　順序づけ　　反復計算　　選択計算　　プログラム
アルゴリズム　　名前づけ　　プログラミング　　状態　　プログラム言語
自然言語　　人工言語　　Pascal
整数　　実数　　論理値　　文字　　名前　　語記号　　演算　　演算子
被演算数　　評価　　変数　　変数宣言　　代入　　定数　　定数定義
文　　代入文　　手続き文　　引数　　逐次実行　　複合文　　反復実行
選択実行
データの構造化　　レコード　　タグ　　配列　　添字　　プログラムの構造化
手続き　　関数
出力　　入力
インタプリタ　　コンパイラ　　デバッガ　　ソースプログラム
目的プログラム　　機械語
ファイル　　エディタ　　オペレーティングシステム

演習問題1

1.1　例1.2の年利率7%の複利と同じ条件で，元利合計が最初の2倍になる最

小年数を求める.

(1) まず手計算で求めよ.

(2) これを求めるプログラムを解1.2b にならって作れ.

1.2 例1.3における A と B の二つの方式について, B の方が有利となる預け入れ期間を求めるプログラムを作れ. 必要なら解1.4c で用いた手続き *fukuri* を使ってもよい.

1.3 次のプログラムについて以下の問いに答えよ.

```
program p(input, output);
    var n, a, s, x, y : integer;          5個の整数変数
begin
    read(n); read(a);                     2数の読み込み
    x := 0; s := 0;
    while s+a < n do
        begin s := s+a; x := x+1 end;     反復実行される行
    y := n−s;
    write(x); write(y);                   書き出し
    writeln
end.
```

(1) 二つの正の整数 25 と 7 を入力した場合の, 各変数の値の変化を追跡せよ.

(2) x と y には最終的に何が求まるか. 任意の正の入力値について答えよ.

(3) このプログラムは止まらないことがある. どのような場合か.

(4) 反復文の条件判定の直後において, 3変数 a, s, x の値の間にどのような関係が成立しているかを示せ.

1.4 三角形の3辺の長さを与えて面積を求める関数 *heron* を作れ. 1.4節(f)の関数 *slope* を参考にせよ. ここで用いる式(ヘロンの公式)は以下のとおり.

    3辺の長さ: a, b, c

    面積: $s(s-a)(s-b)(s-c)$ の平方根. ただし $s=(a+b+c)/2$

1.5 3個の整数値を読み込んで, 値の小さい順に出力するプログラムを作れ. 次に4個の場合について考えてみよ.

1.6 3個の代入文

$$x := y, \quad y := z, \quad z := x$$

について考える.

(1) 実行の順番が任意であるとして, 何通りの実行順序があるか.

(2) (1)で求めたそれぞれの実行順序について, x, y, z の最終的な値を示せ. ここで x, y, z の初期値を, それぞれ X, Y, Z とする.

2

■ ■ ■ ■

値とその扱い

　プログラム言語で扱うものの基本要素は値である．すべての
言語機能は，値をうまく扱うために作られているといっても過
言ではない．本章ではそれらの機能のうち，値の種類をまとめ
るためのデータ型，値を保持するための変数と定数，値を計算
していくための式，などについて調べる．

2.1　基本的な値とそのデータ型

　実際の計算の対象となるものを，一般に**値**(value)と呼ぶ．値には，単純な
ものから複雑なものまでいろいろあるが，Pascal を始めとする多くのプロ
グラム言語では，いくつかの種類の単純な値を基本的なものとして用意して
いる．プログラマはこれらの値と，いろいろなデータの構造化手段とを使っ
て，複雑な値を自分で作り上げていくのである．ここでは，その基本的な値
について述べる．

(a)　整数

　整数(integer)は一言でいえば，小数点を持たない数である．たとえば

　　　　7，1988，−504，0

などは整数の値であるが，

　　　　3.14，−0.0002718，6.000

などは整数値ではない．数 6.000 は小数点以下の部分が 0 であり，整数とし
てもよさそうであるが，次に示す整数値の正確な定義によって排除される．

　　　整数値(integer value)　自然数，その負数，および 0 のいずれかで，
　　　その絶対値がある決められた値以下のもの．

　Pascal では，この絶対値の上限には *maxint* という名前がつけられてい
る．

　自然数(0, 1, 2, …)の特徴は，一つ一つ数えられること，および正確な値で
あること，の二つである．たとえば整数値 6 は正確に "6" なのであって，
6.00（6.003 や 5.999 かもしれない），あるいは 6.00000000（6.000000004 や
5.999999996 かもしれない）とは性質を異にする．また，整数値 6 の "次の値"
は 7 であるが，6.00 の次の値が 6.01 かどうかはまったくわからない．

　数学的な自然数(あるいは整数)には上限がない．どのように大きな数でも
扱うことができる．ところがコンピュータを相手とするプログラム言語にお
ける整数値には，上限が存在し，かつその上限がけっこう小さいのである．
この上限値はシステムによって異なり，20 億程度であることが多いが，小さ
なコンピュータ用の処理系では 3 万ちょっとであることすらある．日本の国

家予算の規模が"兆"の桁をはるかに越えていることを考えると，この上限値はかなり小さいと言わざるを得ない．いいかえると，プログラミングに際しては，常に *maxint* の値を意識しているべきだということになる．

整数値の表記方法は，ふつうのやり方どおりであり，数字を並べたものの前に（必要なら）符号をつける．数字は連続していなくてはいけない．

     1944, −26, +10002, 0

整数値に対する演算は日常よく使われるものが用意されており，演算子（operator）記号によって示される．

演算	記号	例	結果の値
加算	+	74＋28	102
減算	−	123−500	−377
乗算	*	29＊6	174
除算	**div**	60 **div** 13	4, 60 を 13 で割った整数部分
剰余	**mod**	60 **mod** 13	8, 60 を 13 で割った余り
恒等	+	＋81	81
負数化	−	−81	−81

これらの演算は，結果の絶対値が *maxint* 以下であるときに限り定義される．そうでない場合には，結果の値は定義されない．また，**div** と **mod** は整数値の範囲内の除算である．除数は 0 ではいけない．また除数や被除数が負数の場合は，まずそれらの絶対値について整数除算を行ない，結果に除数×被除数の符号をつける．

    60 **div** $(-13) = -4$

    (-60) **div** $13 = -4$

    (-60) **div** $(-13) = 4$

剰余を求める演算 a **mod** b では，b は正でなければならない．そして結果は，k を整数として a−b×k の形の整数のうち，正または 0 で最小の値となる．たとえば

    60 **mod** $13 = 8$

    (-60) **mod** $13 = 5$

となる．他の言語では剰余が負にもなるような定義もあり，ふつう rem（remainder）と呼ばれる．しかし Pascal では **mod** 演算の方だけを提供して

いる.

ここで示した 7 個の演算は,結果がまた整数値となるので,さらに別の演算を施すことができる.これを**式**(expression)と呼ぶ.この場合,最初の演算は括弧で囲むのが原則であるが,演算子に"強さ"を導入することによって,括弧を省略できるようになっている.

たとえば,式

$$(29*6)+(60 \ \mathbf{div} \ 13)$$

では,***** と **div** が両方とも **+** より強いものとされているので

$$29*6+60 \ \mathbf{div} \ 13$$

と書ける.しかしながら別の式

$$(29+6)*(60-13)$$

では関係が逆なので括弧は省略できない.強さの順序は次のとおりである.数字が大きいほど強いものとする.

強さ 3   *****, **div**, **mod**

強さ 2   単項および 2 項の **+** と **−**

強さ 1 の演算については後で述べる.強さが同じ演算子が並んだ場合は,左の方を優先する.

$$29+6+13-60 = ((29+6)+13)-60$$
$$29*6 \ \mathbf{div} \ 13 = (29*6) \ \mathbf{div} \ 13$$

(b) 実数

常識的な"数"の中で,整数の定義に合わないものが**実数**(real)である.

$$3.14, \ -0.0002718, \ 6.000$$

きちんとした定義は以下のとおり.

実数値(real value) 整数でない数値のうちで,その絶対値の大きさと精度とがある決められた値以下のもの.

整数の場合と同じように,限定的な数であることに注意しよう.この定義からわかる実数の特徴を示す.

(1) 整数ではないので,"数えられない".すなわち,ある実数値の"次の"実数値は定義されない.

(2) 絶対値の大きさに上限があるので,いくらでも大きな値が扱えるわけ

ではない．ただしこの上限値は，整数の上限値 *maxint* よりははるかに大きく，ふつう 10^{50} 程度である．また，その逆数程度の非常に小さな数値も，同じ精度内で扱える．

（3）精度が有限であるので，"正確な値"ではない．精度は 10 進桁数で表わされることが多いが，ふつう 7 桁から 16 桁程度である．

特徴(2)はプログラミング上たいへん有用なので，とくに数値計算の応用にとっては必須の項目である．しかしながら，特徴(3)の存在を忘れてはならない．整数の場合は *maxint* というはっきりした値が示されているからよいが，実数の精度に対する配慮は忘れがちである．

実数値の表記方法には，小数点つきの数字列というふつうのやり方のほかに，10 のべき乗数を添えるプログラム言語特有の方法がある．

3.1415926535	ふつうの意味
−0.000103	符号がついてもよい
8.64e4	e4 は $\times 10^4$ を示す
−1.03e−4	e−4 は $\times 10^{-4}$ を示す
4e12	e 記法の場合は小数点がなくてもよい

ここで特徴(3)を思い出そう．精度が有限であることは，

表記された数値も正確には表わされない

可能性があることを意味している．たとえば，10 進 7 桁しか精度がない場合には，第 1 の例のような 11 桁の数は表わしようがない．処理系はこの数を 3.141592 あるいは 3.141593，またはこれらに近い数としてしか扱うことができない．他の例についても同様で，常に精度に対応する誤差があるものと思わねばならない．たとえば

−0.000103 は −0.0001029999 から −0.0001030001 まで，

8.64e4 は 8.639999e4 から 8.640001e4 まで

の間の数として扱われる（精度が 7 桁の場合）．

実数値に対する演算としては四則演算が用意されている．演算子記号の ＋，−，＊ は整数と共通であり，除算は / で表わす．強さの順序も整数の場合とほぼ同じである．

強さ3　　＊，/

強さ2　　単項および 2 項の ＋ と −

　整数値と実数値とは，Pascal では厳密に区別されている．しかし常識的な数の概念の中では，整数値は，小数点以下に 0 しかない実数として扱われている．たとえば

$$1988 \longleftrightarrow 1988.000000\cdots無限に続く\cdots$$

という具合である．いいかえると，無限に 0 が続く（すなわち精度が無限大である）実数が現実には扱えないからこそ，整数と実数とを区別せざるを得なかったわけである．しかしながら実際のプログラミングにおいては，

$$3.1416*2*100$$

といった計算を行ないたいことも多い．そこで Pascal では，整数値が実数値として使用可能な場合には，実数値に自動的に変換することによって，両者を混ぜて使うことができるようになっている．これを**混合演算**と呼ぶ．四則演算がその代表例である．

　たとえば式

$$365.2422*24*60*60$$

では，24 と二つの 60 が実数値とみなされ，実数の乗算が実行される．結果はもちろん実数である．また，

$$63.0/7 　と　 63/7.0$$

の結果は，いずれも実数値 9.0 となる．これに加えて，整数値同士の除算

$$63/7$$

の値も実数値になることに注意しよう．除算演算子 / は，結果を常に実数とするからである．整数の結果がほしい場合には

$$63 \ \mathbf{div} \ 7 \quad (=9)$$

とする必要がある．

　整数値と実数値の混用は，比較演算や代入でも現われる．この場合，常に整数の方が実数に変換される．

(c) 文字

　文字(character)は，基本的には，人間の目で見える字をその値とする．"間隔"(space)は目に見えるわけではないが，文字の仲間に入れる．このほかにも，"改行"(newline)，"タブ"(tab)，"後退"(backspace)などが文字として扱われることもある．

　　文字値(character value)　処理系ごとに定められた文字集合の要素.
文字集合は処理系によってさまざまであるが, ある決められた性質だけは保
証されている.

　文字値は, 文字を引用符(')で囲んで表わす. 引用符自体は, 引用符を2
個並べて表わす.

　　　　　'a', '8', '?', '''', ' '

最後の例は間隔文字を表わしている. "見えない"文字はこの方法では表わ
せない. 実際 Pascal では, 直接に表記できるのは "見える" 文字に限られて
いる.

　文字集合が持つことを保証されている性質は以下の四つである.

(1)　文字集合の各要素(すなわち文字)に, **固有の非負整数が対応**するこ
　　と. 文字が異なればこの対応整数も異なる. この対応を表わす次の二つ
　　の関数が用意される.

　　　　　ord(文字) = 対応する整数値

　　　　　chr(整数) = 対応する文字値

　すなわち,

　　　　　$chr(ord(文字))$

　は元の文字値を与える. この逆の関係

　　　　　$ord(chr(整数))$

　は, chr(整数) が文字集合の要素であれば, 元の整数値を与える.

(2)　文字 '0' から '9' までの対応整数値が, この順に連続していること. す
　　なわち

　　　　　$ord('1') = ord('0')+1$

　　　　　$ord('2') = ord('0')+2$

　　　　　……

　　　　　$ord('9') = ord('0')+9$

　が保証される.

(3)　文字 'A' から 'Z' までが使える場合は, 対応整数値もこの順に大きく
　　なること. ただし連続しているとは限らない. すなわち

　　　　　$ord('A') < ord('B') < ord('C') < \cdots < ord('Z')$

　ではあるが,

$$ord('B') = ord('A') + 1$$

であることは保証されない.

(4) 文字 'a' から 'z' までについても (3) と同様の性質を持つ.

上記の性質は,英小文字と大文字との間の関係には言及していないことに注意しよう.すなわち

$$ord('a') \quad と \quad ord('A')$$

の大小については何も保証されない.

(d) 論理値

論理値(Boolean)には,*true* と *false* という名前で表わされる二つの値しかない.整数や実数,それに文字とくらべても,ずいぶん簡単である.主な用途は,二者択一のための条件の成立(true)と不成立(false)を表わすことである.値の表記方法は,名前 *true* と *false* による.二つの値には,文字と同じような整数値への対応が決められていて,

$$ord(\mathit{false}) = 0, \quad ord(\mathit{true}) = 1$$

である.

論理値に対する演算は,いわゆる論理演算であり,以下のものがある.

演算	記号	意味
否定	**not**	*false* と *true* とを反転する
論理積	**and**	二つの被演算数がともに *true* のときのみ *true*,そうでなければ *false*
論理和	**or**	二つの被演算数がともに *false* のときのみ *false*,そうでなければ *true*

否定演算は単項の,他の二つは 2 項の,それぞれ演算である.強さの順序は以下のとおりである.

　　　強さ 4　　**not**

　　　強さ 3　　**and**

　　　強さ 2　　**or**

これに従うと,以下の論理式の評価結果は次のようになる.

true **and** *false* **or** **not** *false* **and** *true*

$$= (true \textbf{ and } false) \textbf{ or } ((\textbf{not } false) \textbf{ and } true)$$
$$= false \textbf{ or } (true \textbf{ and } true)$$
$$= false \textbf{ or } true$$
$$= true$$

論理値は，上の式のようにそれ自体で式を構成することはほとんどなく，多くの場合**比較演算**の結果として現われる．比較演算は次の 6 個の比較演算子によって示される．

演算	記号
等しい	＝
等しくない	＜＞　（≠ の意味）
大きい	＞
小さい	＜
等しいか大	＞＝　（≧ の意味）
等しいか小	＜＝　（≦ の意味）

演算結果は，指定された条件が成立すれば *true*，しなければ *false* である．比較のやり方は，値の種類ごとに，次のように決められている．

　　整数・実数　　　常識どおり．相互比較も可

　　文字　　　　　　*ord* 値の大小で比較

　　論理値　　　　　文字と同じ．したがって *false* ＜ *true*

文字では，たとえば

　　　　　'a' ＜ 'b' ＜ 'c' ＜ … ＜ 'z'

という具合である．

　比較演算子の強さは，すべて 1 である．すなわち，他のどの演算子よりも弱く，一番最後に演算が実行される．これは，比較演算の結果をさらに論理式として組み立てる場合に，注意を要する点である．たとえば，通常の条件式

$$0 < i < 100$$

を

$$0 < i \textbf{ and } i < 100$$

と書くと，＜ よりも **and** の方が強いので

$$(0 < (i \textbf{ and } i)) < 100$$

と解釈されてしまい，エラーとなる．この場合は

$$(0 < i) \text{ and } (i < 100)$$

と書かなければならない．これに対して数値演算の比較をする場合には

$$10 * 13 > 8 + 26$$

とふつうに書けばよい．

(e) データ型と型変換

これまでに見た 4 種の値が，Pascal における基本的な値である．これらの値の種類のことを**データ型**(data type)と呼び，それぞれを**整数型**，**実数型**，**文字型**，および**論理型**と呼ぶ．データ型を定義するには，

(1) その型に属する値の集まり

(2) その型の値に施せる演算の種類

の二つを定めればよい．

異なるデータ型に属する値相互間においても，整数と実数の混合演算や比較演算，*ord* 関数などに見られるような絡みが存在する．その絡み方には次の 2 種類がある．

(1) 型 T_1 の値を型 T_2 の値に変換する．

例: 混合演算および比較演算における整数値の実数値への変換

$$3 * 1.576 \longrightarrow 3.000 * 1.576$$

$$6 > 5.884 \longrightarrow 6.000 > 5.884$$

ord 関数(文字，論理値から整数値へ)

$$ord('a') \longrightarrow 97$$

$$ord(true) \longrightarrow 1$$

chr 関数(整数値から文字値へ)

$$chr(97) \longrightarrow 'a'$$

odd 関数(引数値が奇数かどうかの判定)

$$odd(3) \longrightarrow true, \quad odd(20) \longrightarrow false$$

trunc 関数(実数値の整数部分と等しい整数値)

$$trunc(3.8) \longrightarrow 3, \quad trunc(-3.8) \longrightarrow -3$$

round 関数(実数値に一番近い整数値)

$$round(3.8) \longrightarrow 4, \quad round(-3.8) \longrightarrow -4$$

(2) 型 T_1 の二つの値を演算し，型 T_2 の値を返す．

　　例: 比較演算（整数，実数，文字から論理値へ）

$$3 > 4 \longrightarrow \mathit{false}, \quad \text{'a'} < \text{'c'} \longrightarrow \mathit{true}$$

2.2　式と関数

いろいろなデータ型の値は，さまざまに組み合わされて式を構成する．

(a)　式とその構成

式は値を順々に計算していくやり方を示している．式全体の評価結果はある一つのデータ型の値である．その型のことを，**式の型**という．たとえば，式

$$123 - 6 * 17$$

の型は整数型であるが

$$123 - 6 * 17.0$$

の型は，6 や 123 が実数に変えられるので実数型となる．式の各部分（たとえば 6 * 17）は，評価されて中間結果を与える．この結果の値の型も，その**部分式の型**という．

式のもっとも基本的な要素を**因子**（factor）と呼ぶ．因子には次のような種類がある．

(1) 基本データ型の値・変数・定数

(2) 文字列

(3) 関数呼出し

(4) 括弧で囲まれた式

(5) **not** 因子

第 1 の種類の因子の型は，そのデータ型である．文字列のデータ型については，第 6 章で詳しく述べる．関数呼出しの型は，関数ごとに決められている．たとえば

ord ('K')	整数型
odd (5)	論理型
chr (50)	文字型

という具合である．"**not** 因子"の形では，この"因子"の型は論理型でなければならず，結果の型も論理型である．式を括弧で囲んだ形の因子の型は，その式の型である．この最後の形式があるおかげで，いくらでも複雑な式が構成できる．

いくつかの因子を乗法・除法・論理積の演算子で結んだものを**項**(term)と呼ぶ．因子一つでも項として扱う．項の評価は，左にある演算子から順に行なう．

例：　　$18.5 * 7/2.5 = (18.5 * 7)/2.5 = 51.8$

　　　　$73 \textbf{ mod } 11 \textbf{ mod } 4 = (73 \textbf{ mod } 11) \textbf{ mod } 4$

　　　　　　　　　　$= 7 \textbf{ mod } 4 = 3$

因子から項を作る演算子の強さは 3 である．

いくつかの項を加法・減法・論理和の演算子で結んだものを**単純式**(simple expression)と呼ぶ．先頭の項が整数型あるいは実数型の場合には，そのさらに前に符号(+，−)をつけることができる．また，項一つでも単純式として扱う．単純式の評価も左から順に行なう．

例：　　$-\,trunc\,(3.14) * 6 + 73.4/5 - 8.03$

　　　$= ((-3 * 6) + (73.4/5)) - 8.03$　　　　因子の評価

　　　$= (-18 + 14.68) - 8.03$　　　　　　　項の評価

　　　$= -11.35$　　　　　　　　　　　　　単純式の評価

　　not *false* **and** *true* **or** **not** *true*

　　　$= ($*true* **and** *true*$)$ **or** *false*　　　因子の評価

　　　$=$ *true* **or** *false*　　　　　　　　項の評価

　　　$=$ *true*　　　　　　　　　　　　単純式の評価

項から単純式を作る演算子の強さは 2 である．

1 個の単純式か，2 個の単純式を比較演算子で結合したものが**式**(expression)である．比較演算子(強さ 1)の評価結果は論理型である．式全体を括弧で囲むことによって，ふたたび因子として扱うことができる．

式の構造の例を示す．

　　　式：　　　$(x * (-y + 10) - 6 > z)$ **and** $(x < z)$ **or** *odd*(y)

　　　因子：　　　y　10

　　　単純式：　　$-y + 10$

式: $-y+10$

因子: x $(-y+10)$ 6 z x z

項: $x*(-y+10)$ 6 z x z

単純式: $x*(-y+10)-6$ z x z

式: $x*(-y+10)-6>z$ $x<z$

因子: $(x*(-y+10)-6>z)$ $(x<z)$ $odd(y)$

項: $(x*(-y+10)-6>z)$ **and** $(x<z)$ $odd(y)$

単純式: $(x*(-y+10)-6>z)$ **and** $(x<z)$ **or** $odd(y)$

式: 同上

最初の式の第1項に2重の括弧があるので,式が因子として扱われることが2回起っている.

(b) 標準関数

関数(function)は引数(parameter)をもらって,何らかの意味でそれに対応する値を返すものである.ふつうよく使われるのは,正弦,余弦などの三角関数である.Pascal では,数学的な関数として,以下のものが用意されている.

$sin(x)$	正弦関数.x はラジアンを単位とする
$cos(x)$	余弦関数.x はラジアン単位
$arctan(x)$	逆正接関数の主値
$exp(x)$	指数関数(e^x)
$ln(x)$	自然対数関数($\log_e x$)
$sqrt(x)$	平方根

以上の6関数では,引数 x は整数か実数.結果は必ず実数となる.

$abs(x)$	絶対値.結果の型は x(整数か実数)と同じ
$sqr(x)$	2乗.結果の型は x と同じ

2.1節(e)で示した型変換の関数も,標準的に用意されたものである.

$ord(x)$	x(文字,整数,論理値)に対応する整数値.x が整数の場合は,x がそのまま結果となる
$chr(x)$	整数 x に対応する文字
$trunc(x)$	実数 x の整数化(切り捨て)

$round(x)$　　実数 x の整数化（まるめ）

$odd(x)$　　　整数 x の奇数判定

これらのほかに，ord が定義される型に対して，直後・直前の値を求める関数が用意されている．

$succ(x)$　　　$ord(a)=ord(x)+1$ を満たす a．なければエラー

$pred(x)$　　　$ord(a)=ord(x)-1$ を満たす a．なければエラー

　以上の 15 個のほかにファイルに関する関数が二つ用意されている．これらの関数を総称して，**標準関数**(standard function)と呼ぶ．

2.3　変数

　式で計算される値の要素には，直接書かれた数値のほかに，変数と定数とがある．とくに変数はプログラム言語特有のものであり，きちんとその概念を理解しておく必要がある．

(a)　変数の導入

　プログラム言語における**変数**(variable)の役割については，第 1 章で詳しく説明した．変数の値は，そのときどきのプログラムの"**状態**"を規定する．したがって，扱っている変数の集まりを明確にしておくことが大切である．Pascal では，この考えに沿う方法として，利用する変数はすべて明示的に導入することになっている．暗黙のうちに，すなわち処理系が"適当に"導入する言語もあるが，そうすると，変数の集まりとしての明確さがぼやけてしまい，さまざまなプログラムミスの原因となる．

　変数をきちんと定義すると，ある一つのデータ型に属する一つの値を保持する場所（箱と思えばよい）と，それにつけられた名前(name)とを，ひとまとめにした概念ということになる(図 2.1)．このデータ型を，その**変数の型**と呼ぶ．たとえば，整数型の値を保持する変数は，整数型変数，あるいは整数変数(integer variable)と呼ばれる．名前は，他と区別するために使えるものなら何でもよいが，Pascal では文字列を使用する．ただし，整数値や実数値，演算子記号，などと区別するために，

　　　英字で始まる英数字列で，英数字以外の文字の直前まで

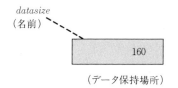

図2.1　変数の概念

という文字列で名前を表わす．たとえば

　　　　a long name

は3個の名前であるが，間の空白がないと

　　　　alongname

という一つの名前となる．

　さて，変数は明示的に導入されるが，それは当然その変数が使用される前でなければならない．この導入の指示を，その**変数の宣言**（variable declaration）と呼ぶ．宣言に際しては，変数の名前とその型とを指定すればよい．両者をコロンで区切り，宣言の終りをセミコロンで示す．

　　　　i : *integer* ;　　*x* : *real* ;　　　*endflag* : *Boolean* ;

同じ型の変数は，複数個まとめて宣言してもよい．

　　　　p, q : *integer* ;　　　*first, middle, last* : *char* ;

変数の宣言では，指定されたデータ型の値を保持するための場所が確保されるだけであり，その値自身は未定（undefined）となっている．

（b）　定数

　整数値は，数字を並べて表わすことになっていた．たとえば，

　　　　365

という整数値は，3個の文字 '3', '6', '5' をこの順に並べて表わされる．そしてその値は，常に 365 と一定であり，決してほかの値に変ることはない．実数値や文字値も同様である．このように，常に値が一定であるものを**定数**（constant）と呼ぶ．

　直接表記による定数は，その値を表わすことはできるが，そのプログラムにおける意味まで表わすことはできない．たとえば上記の '365' にしても，1年間の日数であるのか，国道番号であるのか，プログラムによってさまざま

であろう．そこで，定数についても，その意味を表わす名前を与えることが有用となる．この，名前と定数とを結び付ける操作を，**定数の定義**(constant definition)と呼び，名前と値とを等号で結んで示す．

$$dayinayear = 365;　　　routenumber = 365;$$
$$pi = 3.1415927;　　　n = 1000;　　　endmark = '.';$$

等号の右辺に書けるものは

(1)　整数値または実数値．符号つきでもよい

(2)　すでに定義された定数名．数値の場合は符号つきでもよい

(3)　文字または文字列

のいずれかである．

$$minuspi = -pi;　　　m100 = -100;　　　stop = endmark;$$
$$headline = 'programming';$$

　定数の名前は，変数名とは異なり，指示された値に直接結びつけられていることに注意しよう(図 2.2)．論理型の定数である *true* と *false* とは，あらかじめ定義されている定数名である．

図 2.2　定数の概念

（c）定数定義と変数宣言

　定数も変数も，それらが使われる前に導入しておく必要がある．そこで Pascal ではこれらをまとめて，定数定義部と変数宣言部という，二つの場所を設定している．それぞれの部分の始めは，**const** と **var** という二つの記号で示す．定数定義部の方を前に置く．

$$\textbf{const}\ pi = 3.1415927;\ mpi = -pi;$$
$$n = 100;$$
$$\textbf{var}\ x, step: real;$$
$$more: Boolean;$$

この二つの部分は，実行部分より前に置かれる．

(d)　代入

定数名に対しては，定数定義の段階ですでに値が与えられる．しかしながら変数については，宣言しただけでは値は未定であった．変数の箱に入っている値，すなわち変数の値を設定・変更する操作を**代入**(assignment)と呼び，次の形式で表わす．

$$変数名 := 式$$

代入の例を示す．

$$x := 123.6 \qquad i := 0 \qquad first := \text{'E'} \qquad y := x * 70$$
$$z := z+1$$

代入の右辺の式の型は，左辺の変数の型と一致していなければならない．ただし整数型の式の値を実数型の変数へ代入することは許されている．この場合は，整数から実数への**自動型変換**が実施される．

代入を行なう場合，まず右辺の式の値が計算される．式の中に定数名が現われると，それが示す定数値と置き換えられる．変数名は，その変数の現在の値と置き換えられる．式の計算が全部終了した後で，その値が左辺の変数の箱へ入れられる．したがって代入

$$z := z+1$$

では，変数 z の値が1だけ増やされることになる(図2.3)．

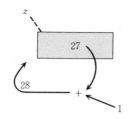

図2.3　変数値の使用と代入

2.4　値の性質とプログラム

基本的なデータ型の値にはそれぞれ特徴があり，それに応じた扱いが要求される．

(a) 実数

　数値は，文字値や論理値とは異なって，身近でいつも使用している．その
ため，プログラムの中でもつい不用意に扱いがちであるが，プログラム言語
が提供している整数型や実数型が，理想的なものからはほど遠いものである
ことは，いつも意識していなければならない．

　実数値の**精度が有限**，それもかなり粗いということは，まず第1の注意点
である．数 1/3 について考えてみよう．分数である 1/3 は，数学的には，3
倍すると正確に 1 となる数として定義される．ところが，プログラムではこ
のようなわけにはいかない．ただ単に"1/3"と書くと，1 を 3 で割る演算が
実行され，精度の範囲内で充分に 1/3 に近い数値が結果となる．実際の数値
と"真の値"（ここでは 1/3）との差を，一般に**誤差**（error）と呼ぶ．誤差には，
その大きさそのものを問題とする**絶対誤差**と，絶対誤差を真の値で割った**相
対誤差**とがある．一方，1/3 を小数表記で表わすと

　　　　0.33333333…333…無限に続く…

となるが，いくら"3"を続けても，実数の精度のところで実際には打切りと
なる．精度が 10 進 7 桁の場合，実現されるのは

　　　　0.3333333　または　0.3333334

であり，約 1×10^{-7} の絶対誤差が生ずる．

　このような誤差を含んだ"1/3"を 3 倍すると，誤差も 3 倍される．上の例
ではこの結果は

　　　　0.9999999　から　1.0000002

の間の数となる．この結果として，絶対誤差は 3 倍されるが，相対誤差は変
らない．このように，乗除算のみを施している限り，相対誤差はあまり大き
くはならない．もともと，実数型の値の精度（たとえば 10 進 7 桁）は，相対誤
差（10^{-7}）の逆数の桁数で表わされている．したがって，乗除算の範囲内であ
れば，精度はそれほど気にしなくてもよい．

　加減算については事情はまったく異なる．絶対誤差の影響が現われるから
である．例として式

　　　　1/3−1000/3001

について考えよう．10 進 7 桁の精度では，これはたとえば次のような計算と
なる．

$$0.3333333 - 0.3332222 = 0.0001111$$

実際には精度の幅を考えると

$$0.3333334 - 0.3332222 \ (= 0.0001112) \quad \text{から}$$

$$0.3333333 - 0.3332223 \ (= 0.0001110) \quad \text{まで}$$

の間の値と思わねばならない．したがってこの結果の相対誤差は，およそ

$$0.0000001 / 0.000111074086\cdots = 0.0009003$$

つまり約 10^{-3} となる．相対誤差が約1万倍になってしまったのである．これは，加減算によって，結果がもとの値にくらべて非常に小さくなる場合に起きる現象で，**桁落ち**と呼ばれている（図2.4）．

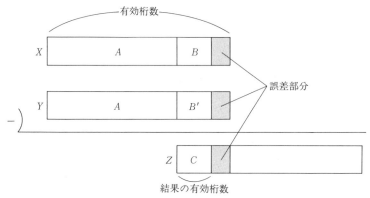

図2.4 桁落ちの現象．上位桁がほとんど同じ2数 X と Y の減算の結果，Z の有効桁数が小さくなる．

数値計算では，桁落ちには充分注意しなければならない．簡単な代表例は2次方程式で

$$ax^2 + bx + c = 0$$

の根を求めるのに，判別式

$$D = b^2 - 4ac$$

が正または0であれば

$$x_1 = (-b + sqrt(D))/(2a)$$

$$x_2 = (-b - sqrt(D))/(2a)$$

としがちであるが，分子の加減算による桁落ちの可能性を無視してはいけない．例として

$$x^2+3000x+1 = 0$$

をこの公式で計算すると

$$D = 3000^2-4 = 8999996 \geqq 0, \quad sqrt\,(D) = 2999.999$$

$$x_1 = (-3000+2999.999)/2 = -0.0005000000$$

$$x_2 = (-3000-2999.999)/2 = -2999.999(\text{または} -3000.000)$$

となる．明らかに x_1 の分子の計算で桁落ちが起こっている．2次方程式の根と係数の関係

$$x_1+x_2 = -\frac{b}{a}, \quad x_1 x_2 = \frac{c}{a}$$

のうち2番目のものを使って x_2 から x_1 を求めると

$$x_1' = \frac{1}{x_2} = -0.0003333334(\text{または} -0.0003333333)$$

となる．もとの式へ代入してみると

$$x_1^2+3000x_1+1 = -0.4999998$$

$$x_1'^2+3000x_1'+1 = -0.0000002$$

となり，x_1 の値がいい加減であったことがわかる．

　根と係数の関係は二つあるので，1番目のものを使ってもよいように思われる．しかし実際に計算をしてみると

$$x_1'' = -3000-(-2999.999) = -0.001000000$$

となり，やはりいい加減な値となる．これも桁落ちが原因である．

　桁落ちのほかに注意すべき事項は，値の大きさが非常に異なる2数の加減算である．大きい方の値の絶対誤差が，小さい方の値の大きさ程度になると，小さい方が誤差に埋もれてしまう．これは級数の和を計算する場合の注意事項で，大きな項から加えていくと小さな項の部分が正しく寄与しなくなる．次のような極端な例を考えてみよう．精度はやはり，10進7桁とする．

$$s = 1.0+1e-8+2e-8+3e-8+4e-8$$

この式を頭から計算していくと

$$1.0+0.00000001 = 1.0$$

$$1.0+0.00000002 = 1.0$$

$$1.0+0.00000003 = 1.0$$

$$1.0+0.00000004 = 1.0 \quad (\text{結果})$$

となるが，第2項目以降を先に加えると

$$0.00000001 + 0.00000002 = 0.00000003$$
$$0.00000003 + 0.00000003 = 0.00000006$$
$$0.00000006 + 0.00000004 = 0.00000010$$

となり，最終結果が

$$1.0000001$$

となる．この例では最終桁での最小誤差にとどまったが，多数の項を加える式，たとえば

$$s = 1.0 + \text{"ほぼ 1e-8 の数を 10 万個"}$$

という場合には，累積された相対誤差は 0.1% にもなる．

(b) 整数

整数型の値は，その大きさが許容範囲内であれば，正確なものとして扱われる．この性質は，とくに回数を数える場合に重要である．たとえば，区間 $[1, 2]$ を 100 等分して計算を繰り返す場合には，反復回数を数える整数型の変数（i とする）を用意するのがよい．

$$i := 0;$$
while $i <= 100$ **do**
    begin $x := 1.0 + 0.01 * i;$ ……; $i := i + 1$ **end**

この反復を，x そのものを使って制御すると

$$x := 1.0;$$
while $x <= 2.0$ **do**
    begin ……; $x := x + 0.01$ **end**

ということになるが，1.0 に 0.01 を 100 回加えた結果が 2.0 とくらべて大きいか等しいか，あるいは小さいかについては，実数の特性から何も言えないのである．この結果が 2.0 より大きい，たとえば 2.0000001 であったとすると，反復は $x = 1.99$（に相当する数）で終ってしまい，1 回少ないまま計算が終了してしまう．より厳密に言うと

$$1.0 + 0.01 * i$$

という式も最終回（$i = 100$）で正確に 2.0 となる保証はない．慎重を期するのであれば

$$1.0 + i/100$$

または

$$(1.0 * (100 - i) + 2.0 * i)/100$$

とすればよい.

　大きさが**整数の許容範囲**を越すような演算をやってはいけない. ただしこの場合をエラーとして検出する処理系は少ないので, 注意を要する. たとえば多くの場合

$$write(maxint * 2)$$

によって -2 が出力される(!). 乗算についても同様である. このことを利用したプログラムをときおり見受けるが, その振舞は $maxint$ に依存してしまうので, 非常に好ましくない.

　整数演算の代表例は, 演算 **mod** と **div** である. これらをうまく使うと, プログラムの文面上およびその意味において, 簡潔な表現を得ることができる場合がある.

　例: x 時の y 時間後(24時制)を z へ代入する.

　素直に考えると, 結果と24の大小に応じて値を決めることになる.

$$\textbf{if } x+y < 24 \textbf{ then } z := x+y \textbf{ else } z := x+y-24$$

この値は, $x+y$ を24で整数除算した余りであるから

$$z := (x+y) \textbf{ mod } 24$$

と書ける. くり上がりも考慮した次の例も同じである.

　例: x 時 a 分の y 時間 b 分後の時刻を z 時 c 分とする.

　場合分けを使った解をまず示す.

$$\textbf{if } a+b < 60 \textbf{ then begin } c := a+b;\ w := 0 \textbf{ end}$$
$$\textbf{else begin } c := a+b-60;\ w := 1 \textbf{ end};$$
$$\textbf{if } x+y+w < 24 \textbf{ then } z := x+y+w$$
$$\textbf{else } z := x+y+w-24$$

補助変数 w は, 分の桁から時の桁への桁上がりを示す. 次に整数演算で表わしてみよう.

$$c := (a+b) \textbf{ mod } 60;$$
$$z := (x+y+(a+b) \textbf{ div } 60) \textbf{ mod } 24$$

z の式の中の $(a+b)$ **div** 60 が桁上がりを示している.

　例: リンゴ x 個を入れるのに必要な 5 個入りの箱の数 (y) を求める．ただし，4 個以下しか入らない箱はたかだか一つとする．

　これは，結局は次のような場合分けを行なえばよい．

$$
\begin{aligned}
&\textbf{if}\ x = 0\ \textbf{then}\ y := 0\ \textbf{else}\\
&\textbf{if}\ (1 <= x)\ \textbf{and}\ (x <= 5)\ \textbf{then}\ y := 1\ \textbf{else}\\
&\textbf{if}\ (6 <= x)\ \textbf{and}\ (x <= 10)\ \textbf{then}\ y := 2\ \textbf{else}\\
&\textbf{if}\ (11 <= x)\ \textbf{and}\ (x <= 15)\ \textbf{then}\ y := 3\ \textbf{else}\ \cdots
\end{aligned}
$$

これらをまとめると

$$
y := (x+4)\ \textbf{div}\ 5
$$

となる．これは，4 個余分なリンゴを加えて詰め合わせ，最後に余分なリンゴだけを入れた箱(たかだか 1 個)を除くことと等価である(図 2.5)

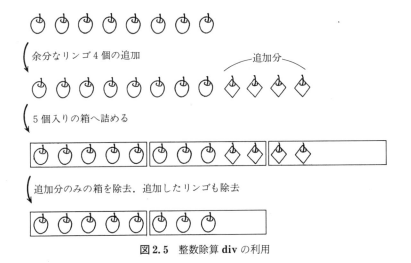

図 2.5 整数除算 **div** の利用

(c)　文字

　文字値は，対話型のプログラムでは重要な役目を持つ．また，文書処理システムのためのプログラムでは，文字の扱いが最重要項目となることもある．ところが，我々が見ている“文字”と，コンピュータ内部で表わされている“文字値”との間には，絶対的な関連づけがあるわけではなく，便宜的な対応づけがあるだけである．この対応づけも 1 種類ではなく，いくつかのものが

使われている．このことは，プログラム言語における文字の扱いを込み入ったものとしている．

　実際上プログラミングにもっとも影響を与えるのは，**文字の順番**である．Pascal がもっぱら対象としている英数字の世界においても，数字はともかく，英字についてはその大小関係しか規定されていない．したがって，文字 '0' の次の文字は

$$chr(ord('0')+1) \quad (='1')$$

と計算できるが，

$$chr(ord('a')+1)$$

が 'b' になるかどうかは保証されない．このことは，文字が"ふつうの順番"どおりに並んでいることを仮定した処理，たとえば暗号の換字処理などにとっては都合が悪い．文字を配列の添字として使いたい場合も同様である．

　文字の順番を，たとえば 0 から始まる整数値としてきちんと扱いたい場合は，その手当を自分でプログラムとして用意する．その一つのやり方は，文字値を添字とする配列(たとえば myord)を用意して，初期設定をしておく方法である(第6章参照)．

$$myord['a']:=0;\ myord['b']:=1;\ \cdots;\ myord['z']:=25;$$

プログラム中では，配列 myord を関数 ord と同じように使えばよい．

　文字列が使える言語(たとえば Pascal)では，この初期設定をプログラムでやらせるのがよい．たとえば文字列 s に，

$$s:='abcdefghijklmnopqrstuvwxyz';$$

という代入を行なっておき，

$$myord[s[k]]:=k$$

という設定を k が 0 から 25 まで(言語によっては 1 から 26 まで)行なう．こうしておけば，プログラマが文字列として並べた順番に従った処理を行なうことができ，対応づけに煩わされることがなくなる．

第2章のまとめ

2.1　プログラム言語で扱う値の種類をデータ型と呼ぶ．Pascal の基本的なデータ型は整数型，実数型，論理型，文字型の4種類である．

2.2　整数型の値は自然数，その負数および 0 から成るが，絶対値に上限があり，*maxint* で示される．この上限の範囲内であれば，演算の結果は正確で誤差はない．

2.3　整数には四則演算のほか，整数除算(**div**)と剰余(**mod**)が用意されている．

2.4　実数型の値は常識的な数値(整数を除く)から成る．その大きさの範囲はたいへん広いが，常に一定割合の不確実さを含んでいる．

2.5　実数の演算では桁落ちに注意する必要がある．

2.6　文字型の値は処理系ごとに決められた文字集合から成る．各文字に対応する整数値があり，関数 *ord* と *chr* で相互に変換できる．

2.7　数字，英小文字，および英大文字については，対応整数値に関する性質が決められている．

2.8　論理型の値は *false* と *true* の二つで，ふつうの論理演算が定義されている．

2.9　各データ型の値を他の型の値に変換するいくつかの標準関数が用意されている．

2.10　式は値を計算するやり方を示す．式のもっとも基本的な要素を因子，因子を乗法・除法・論理積の演算子で結んだものを項，項を加法・減法・論理和の演算子で結んだものを単純式，とそれぞれ呼ぶ．計算は因子，項，単純式の順に行なう．

2.11　1 個の単純式，あるいは 2 個の単純式の比較により式が作られる．

2.12　変数は変数宣言部で宣言され，使用可能となる．

2.13　定数は定数定義部で定義される．定数定義部は変数宣言部より前におく．

キーワード

データ型　　整数型　　実数型　　論理型　　文字型
maxint　　四則演算　　整数除算　　剰余演算　　誤差　　絶対誤差
相対誤差　　桁落ち
文字集合　　*ord*　　*chr*
論理演算　　*false*　　*true*
標準関数　　式　　単純式　　項　　因子
変数　　変数宣言　　定数　　定数定義

演習問題 2

2.1　2.2 節(a)の例にならって，以下の式の構造を示せ．
- (1)　$x + y * z$
- (2)　**not** *odd*$(a - 3)$
- (3)　$(p + q) / (f - g)$

(4)　$x < y$

2.2　次の式の型を示せ. ただし i, j は整数変数, x, y は実数変数, p, q は論理型変数, c, d は文字型変数とする.

(1)　$123 + 1024$　　　　　　　　(6)　$succ(c) < d$

(2)　$529 - 83 * i$　　　　　　　　(7)　$sqr(i) + sqr(j) + sqr(y)$

(3)　$529 - 83 * x$　　　　　　　　(8)　$(x < y) < (i <> j)$

(4)　$529 - 83/j$　　　　　　　　(9)　$round(sqrt(2)) * (i - j)$

(5)　$ord(odd(i))$　　　　　　　(10)　$ord(pred(chr(i + 50)))$

2.3　次のプログラムは, 正 n 角形(n は 2 のべき乗)の周長による円周率の計算を行なう. 実数の精度を 10 進 k 桁として, 出力される値の列の振舞を推測せよ.

> **program** *pi*(*output*) ;
> 　　**var** *f* : *real* ; *n* : *integer* ;
> **begin**
> 　　$f := 4$; $n := 2$;
> 　　**while** *true* **do**
> 　　　　**begin** *write*(*sqrt*(*f*) * *n*/2) ; *writeln* ;
> 　　　　　　$f := 2.0 - sqrt(4.0 - f)$; $n := n * 2$
> 　　　　**end**
> **end**.

ただし "**while** *true* **do**" は無限に繰り返す指示である.

2.4　文字列表現されている数値を読み込むプログラム片を作れ. 1 文字ずつ読み込むこと. 読み込みは *read*(*c*)(*c* は文字型変数)で行なう. 数値としては, 整数と指数なしの実数を扱うこと.

2.5　ある処理系における実数の精度は, "1 に加えても結果が 1 となる"最大の数によって推定できる. この数を求めるプログラムを書け.

3

■ ■ ■ ■

実行制御の構造

　プログラムで扱われる値は，文の中で処理される．さらに文は，いろいろな実行パターンによって組み上げられ，複雑なプログラム構造を作り上げる．本章では，実行パターンごとに，組み上げの方法などについて示す．

3.1 プログラムの構築

プログラムを作り上げるには，一定の原則にしたがってきちんとした構造になるようにしなければならない．ここではその一般原則を示す．

(a) 実行の基本単位

ある問題を与えられたとして，それを解くプログラムはさまざまな要素から構成される．構成のされ方もいろいろであり，結果として，そのプログラムは複雑な構造を持つことになる．しかし，そのプログラムを記述している言語が，変数を中心として組み立てられているものであれば，結局は変数の扱いが実行の基本単位となる．Pascal においても，もっとも基本的な実行の単位は，次の二つである．

(1) 式を評価して値を計算すること

(2) 値を変数へ代入すること

式の評価では，単に値が計算されるだけなので，ほかの変数の値が変化することは，普通はない．ただし，後で詳しく述べるように，関数や手続きの呼出しで変数値が変化することがあり得る．これは，その関数・手続きの作り方に依存する．評価すると特定の変数値が変化するような式は，**副作用**(side effect)を持つ，と言われる．副作用の原因は関数にあるので，関数についても副作用を持つ・持たない，と言う．

式を評価した結果の値は，代入文で使われるほかに，CASE 構文での選択値，IF，WHILE 構文における条件(*true* か *false*)などに使われる．

代入文の効果は，いうまでもなく，指定された変数の値を書き替えることである．これによって，(変数値の集合としての)プログラムの状態が変化する．

(b) プログラム構築の方法

実行の単位である式の評価と代入とをさまざまに組み合わせることによって，Pascal のプログラムが構築される．この場合，最初は細かな"部品"プログラムをせっせと作って，それが充分にそろった段階で，やおらそれらを

組み合わせて"大きな"部品を作り，さらに全体のプログラムを構成すると
いうやり方がある．これを，下から上へ作り上げていくという意味で，**ボト
ムアップ**(bottom up)方式と呼ぶ．これとは逆に，まずプログラム全体の概
要を作り，その各部分を詳細化してゆき，最後の段階として，もっとも下位
レベルの部品を作成するという方式もある．これを，**トップダウン**(top
down)方式と呼ぶ(図3.1)．

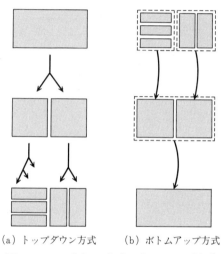

　　（a）トップダウン方式　　（b）ボトムアップ方式
　　図3.1　トップダウン方式とボトムアップ方式

　トップダウン方式を理解するために，以下のプログラムについて考えてみ
よう．
　［例3.1］　逐次接近法によって2の立方根を計算する．□
　［解3.1］

$$x := 1.0;\ d := 1.0;$$
$$\textbf{while}\ d > 0.0001\ \textbf{do}$$
$$\quad \textbf{begin}\ d := d/10;$$
$$\qquad \textbf{while}\ (x+d)*(x+d)*(x+d) \leqq 2\ \textbf{do}\ x := x+d$$
$$\quad \textbf{end}$$

このプログラムは全体としては，
　　　　"逐次接近法による2の立方根の計算"　　　　　　　　　(0)
と書ける．これが，トップダウン方式における出発点である．次の段階では，

これが分解される.

$$\text{“初期範囲を設定する”}; \tag{1.1}$$

$$\textbf{while}\,\text{“必要精度に達していない”}\,\textbf{do} \tag{1.2}$$

$$\text{“範囲を縮小する”} \tag{1.3}$$

この3行は,逐次接近法の一般的パターンである.ここで,“範囲”の表現方法が選ばれる.ここでは,二つの変数 x と d とによって,範囲

$$[x, x+d]$$

を表現することにしたわけである.ちなみに,この表記法では,$x \leqq p < x+d$ を満たすすべての p の集合を表わす.こうすると,精度は範囲の大きさ,すなわち d で測られるので,次の段階に進むことができる.初期範囲としては,

$$1^3 < 2 < (1+1)^3$$

から $[1, 2]$ とする.

$$x := 1;\ d := 1; \tag{2.1}$$

$$\textbf{while}\ d >\text{“必要精度”}\ \textbf{do} \tag{2.2}$$

$$\textbf{begin}\,\text{“d を小さくする”}; \tag{2.3a}$$

$$\text{“}(x+nd)^3 \leqq 2 < (x+(n+1)d)^3$$

$$\text{を満たす n を求め,x を nd だけふやす”} \tag{2.3b}$$

$$\textbf{end}$$

前段階の(1.3)が分解され,(2.3a)と(2.3b)が作られている.この段階から最終的なプログラムを作るのは容易であろう.すなわち,(2.3a)はたとえば

$$d := d/10$$

とすればよい.それから,WHILE 文の反復の直前では,常に $x^3 \leqq 2$ となっていることを利用すれば,

$$(x+(n+1)d)^3 > 2$$

を満たす最小の n を求めればよいことになり,WHILE 文

$$\textbf{while}\ (x+d)*(x+d)*(x+d) \leqq 2\ \textbf{do}\ x := x+d$$

が作られる.

　一般的には,全体の見通しよくプログラミングができるという理由で,トップダウン方式の方が優れている.しかしながら,トップダウン方式でプログラミングする場合でも,実際の部品として利用できる機能(たとえば式の

評価，代入，反復・選択などの構成)をまったく知らないままで，作業を続けることは不可能である．これと同様に，最終目的となる全体プログラムのイメージをまったく持たずに，部品プログラムを作ることもできない．それでふつうには，両方式が混じった形でプログラミングすることになる．別の例を示そう．

［例 3.2］　二つの正整数 p と q の最大公約数を求める．□

最大公約数を求めるアルゴリズムとしては，次に示す**ユークリッドの互除法**が有名である．

　　［1］　p を q で割った余りを r とする．

　　［2］　$r=0$ ならば q を答とする．

　　［3］　$r \neq 0$ のときは，q と r を新しい p と q として，［1］へ戻る．

まずボトムアップ的なやり方を試みてみよう．上で示されたアルゴリズムの中で，要素的な演算は次のようなものである．

　　［i］　　p を q で割って余りを r とする．

　　［ii］　r が 0 かどうかの判断を行なう．

　　［iii］　q を新しい p，r を新しい q とする．

　　［iv］　［1］へ戻る．

この中で［i］と［iii］は算術演算である．これに対して［ii］と［iv］は実行の制御に関係している．この制御をどう組み立てるかで，プログラムの構造が決められる．その手掛りとして，実例に沿って［1］から［3］がどう実行されるかを見てみよう．p と q の最初の値を 54 と 39 とする．

実行ステップ	p の値	q の値	r の値
［1］	54	39	15
［3］	39	15	15
［1］	39	15	9
［3］	15	9	9
［1］	15	9	6
［3］	9	6	6
［1］	9	6	3
［3］	6	3	3
［1］	6	3	0

これで, 54 と 39 の最大公約数が 3(q の最後の値)であることが求められた. この実行経過をみると, ステップ[1]と[3]とが交互に実行されていることがわかる. しかも, 最後に実行されるのはステップ[1]である. したがって, ステップ[3]と[1]をまとめて, 反復形式のプログラムとすることができそうである. 反復の継続条件は r の値が 0 でないことである. また, 一番最初の[1]の実行は, 反復が始まる前に別にやっておく必要がある. 以上の考えをまとめると, 次のプログラムができあがる.

[解 3.2a]

```
program  GCD1 ;
    r := p mod q ;
    while  r < > 0 do
        begin p := q ; q := r ;
                r := p mod q
        end ;
    gcd := q ;
```

次に同じ例題を, トップダウン的に扱ってみよう. ユークリッドの互除法は, 次のように言いかえることができる.

(a) p が q で割り切れれば, q は p と q の最大公約数である.

(b) p が q で割り切れない場合, p を q で割った余りと q との最大公約数は, p と q の最大公約数に等しい.

場合(b)に注目しよう. ここでは, p と q に関する問題を分解した結果として, q と p mod q に関する部分問題が現われている. この例題では, 部分問題がもとの問題と同じで, パラメータ値のみが異なっている.

この方法でプログラムを作るには, Pascal に準備されている, 値を返す関数の機能を使うのがよい. 関数名は gcd としよう.

[解 3.2b]

```
function  gcd (p, q : integer) : integer ;
    begin
        if  p mod q = 0
            then  gcd := q
            else  gcd := gcd (q, p mod q)
    end
```

構文などの詳細は第5章を参照のこと.

3.2　実行制御の構造

　プログラムに含まれる多数の文は，一定の規則にしたがって整然と実行される．この規則を表わすのに用いられるのが，セミコロンや **while**，**if** といった記号である．これらの記号によってプログラムに導入される構造のことを**制御構造**(control structure)と呼ぶ．ここでは，Pascal における制御構造について調べる．

（a）逐次構造

　逐次構造は，実行に順序づけを行なうための構造である(図3.2)．具体的に Pascal では，セミコロンで区切られた文の列で表わす．

$$文_1 ;\ 文_2 ;\ \cdots ;\ 文_n$$

第1章で調べたとおり，実行の順序づけという概念は，**中間的な状態**という考え方と深く結びついている．具体的には，変数値(集合)が状態を規定する．

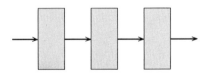

図3.2　逐次実行構造

　[例3.3]　変数 x と y の値を変換する．□

　直接に変数値を交換する機能がないプログラム言語(Pascal もその一つ)では，作業用の変数を使う必要がある．

　[解3.3a]

$$t := x ; \tag{1}$$
$$x := y ; \tag{2}$$
$$y := t \tag{3}$$ ∎

この解は，次のような"考察"から得られる．

　[1]　x の最終的な値は，y のもともとの値である．

　[2]　x の初期値も最終的には y の値としなければならない.

[3] したがって，いきなり代入

$$x := y$$

をやって x の初期値をこわしてはいけない．その前に退避しておく必要がある．ここでは補助変数 t に退避する．

[4] 同じ理由で，y の初期値を x へ移さないうちに y の値をこわしてはいけない．

これらの考察から，3個の代入文(1), (2), (3)は，まさにこの順に実行しなければならないことがわかる．

この解のように，順序づけが厳密でなければならないことも多いが，順序に関する条件が若干緩められることもある．同じ例題の別解を作ってみよう．

[解 3.3b]

$$t := x \,;\, s := y \,; \tag{4}$$
$$x := s \,;\, y := t \tag{5} \blacksquare$$

補助変数を二つ（s と t）使っているこの解では，(4)と(5)（それぞれ二つの文から成る）の順序は重要となる．しかし，それぞれに含まれている二つの文相互間の順序は問題とならない．実際のところ，次のように逆順にしてもかまわない．

$$s := y \,;\, t := x \,; \tag{4'}$$
$$y := t \,;\, x := s \tag{5'}$$

このような場合には，(4)と(5)（あるいは(4')と(5')）に含まれる二つの文を区切っているセミコロンは，単なる文と文の境を示しているだけであり，順序づけの要請から使われているわけではない．いいかえれば，中間状態として重要なのは，(4)と(5)の間における

t の値が x の初期値   かつ s の値が y の初期値

というものであって，その他の中間状態はどうでもよいわけである．

この，中間状態をきちんと押さえて議論を進めるやり方は，逐次構造のみならず，他の制御構造や手続き・関数の構築に際しても，たいへん有用なものである．

(b) 選択構造

選択構造は，状況に応じて異なった処理を行なうための構造である．Pas-

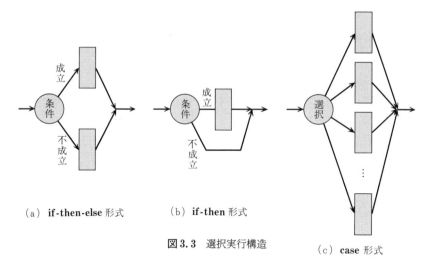

（a）**if-then-else** 形式　　　（b）**if-then** 形式

図 **3.3**　選択実行構造

（c）**case** 形式

cal では，二者択一用の IF 文と，**多肢選択用**の CASE 文とが用意されている（図 3.3）.

　IF 構文では，二者択一の実行を行なうが，選択のための条件は一つしかない．その条件が成立するかしないかで，実行の切り換えを行なう.

　［例 3.4］　変数 x の絶対値を変数 y へ代入する．□

　［解 3.4a］

　　　　if $x < 0$
　　　　　then $y := -x$
　　　　　else $y := x$　　　　　　　　　　　　　　　　　　∎

この解では，x の値が正であっても負であっても，ただ一つの代入文しか実行されない．したがって，中間的な状態は存在しない．これに対して，中間状態が存在するような解を作ることもできる.

　［解 3.4b］

　　　　$y := x$;
　　　　if $x < 0$ **then** $y := -x$　　　　　　　　　　　　　∎

この解では，1 番目の代入文と次の IF 文との間に，中間状態が出現する．その状態では，条件

　　　　$y = x$

が成立している．この条件を前提とすると，最終的に要求されている条件

$$y = |x|$$

を成立させるためには，x が負の場合のみ，"修正"

$$y := -x$$

を行なえばよい．

　一般的には，余分な中間状態の数は小さい方がよい．しかしながら，実行の制御の構造を必要以上に複雑にしないために，中間状態を利用することもある．

　[例 3.5]　3 数 x, y, z の最大値を変数 m へ代入する．□

　[解 3.5a]

```
if  x > y
    then if  x > z
        then  m := x
        else  m := z
    else if  y > z
        then  m := y
        else  m := z
```

この解では，選択構造が二重に使われているが，一つの値の組 (x, y, z) について実行されるのはただ一つの代入文である．これに対して，変数 m にまず中間的な値，"x と y の最大値"を与え，次にそれを修正する方法を見てみよう．

　[解 3.5b]

```
if  x > y
    then  m := x
    else  m := y;
if  z > m
    then  m := z
```

この解は，さらに次のような解に変えることができる．

　[解 3.5c]

```
m := x;
if  y > m  then  m := y;
if  z > m  then  m := z
```

ここでは文が 3 個あるが，それを順に実行することによって，次のような中

間条件を順に満たすようになっている.

m は x(と x)の最大値(すなわち x)

m は x と y の最大値

m は x と y と z の最大値

このように,条件の変化が規則的である場合には,変数名を適当に扱うことによって,反復構造で記述することが可能である.これに対して解 3.5a の方法では,全体的な文の構造が複雑になりすぎる傾向が強い.4変数の最大値を求める例をやってみれば,両者の違いがなお明らかとなろう.

CASE 構文は,同じ式の値を何回も検査する入れ子の IF 文を,よりすっきりさせるために導入されている.

[例 3.6] 変数 *dir* の値は $0, 1, 2, 3$ のどれかである.これに対応して,北,東,南,西と出力する.□

[解 3.6a] まず IF 文だけを使った解を示す.

```
if dir = 0
    then write ('North')
    else
if dir = 1
    then write ('East')
    else
if dir = 2
    then write ('South')
    else
if dir = 3
    then write ('West')
    else write ('error')
```

これに対して,CASE 文を使った解の方が,はるかにわかりやすい記述となる.

[解 3.6b]

```
case dir of
    0 : write ('North') ;
    1 : write ('East') ;
    2 : write ('South') ;
```

　　　3：*write*（'West'）;
　　end　　　　　　　　　　　　　　　　　　　　　　■

CASE 文の導入の意図は，**対等な選択肢は対等に扱う**ことである．Pascal
では，CASE 文の選択の手掛り（上の例では 0, 1, 2, 3）は必ずどれか一つ，か
つ一つだけ選ばれなければならないとされる．したがって，解 3.6b の実行
直前の *dir* の値は，0 から 3 までの整数値でなければならない．解 3.6a の
中で出力しているエラーメッセージ（'error'）は，処理系の方で出力する．

（c）反復構造

反復構造は，決められたパターンの処理を何回も繰り返して行なうための
構造である．Pascal では，定数回反復用の FOR 文と，不定回数反復用の
WHILE 文および REPEAT 文とが用意されている（図 3.4）.

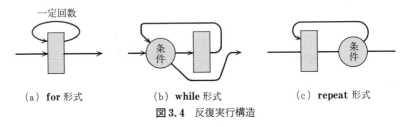

　（a）**for** 形式　　　　　　　（b）**while** 形式　　　　　　（c）**repeat** 形式
図 3.4　反復実行構造

　FOR 構文は，**制御変数**と呼ばれる変数の値を順に変化させ，その値の**上下
限**を与えることによって制御を行なう反復構文である．したがって，繰返し
の回数が，反復の実行前に計算できるような場合に，FOR 構文が有効とな
る．

　［例 3.7］　整数 1 から 8 までの 2 乗と 3 乗を印刷する．□

　反復の回数は明らかに 8 回である．しかもこの場合は，制御変数の値をそ
のまま計算に使用できる．

　［解 3.7］
　　　　for $x:=1$ **to** 8 **do** *writeln*($x, x*x, x*x*x$)　　　　■

　［例 3.8］　整数 1 から 6 までについて，その n 乗（$n=1, 2, \cdots, 8$）を印刷す
る．□

　これも明らかに反復回数は 8 回である．また，x の n 乗は，1 に x を n 回
掛ければ計算できるので，これも定数回反復で書くことができる．

［解 3.8a］

```
for n := 1 to 8 do
    begin
        for x := 1 to 6 do
            begin s := 1;
                for j := 1 to n do s := s * x;
                write(s)
            end;
        writeln
    end
```

この解は，実はあまり能率がよくない．1から6までのすべての値について，1乗，2乗，3乗，などをそのつど初めから計算しているからである．関係式

$$x^n = x^{n-1} \times x$$

を使えば，直前の結果に1回乗算をやるだけにするようにできる．こうするためには，1から6までのすべての x について，**直前の結果を保存する変数**が必要となる．それを $x1, x2, \cdots, x6$ としよう．

［解 3.8b］

```
x1 := 1; x2 := 1; x3 := 1; x4 := 1; x5 := 1; x6 := 1;
for n := 1 to 8 do
    begin x1 := x1 * 1; x2 := x2 * 2; x3 := x3 * 3;
        x4 := x4 * 4; x5 := x5 * 5; x6 := x6 * 6;
        writeln(x1, x2, x3, x4, x5, x6)
    end
```

この解のように，同じ計算を何回も繰り返さずに，それまでの結果を使って次の値を計算する手法は，計算の能率を高くするために重要なものとなっている．

　ふつうの FOR 文では制御用の変数の値が一つずつ増えるが，場合によっては一つずつ減るほうがよいこともある．このときには，**to** のかわりに **downto** を用いる．

　WHILE 構文は，指定された条件が満たされている間，実行を繰り返す反復構文である．まず条件の成立・不成立を検査し，成立していれば実行部分（本体）を1回実行する．それからまた，条件の検査を行なう．したがって，

条件が最初から不成立であれば，本体は1回も実行されない．

　［例3.9］　3乗と2乗の差が200より大きい最小の正整数値を求める．□

　正整数値を x とするとき，x^3-x^2 の値は x の増加に従って単調に大きくなる．また，$1^3-1^2=0<200$ であるから，求める値は1より大きいことは確かである．そこで，値 x を1から順に大きくしていけば，最初に条件を満たす整数値が求める解となる(図3.5)．その値を p とすると，x の値を1だけ増やすという操作は，$p-1$ 回実行される．しかしもともとが p を求める問題であるから，反復の回数は前もっては不明である．したがって，WHILE 構文が使用される．

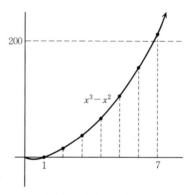

図3.5　例3.9の解法

　［解3.9a］

$$x := 1\,;$$
$$\textbf{while}\ \ x*x*x-x*x <\,= 200\ \textbf{do}\ \ x := x+1\,;$$
$$write(x)$$

答として7が印刷される．

　REPEAT 構文は，指定された条件が満たされるまで反復を繰り返す構文である．まず実行部分を実行し，それが終わったら条件の検査を行なう．条件が成立していればそれで終了，していなければ再び本体を実行する．したがって，実行部分は最低1回は必ず実行される．また，WHILE 構文では反復継続の条件を指定するのに対し，REPEAT 構文では停止条件を指定する．

　例3.9を REPEAT 構文を使ってやってみよう．

　［解3.9b］

$$x := 1\,;$$
repeat $x := x+1$
until $x*x*x - x*x > 200\,;$
$write(x)$ ∎

この問題では解が 1 より大きいことは明らかであるので，x を 1 増やす操作は必ず 1 回は実行しなければならない．それで REPEAT 構文がそのまま使用できる．

WHILE 構文では，語記号 **do** に続く一つの文を反復実行する．そこで，複数の文をまとめて反復する場合には，全体を語記号 **begin** と **end** とで囲んで複合文とする．これに対して REPEAT 構文では，語記号 **repeat** と **until** とが文をまとめる役目を持つ．この二つの語記号の間には，複数の文をセミコロンで区切って置くことができる．

REPEAT 構文を使う場合は，反復の本体が必ず 1 回は実行されることを確かめなくてはならない．これを怠ると，プログラムミスとなることがある．例 3.9 において解が 2 以上であることを確かめたのがその例である．もしも実行されない場合もあることがわかったら，WHILE 構文に変えておくのがよい．その際は

$S0\,;$　**repeat** $S1\,;\ S2\,;\ \cdots\,;\ Sn$ **until** C

という構文（$S0, \cdots, Sn$ は文，C は条件）を

$S0\,;$　**while not** C **do**
　　　　begin $S1\,;\ \cdots\,;\ Sn$ **end**

に変える．ここで $S0$ は初期設定文である．また一般に，

repeat S **until** C

という文は

$S\,;$　**while not** C **do** S

であるので，ふつうの場合は WHILE 構文だけを使えばよい．

3.3　制御構造の組合せ

実行の制御構造は，単独で使用されることはほとんどなく，さまざまに組み合わされる．ここでは，組合せに際しての注意点などを示す．

(a) 入れ子構造

ここで示した制御構造の規定は，それらを組み合わせた場合に，必ず**入れ子構造**(nested structure)となるようになっている．制御構造を再び示しておく．

複合文	**begin** $S1$; $S2$; …; Sn **end**
選択文	**if** B **then** S
	if B **then** $S1$ **else** $S2$
	case E **of**

                $C1$: $S1$;

                $C2$: $S2$;

                ……

                Cn: Sn

        end

反復文   **for** $v := V1$ **to** $V2$ **do** S (**to** は **downto** であることもある)

                while B **do** S

                repeat $S1$; $S2$; …; Sn **until** B

ここで $S1, …, Sn$ は文，B は条件式，$E, V1, V2$ は式，$C1, …, Cn$ は定数，v は変数である．

　これらの形式で表わされるものは，再び文として扱われる．したがって，それをまた，他の構造の要素文として使用することによって，入れ子の構造ができあがる．たとえば，複合文と IF 文の第 1 形式とを同時に使う場合の両者の関係は，次のいずれかになる．

    begin $S1$; …; Sn **end**; **if** B **then** S 複合文の後に IF 文

    if B **then** S; **begin** $S1$; …; Sn **end**   IF 文の後に複合文

    begin $S1$; …; **if** B **then** S; …; Sn **end**   複合文の中に IF 文

     if B **then begin** $S1$; …; Sn **end**   IF 文の中に複合文

両者の関係がこのように限られていることは，プログラミング上たいへん重要である．たとえば，もしも

        begin $S1$; **if** B **then** $S2$ **end** S

といった書き方が許されたとすると，IF 文で複合文の一部分だけを選択実

行するといったおかしな状況になってしまう.

　入れ子の構造に組み上げられるということは，プログラムを，小さな部分を作ってからそれを組み合わせて大きくしていくという，たいへんわかりやすい方法で作ることができることを示している.

(b) 多重反復

　反復文の要素にまた反復文が含まれる場合，全体としては**多重の反復文**となる.

　[例 3.10]　正弦曲線の概形を出力する.▯

　正弦(sine)関数 $sin(x)$ は，-1 から 1 までの値をとる.それでこれを，表示装置の 1 行当りの文字数(w とする)に置き直す.

　[解 3.10]

```
program sincurve (output);
  const step = 20; pi = 3.1416; w = 80;
  var x: real;
      i, j: integer;
begin
  for i := 0 to step do
    begin x := i/step * 2 * pi;
      for j := 1 to trunc((1 - sin(x)) * w/3) do write(' ');
      writeln('*')
    end
end.
```

　[例 3.11]　元利均等払の方式で借金を返済する.返済総額の元金に対する比率を，年利 3〜10%，返済期間 1〜20 年について求める.▯

　元金を A，年利を r(小数表示)，毎年の返済額を x とする.最初の年の終りでは，借りている額は

$$(1+r) \times A - x$$

となる.次の年にはこれが

$$(1+r) \times ((1+r) \times A - x) - x$$
$$= (1+r)^2 \times A - x((1+r) + 1)$$

となる.同様にして，n 年後の終りの額は

$$(1+r)^n \times A - x \times \{(1+r)^{n-1} + (1+r)^{n-2} + \cdots + (1+r) + 1\}$$

となる．n 年で完済するには，これが 0 となればよい．

　いま

$$1+r = R$$

とおき，級数の和を求めると

$$R^n \times A = x \times \frac{R^n - 1}{R - 1}$$

となる．求められているのは $x \times n$ の A に対する比率なので，結局

$$\frac{nx}{A} = n \times R^n \times \frac{R-1}{R^n - 1}$$

の値をさまざまな r と n について求めればよいことになる．

　［解3.11］

```
program kintou (output) ;
  var rr, rn : real ;
      r, n : integer ;
begin
  write ('     ') ;
  for r := 3 to 10 do write (r : 4, '     ') ;
  writeln ;
  for n := 1 to 20 do
    begin write (n : 2, ' : ') ;
      for r := 3 to 10 do                      パーセント
        begin rr := 1 + r / 100 ;              小数表示
          rn := 1 ; for i := 1 to n do rn := rn * rr ;
          write (n * rn * (rr - 1) / (rn - 1) : 6 : 3)
        end ;
      writeln
    end
end .
```

（c）反復と選択

　反復文と選択文との組合せは，ふつうのプログラムでも頻繁に使われる．この場合，どちらを外側の構造とするかは問題によるが，外と内を交換でき

ることもある．

　［例 3.12］　実数 x の n 乗（n は整数）を計算する．□

　べき乗は次のように定義される．

$$x^n = \begin{cases} 1 & n = 0 \\ x^{n-1} \times x & n > 0 \\ x^{n+1}/x & n < 0 \end{cases}$$

これをそのままプログラムにすればよい．

　［解 3.12a］

$result := 1.0 ;$
if $n >= 0$
　　then for $i := 1$ **to** n **do** $result := result * x$
　　else　for $i := 1$ **to** $-n$ **do** $result := result/x$　∎

この解を見て気がつくことは，IF 文の二つの選択肢がほとんど同じ形であ
ることである．実際，次のようにすれば，反復と選択とを入れ換えることが
できる（図 3.6）．

　［解 3.12b］

$result := 1.0 ;$
for $i := 1$ **to** $abs(n)$ **do**
　　if $n >= 0$ **then** $result := result * x$
　　　　　else $result := result/x$　∎

解 a と解 b では，解 b の方が能率が悪い．なぜなら解 a では 1 回だけ n
の正負判定をしているが，解 b では毎回やっているからである．もちろん判
定結果は毎回同じであり，**無駄な計算**を行なっていることになる．この判定
を，反復が始まる前に 1 回だけ行ない，必要な前処理をしておく解を示す．

　［解 3.12c］

$result := 1.0 ;$
if $n >= 0$ **then** $x1 := x$ **else** $x1 := 1.0/x ;$
for $i := 1$ **to** $abs(n)$ **do** $result := result * x1$　∎

　プログラムの実行効率は，反復部分での仕事量にかかわることが多い．反
復部分で無駄な計算をすると，それが何十倍にもなってしまうからである．
そこで，とくに反復部分については，計算量を減らすようにする必要がある．
反復が多重化されている場合には，もっとも内側の部分を重点的に調べると

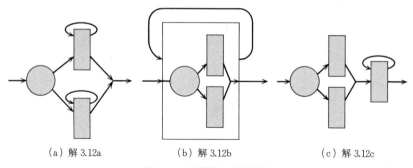

(a) 解3.12a   (b) 解3.12b   (c) 解3.12c

図3.6 反復構造と選択構造

よい.

［例3.13］ べき乗を高速に計算する. □

解3.12a の方法では，反復部は $|n|$ 回だけ実行される．べき乗の定義として
ほかのものを使うと，より速く計算が実行できる．

$$
x^n = \begin{cases}
1 & n = 0 \\
x^m \times x^m & n > 0, \ n = 2m \quad \text{（偶数）} \\
x^m \times x^m \times x & n > 0, \ n = 2m+1 \quad \text{（奇数）} \\
1/x^n & n < 0
\end{cases}
$$

［解3.13］

$result := 1.0 \,; \ y := x \,; \ nn := abs(n) \,;$
while $nn > 0$ **do**
  begin if $odd(nn)$ **then** $result := result * y \,;$
    $y := y * y \,; \ nn := nn$ **div** 2
  end $;$
if $n < 0$ **then** $result := 1/result$ ∎

第3章のまとめ

3.1 プログラム構築にはトップダウンとボトムアップという二つの方法がある．
実際には両方式が併用される．

3.2 逐次実行の構造では，中間の状態が重要である．

3.3 選択実行の構造では，中間的な状態は出現しないが，多段に組み合わされ
ると複雑になりすぎる傾向がある．これを避けるために，逐次構造や反復構造
が併用される．

3.4 IF 構文は二者択一で，CASE 構文は多数から一つを選ぶ．

3.5 反復実行の構造には，定数回用の FOR 構文と，不定数回用の WHILE 構文および REPEAT 構文とがある．

3.6 実行制御の構造を複合化すると，片方が他方を完全に含む入れ子構造か，単なる並置構造となる．

キーワード

式の評価　　副作用　　代入文
ボトムアップ　　トップダウン　　ユークリッドの互除法
逐次構造　　選択構造　　二者択一　　多肢選択　　反復構造　　制御変数
上下限　　入れ子構造　　多重反復

演習問題 3

3.1 ある鉄道の運賃が，(1) 10 km までは一律 200 円，(2) 10〜30 km までは，10 km を越す分について km あたり 10 円増し，(3) 30 km 以上は，30 km を越す分についてさらに km あたり 5 円増し，となっている．目的駅までの距離 k から運賃を求めるプログラムを作れ．

3.2 1 年複利計算で，1 年未満の期間には年利率換算で"それまでの預金年数（小数以下切りすて）"% の利息がつく預金がある．たとえば 3 年以上 4 年未満の場合には，3 年間の複利計算の結果が，半端な期間の年利率 3% 相当の分だけふえる．

(1) 預金期間が 5 年ちょうどから 5 年 11 か月までの 1 か月ごとについて，複利利率年 7% の場合の元利合計比率（もとの元金に対する比率）を計算せよ．

(2) (1) と同じ各月について，元利合計比率がちょうど 1.5 となるための複利利率を求めよ．例 3.1 を参照のこと．

3.3 例 3.1 では，調べる範囲の大きさ d を 1/10 ずつにしていた．これを 1/2 ずつにするプログラムを作れ．

3.4 次のような一連の代入文について考える．

$$a := a+b+c\;;\; b := a-b-c\;;\; c := a-b-c\;;\; a := a-b-c$$

(1) 変数 a, b, c の初期値をそれぞれ A, B, C とするとき，最後の代入文の実行が終った時点での各変数の値を求めよ．

(2) 変数 a と b の値を交換する代入文の列を，この例にならって作れ．

3.5 4 個の変数 x, y, z, w の最大値を，IF 構文だけを使って求めよ．次に同じ問題を，解 3.5c と同種のプログラムによってやってみよ．

3.6 トランプのカードが 3 桁の数字で表わされている．ただし最上位桁は

$$0 = \text{Club}, \quad 1 = \text{Diamond}, \quad 2 = \text{Heart}, \quad 3 = \text{Spade}$$

であり，下位2桁は

   02 = '2'， 03 = '3'， …， 09 = '9'， 10 = '10'，

   11 = 'Jack'， 12 = 'Queen'， 13 = 'King'， 14 = 'Ace'

を示す．たとえば211はハートのジャックである．この数値を与えられて，そ
れをわかりやすく印刷するプログラムを書け．たとえば次のような具合である．

   211 $\longrightarrow$ 'Jack of Heart'

   108 $\longrightarrow$ '8 of Diamond'

4
■ ■ ■ ■
数え上げと構造データ型

　前2章では，基本的なデータ型とその値，およびそれらを操作するための実行の制御構造を調べた．これらは，現存するほとんどすべてのプログラム言語に共通した概念・機能である．その理由は，これらが，現在使用されているコンピュータの構成要素と機能とにほとんど1対1に対応しており，効率よく実現できるからである．

　本章では，これを一歩進めて，プログラマが自分の目的に合ったデータ型を定義する方法について学ぶ．データ型のプログラマによる定義機能は，次章の手続きと並んで，近代的なプログラム言語の重要な基本要素となっている．

4.1　データの表現

基本的な型として扱われている Pascal の型も，実際には他のもっと基本的な型のデータで表現されている．ここではその様子を調べてみよう．

(a)　基本的データ型の表現

第2章では，基本的なデータ型として，整数型，実数型，論理型，および文字型を導入した．これらが基本的であるという理由は，それぞれの値に対して，演算あるいは標準関数が用意されており，構造のない値として操作されるからである．プログラマは，これらのデータ型の値の実際の表現方法については，何も知る必要がない．必要なのは，整数値の範囲や実数の精度といった，固有の制限事項に関する情報だけである．すなわち，われわれは，これらのデータ型の値を直接に扱うような計算機，たとえば Pascal 計算機を使っていると思えばよい．

ところが実際には，これらの値は，より基本的な値によって“表現”されているのがふつうである．たとえば，基本的なものとして整数をとったとすると，四つの基本的なデータ型は，それぞれ次のように表わされる．

(1)　整数型　そのまま．

(2)　実数型　二つの整数値 m と e によって $m \times r^e$ を表わす．ただし r の値としては 2, 10, 16 のいずれかであることが多い．

(3)　論理型　値 false を 0 で，true を 1 で，それぞれ表わす．

(4)　文字型　文字の内部コード（たとえば 8 ビットコード）を 2 進数と解釈し，その値（たとえば 0 から 255）の整数で表わす．

(b)　読み替えと複合化

整数を除く 3 個のデータ型については，次の 2 種類の標準的な表現方法が適用されている．

(1)　整数値の読み替え

論理値である false と true は，もともと整数値とは何の関係もないが，0 を false，1 を true と読み替えて使っている．ここで，とくに 0 と 1 でなく

ても, 100 と 500 といった値でもよい. ただし, 論理値 false と true とは,

　　　　false < true

という関係が要求されているので, false を表わす整数値の方が true のそれよりも小さい方が都合がよいという事情がある. また, 論理演算 **and** も, 0 と 1 による表現であれば, 整数乗算で代用できる.

　文字型の値の表現方法も, 本質的にはこの読み替えである. 文字 'A' の内部コードが,

　　　　01000001

という 8 ビットであるということは, この 8 ビットを 'A' と読み替えていることに相当する. したがって, この 8 ビットの 2 進数解釈である 65(10 進数)が, 'A' に読み替えられることになる.

　このような読み替えの技法は, 非常に一般的なものである. また, 読み替えられる整数値としては, できるだけ小さい非負の数で, 値の間の大小関係がもしあれば, それを保存するようなものが選ばれる.

　(2)　複数の値による表現

　実数型は, 非常に大きな値(たとえば 10 の 50 乗)から, 絶対値の非常に小さい値(たとえば 10 の −50 乗)までを表現するためのものである. もしこれをすべて同じ精度で表現したとすると, 天文学的な数の値(ここでは整数値)が必要になる(たとえば 10 の 100 乗個). そこで, それぞれの値に対する相対精度を一定にするような表現方法が使われる. 具体的には, 実数値 v を二つの整数値(m, e)によって

$$v = m \times r^e, \quad |m| \leqq mmax, \quad |e| \leqq emax$$

と表わすことにすると, v の精度は m の最大値 $mmax$ の大きさによって決められる. たとえば m を -999999 から 999999 までの整数値とすると, v の相対精度は 10 の −6 乗, いいかえれば, v の**有効桁数**は(10 進で)6 桁となる.

　この方法で表現された実数値に対する加算と乗算について考えてみよう. 加算については, 二つの実数値の表現 $(m1, e1)$ と $(m2, e2)$ とから, 関係

$$m \times r^e = m1 \times r^{e1} + m2 \times r^{e2}$$

を満たす数 m と e とを求めることになる. いま簡単のために $e1 > e2$ とすると

$$m1 \times r^{e1} + m2 \times r^{e2} = (m1 + m2 \times r^{e2-e1}) \times r^{e1}$$

であるから，おおよそは

$$m = m1 + m2 \times r^{e2-e1}, \quad e = e1$$

とすればよい．しかしながら，m の式の右辺の値が，m に許される最大値を越してしまうこともあるので，若干の修正が必要である．具体的には，次のような処理を行なう．

> **if** $e1 > e2$
>> **then begin** $mm := m2$;
>>> **for** $i := e2+1$ **to** $e1$ **do** $mm := mm$ **div** r ;
>>> **if** $abs(m1+mm) > mmax$
>>>> **then begin** $m := (m1+mm)$ **div** r ; $e := e1+1$
>>>>> **end**
>>>> **else begin** $m := m1+mm$; $e := e1$ **end**
>> **end**
>> **else** "$e1 \leqq e2$ についての処理"

乗算についても，同様の考えで処理を行なう．実現すべき関係式は次のとおり．

$$m \times r^e = m1 \times r^{e1} \times m2 \times r^{e2} \ (= (m1 \times m2) \times r^{e1+e2})$$

以上調べた読み替えと複合化の手法は，Pascal のデータ型定義の一つのやり方ともなっている．

4.2　順序型と型の定義

もっとも単純なデータ型は，整数への対応づけができる型である．本節ではこの種の型を見てみよう．

(a)　データ型の定義

前章までに出てきたデータ型は，次の4種の基本データ型であった．

integer	整数型
real	実数型
char	文字型
Boolean	論理型

これらは，あらかじめその内容が決められている型であり，その名前(たとえば *integer*)がその型のすべてを表わしている．この"データ型の名前づけ"が，データ型を扱う場合の出発点となる．Pascal では，プログラマがいろいろなデータ型を扱えるように，名前づけの機能を提供している．この機能を**型定義**(type definition)と呼ぶ．Pascal プログラムの中では，定数定義部と変数宣言部の間に，語記号 **type** に続けて指定する．

　型の定義を定数定義部より後に置くことにより，型の定義に際して定数名を使うことができる．また，このようにして定義した型の変数を，変数宣言部で宣言することができる．

> **const** *on* = *true* ; *off* = *false* ;
> **type** *int* = *integer* ; *float* = *real* ; *switch* = *Boolean* ;
> **var** *p*: *integer* ;
> 　　*q, r*: *int* ;
> 　　*alarm*: *switch* ;

この例では，整数型，実数型，それに論理型について，それぞれ *int*, *float*, *switch* という別名をつけている．このような，単なる別名づけの場合には，新しく定義された型(たとえば *switch*)ともとの型(*Boolean*)は，まったく同じものとして扱われる．たとえば，相互に値を代入してもかまわないし，値の比較もできる．

> *p* := *q* ; *r* := *p*+100 ;
> **if** *alarm* **then begin** *alarm* := *off* ; "避難する" **end**

(b)　数え上げ型

　論理型(*Boolean*)の値は，true と false の二つだけである．したがってこの型は，二者択一の状態を表現するのに使用できる．IF 文や WHILE 文の条件部として使われるのがその例である．状態の表現という観点から考えてみると，値 true と false とは単に同じ綴りの名前(*true* と *false*)であればよい．これは，たとえば整数型の値が順序や大きさを示し，かつ演算の対象となるのと比べて，かなり変わった使われ方であるといえよう．

　あるデータ型の値にとって，もっとも基本的な性質はお互いに区別できることである．この性質だけを持つデータ型は，それぞれの値を表わす名前の

集まりで定義することができる．たとえば

$$city = \{Hakata, Hirosima, Kyoto, Nagoya, Okayama, Osaka, Tokyo\}$$

とすれば，この7個の名前で表わされる7個の値を持つデータ型の定義となる．このデータ型は，数学でいう**集合**(set)に対応する．この型の変数を

var *mytown, destination, ct* : *city* ;

というふうに宣言しておけば，

      mytown := *Tokyo* ;
      if *destination* = *Okayama* **then** *ct* := *Osaka*

といったプログラムを書くことができる．

　値の区別のみが可能なデータ型に対しては，代入と等値比較しか適用できない．これでは，プログラム言語の要素としてあまり有用であるとは言えない．それで，Pascal を始めとする多くの言語では，値が一列に順序づけられるという性質も兼ねそなえたデータ型の定義を可能としている．値の順序は，定義するときに並べた順序と同じとなる．

      type *scity* = (*Tokyo, Nagoya, Kyoto, Osaka, Okayama,*
                Hirosima, Hakata) ;
          dweek = (*mon, tue, wed, thu, fri, sat, sun*) ;
          student = (*freshman, sophomore, junior, senior*) ;

この種のデータ型を，**数え上げ型**(enumerated type)と呼ぶ(図 4.1)．

図 4.1　数え上げ型の値

数え上げ型の順序は，次のように使用する．

(1) **代入**と**等値比較**　これは集合に対応する型と同じ．

(2) **大小比較**　比較演算(<, >, =, <=, >=, <>)が適用できる．

(3) **順序数**　数え上げ型の値に対しては，標準関数 *ord* が用意されている．結果は非負の整数値で，同じデータ型の中で引数値よりも小さい値の数を表わす．

$$ord\,(Tokyo) = ord\,(mon) = ord\,(freshman) = 0,$$

$$ord\,(Okayama) = 4,$$
$$ord\,(sun) = 6$$

値の大小比較は，それぞれの順序数の大小関係を使って定義することができる．

$$ord\,(tue) = 1, \quad ord\,(sat) = 5, \quad 1 < 5$$
$$よって \quad tue < sat$$

(4)　**隣接要素**　標準関数 $succ$ によって，直後の(すぐ次に大きい)値が求められる．

$$succ\,(Nagoya) = Kyoto$$
$$succ\,(sophomore) = junior$$

ただし，最大の値に対しては，$succ$ は定義されない．

$$succ\,(Hakata), \quad succ\,(sun)$$

同様に，直前の(すぐ次に小さい)値を求める標準関数 $pred$ が用意されている．

$$pred\,(Nagoya) = Tokyo$$
$$pred\,(sophomore) = freshman$$
$$pred\,(mon): 定義されない$$

この隣接要素演算も，順序数によって定義することができる．

$$succ\,(v) = ``ord\,(x) = ord\,(v)+1 \quad となる\ x"$$
$$pred\,(v) = ``ord\,(x) = ord\,(v)-1 \quad となる\ x"$$

これから，次の関係式が示される(図 4.2)．

$$succ\,(v)\ が定義されれば \quad pred\,(succ\,(v)) = v$$
$$pred\,(v)\ が定義されれば \quad succ\,(pred\,(v)) = v$$

(5)　FOR 文の制御変数　数え上げ型の変数は，FOR 文の制御変数に指定

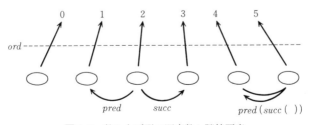

図 4.2　数え上げ型の順序数と隣接要素

することができる．制御変数が整数の場合には，その値を1ずつ増やしながら（または減らしながら）実行が反復された．数え上げ型の変数については，関数 *succ*（または *pred*）が反復して適用される．

> **var** c : *scity* ; d : *dweek* ; s : *student* ;
> ……
> **for** c := *Nagoya* **to** *Hirosima* **do** "駅弁を買う"；
> **for** d := *mon* **to** *sun* **do**
>   **if** d < *sat* **then** *workhard*
>   **else** *enjoyholiday* ;
> **for** s := *senior* **downto** *sophomore* **do** *checkmark*

［例 4.1］　一週間の曜日の型 *dweek* の値 d と整数値 n を与えて，d 曜日の n 日後の曜日を計算する．ただし n は非負とする．□

Pascal の数え上げ型では，一列に順序づけはするが，曜日のように元来循環的(cyclic)なものは完全には表わせない．循環する様子は自分でプログラムを用意して行なう必要がある．この例題においても，結果は単に

> $d + n$ または d に *succ* を n 回施す

とすればよいわけではない．値 *sun* の次を *mon* に戻すことと，n が7以上なら7で割った余りだけ考えればよいことに注意すると，次の解ができる．

［解 4.1］
> $n1$:= $(ord(d) + n)$ **mod** 7；
> $d1$:= *mon* ；
> **for** i := 1 **to** $n1$ **do** $d1$:= *succ*$(d1)$ ；
>   "$d1$ が答" ∎

扱っている数え上げ型（ここでは *dweek* 型）の要素数が多い場合は，$d1$ をまず中央付近の値にしておき，$n1 < ord(d)$ なら *pred* を使うようにする．これで平均約半分の手間で結果が得られる．

(c) 数え上げ型の利用

数え上げ型を持たない言語では，4.1節で調べた"読み替え"の手法によって，数え上げ型を擬似的に実現するのがふつうである．その場合，0, 1, 2 といった整数値そのままではいかにも不細工なので，定数または変数として定義することになる．

const *Tokyo* = 0 ; *Nagoya* = 1 ; *Kyoto* = 2 ; *Osaka* = 3 ;
Okayama = 4 ; *Hirosima* = 5 ; *Hakata* = 6 ;
mon = 0 ; *tue* = 1 ; *wed* = 2 ; *thu* = 3 ; *fri* = 4 ;
sat = 5 ; *sun* = 6 ;

var *freshman, sophomore, junior, senior* : *integer* ;
c, d, s : *integer* ;

ここでは，前出の *scity* 型および *dweek* 型にあたるものを定数で，*student* 型に対応するものを変数で，それぞれ表わしている．後者については，プログラムの実行の最初に，各変数に値を入れておく必要がある．

freshman := 0 ; *sophomore* := 1 ;
junior := 2 ; *senior* := 3

このようにしておけば，あとの文面では，あたかも数え上げ型の値であるかのように使用することができる．それでは，数え上げ型の使用にはどのような利点があるのであろうか．それは，プログラムの**信頼性**(reliability)の向上である．

　定数や変数を使って数え上げ型を模擬するやり方では，所詮ただの一つのデータ型(整数型)しか使わない．しかも，"読み替え"の意図がプログラムの文面には表わされていないので，次のような文も受けつけられてしまう．

c := *mon* ;　　　　　　　　　　　　　　　　　　(1)
if *Okayama* = *junior*　　　　　　　　　　　　　(2)
　then *s* := *junior* − 3　　　　　　　　　　　(3)
　else *s* := *Kyoto* + 10　　　　　　　　　　　(4)

代入(1)では，*scity* 型用の変数 *c* に，*dweek* 型の値(のつもり)の *mon* が代入されている．これは明らかに，プログラムのエラーである．比較(2)では，まったく無意味な比較がされている．代入(3)では，*s* と *junior* の本来の型は同じ(*student* 型)であるが，右辺の式の値として，その型では定義されていないもの(−1)が計算されてしまっている．代入(4)も同様である．

　変数を用いた場合(*freshman, sophomore* など)には，その変数値が書き替えられてしまう危険性も存在する．

senior := *senior* − *junior* ;
if *senior* = *sophomore*　　　　　　*true* となる！
　then …

　以上のようなプログラムミスは，ある程度以上大きなプログラムでは容易にまぎれ込むものと思わなければならない．その場合，数え上げ型が使用されていれば，これらのエラーは"すべて"言語処理系があらかじめ検出する．したがって，エラーを含んだまま実行の段階へ進む確率はきわめて小さくなる．いいかえると，数え上げ型を利用した方が，実行可能な状態のプログラム自体の信頼性が高くなることになる．

(d)　部分範囲型

　数え上げ型は，順序のついた複数個の名前をその値としていた．そしてそれは，独立したデータ型として扱われるという点において，整数値を読み替えて使うやり方とは一線を画した，一歩進んだ概念である．ここでは次に，同じようにして扱われる別のデータ型について調べよう．

　例: 週日(*weekday*)のみを値とする型の定義

　週日は月曜(*mon*)から金曜(*fri*)までである．すでに全曜日が *dweek* 型で定義されているとすると，週日だけを定義するには，名前を変えて，やはり数え上げ型で定義するのが一つの方法である．

$$weekday = (monday,\ tuesday,\ wednesday,\ thursday,\ friday)$$

しかしこのようにすると，*dweek* 型の値 *mon* と *weekday* 型の値 *monday* とは，縁もゆかりもない独立したものとなってしまう．一方，*weekday* 型を定義するのをやめて，*dweek* 型を流用したとすると，週日のみを値とする型，という概念が薄れてしまう．また，変数の値が *sat*(土曜日)になっても，エラーとして報告されることがない．

　例: 日付(*date*)型の定義

　日付は整数値1から31までの値をとる．また，何日後というような場合には加減算の対象としておいた方が都合がよい．しかしながら，整数型そのままでは，32や95といった不当な日付値が排除できない．

　以上二つの例では，親となる型(*dweek* 型または *integer* 型)の性質と値の一部分を利用する機能があればよい．これを Pascal では**部分範囲型**(subrange type)と呼ぶ．部分範囲型の定義では，**親の型**(parent type)の定数2個によって，**上下限**を示す．

$$weekday = mon..fri\ ;$$

$$date = 1..31;$$
var $dw : dweek$; $\{mon..sun\}$
　　$w1, w2 : weekday$;
　　$d1, d2 : date$;
　　$n : integer$;

部分範囲型の値はすべて親の型の値であり，演算や比較も親の型の規則を使って行なわれる．式の計算の途中などで，部分範囲からはみ出してもかまわない．ただし，部分範囲型の変数には，その範囲内の値しか代入できない．

$w1 := wed$;　　　　　これは許される
$w2 := pred(succ(succ(succ(w1))))$;
　　　　　　　　　　$pred$ の引数値が sat であるが，
　　　　　　　　　　最終値が fri なので許される

$dw := sun$;
$w2 := pred(dw)$;　　　sat の代入は許されない
$d1 := 20$;　　　　　　これは許される
$d2 := d1*2-15$;　　　途中では範囲外(40)でもよい
$n := 40$;
$d2 := (n-39)$ **div** 2 ;　　右辺が 0 となるので不可

　部分範囲型は，本質的には親の型と同じで，ただその値に上下限がついたものと考えることができる．したがって，その上下限内に値が収まっていることがとくに要求される場合には，部分範囲型を積極的に使用するとよい．範囲外の値を代入しようとすると，処理系の方からエラーが報告される．

　［例4.2］　ある日付 m 月 d 日の n 日後の日付を計算する．ただしうるう年はないものとし，n は非負とする．□

　まず月と日を表わすデータ型を決めよう．

type $month = (jan, feb, mar, apr, may, june,$
　　　　　　　$july, aug, sep, oct, nov, dec)$;
　　$date = 1..31$;

月については単なる整数でもよいが，例示のために数え上げ型とした．あとは例4.1と同じように，dec の次は jan であること，および n の値が365以上なら365で割った余りだけ考えればよいことから，次のような解ができる．

[解 4.2]

```
var m, m1, m2 : month ;
    n, n1, n2 : integer ;
    d : date ;
    ……
m2 := m ;  n2 := n ;
n := (n+d) mod 365 ;  n1 := n ;  m1 := m ;
while n1 > 0 do
  begin  n2 := n1 ;  m2 := m1 ;
    case m1 of
      jan, mar, may, july, aug, oct, dec : n1 := n1−31 ;
      apr, june, sep, nov : n1 := n1−30 ;
      feb : n1 := n1−28
    end ;
    if m1 = dec then m1 := jan
                else  m1 := succ(m1)
  end ;
"m2 月 n2 日が答"
```

答 $n2$ は，$date$ 型の範囲に収まっている．このプログラムの実行例を示す．

```
m=jan,  d=1,   n=0      ⟶  m2=jan,   n2=1
m=jan,  d=1,   n=50     ⟶  m2=feb,   n2=20
m=mar,  d=15,  n=100    ⟶  m2=june,  n2=23
m=oct,  d=3,   n=1000   ⟶  m2=june,  n2=30
```

(e) 順序型と実数型

値が一つ一つきちんと数えられ，しかもそれらに大小関係が定義されている場合，この値集合を扱うデータ型を**順序型**(ordinal type)と呼ぶ．Pascalでは，以下のものが順序型である．

整数型

文字型

論理型

数え上げ型

部分範囲型

Pascal の部分範囲型は，親の型として順序型のみが許されている．

　大小関係は定義されているが，値を一つ一つ数えられないデータ型が，実数型である．実数型の値は，4.1 節でも触れたとおり，二つの整数値で表現されていることが多い．したがって，表現の形式がわかれば，原理的にはその値を数え上げることができる．たとえば，

$$m \times r^e, \quad |m| \leq mmax, \quad |e| \leq emax$$

という表現では，

$$(2 \times mmax + 1) \times (2 \times emax + 1)$$

個の表現値が存在し得る．しかしながら，たとえば

$$m \times r^e = (m \times r) \times r^{e-1}$$

という式でもわかるとおり，同じ実数値に複数個の表現値が対応する．また，もっと重要なこととして，$mmax$ や $emax$，それに r の値が，システムごとに異なるかもしれないのである．結局，実数型のデータ値は数え上げられないものとされている．

4.3　構造型

　構造を持つ型のうちもっとも単純なものが，タグによって要素を識別するレコード型である．ここでは，レコード型の基本的な事項を示す．

(a)　構造データ型の必要性

　4.1 節において，実数型の具体的表現方法について調べた．そこでは，二つの整数値を一組にして，一つの実数を表わしていた．すなわち Pascal のプログラムが "基本的" であると思っていた値が，実は内部構造を持っていたことになる．この "データの複合化" の機能は，いろいろな面に応用することができる．そこで，Pascal のような言語では，この複合化の機能を使ったデータ型の定義を許している．複合化されたデータは，**レコード** (record) とよぶ．実数型の値の例は次のようになる (図 4.3)．

$$\textbf{type } \textit{actualreal} = \textbf{record } \textit{m} : \textit{integer} ;$$
$$\textit{e} : \textit{integer}$$
$$\textbf{end} ;$$

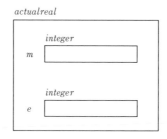

図4.3 レコード型の構造

語記号 **record** と **end** で，要素となるデータ列を囲む．要素の指定は，その要素を示す名前(**タグ**, tag)とそのデータ型によって行なう．この形式は変数宣言のそれと同じである．たとえば次のように略してもよい．

$$actualreal = \textbf{record}\ m, e: integer\ \textbf{end};$$

ただし，タグは変数とは異なり，要素を指定するためにしか用いない．変数は，通常どおりの形式で宣言する．

$$\textbf{var}\ a, b, c: actualreal;$$

これで3個の $actualreal$ 型の変数が宣言された．これらの変数の値は2個の整数値からなるが，要素を指示するときには，変数名の後にピリオドに続けてタグ名を書く．

$$a.m := 3;\quad a.e := 2;$$

$$b.m := a.m;\quad b.e := a.e + 10;$$

値をまるごと代入する場合には，タグをつけないで指定する．

$$c := b;$$

これは要素ごとの代入

$$c.m := b.m;\quad c.e := b.e;$$

と等価である．

このように構造データ型を定義しておけば，その値をまるごと移動したり，中味のデータを処理したりすることができる．構造データ型をまるごと処理するためには，たとえば実数型の加算の例(4.1節参照)で示したような一連の手順が必要となる．実際，実数型を基本的なデータ型の一つとしているコンピュータでは，4.1節で示したような処理手順をハードウェアで実行している．プログラムは，たとえば ADDREAL といった機械命令を実行させるだ

けでよい．

　プログラマが自分で構造型を定義した場合には，それに付随した"まとまった手順"も自分で作成する必要がある．この手順をあたかも一つの命令であるかのように呼び出す機能が，Pascal には手続き(procedure)として用意されている．手続きについては次章で詳しく調べることにする．

(b) 構造データ型の定義

　構造データ型は，Pascal ではレコードと呼ばれる．これは，ある人物や物品に関するいろいろなデータをひとまとめにした**記録**(record)に由来する語である．

$$\textbf{type } \textit{person} = \textbf{record}$$

$\textit{birthyear}: 1800..2100\,;$	生まれ年
$\textit{birthmonth}: 1..12\,;$	生まれ月
$\textit{birthday}: 1..31\,;$	生まれ日
$\textit{age}: \textit{integer}\,;$	年齢
$\textit{gender}: \textit{char}\,;$	性別
$\textit{height}, \textit{weight}: \textit{real}\,;$	身長体重
$\textit{single}: \textit{Boolean}$	未既婚の別

$$\textbf{end}\,;$$

この型 *person* の値には，生年月日，年齢，性別，身長，体重，未既婚の別，という 8 個のデータが含まれている．この型の変数は

$$\textbf{var } \textit{he}, \textit{she}: \textit{person}\,;$$

という具合に宣言する．要素の指定はタグによる．

$$\textit{she}.\textit{birthyear} := 1958\,;$$
$$\textit{she}.\textit{birthmonth} := 8\,;$$
$$\textit{she}.\textit{birthday} := 17\,;$$

　［例 4.3］　現在の日付が変数 *ty*, *tm*, *td* に入っているものとして，*person*型の変数 *she* の年齢を設定する．ただし *ty* は年，*tm* は月，*td* は日である．▯
　［解 4.3a］

$$\textbf{if }\ (\textit{tm} < \textit{she}.\textit{birthmonth})\ \textbf{or}$$
$$(\textit{tm} = \textit{she}.\textit{birthmonth})\ \textbf{and}\ (\textit{td} < \textit{she}.\textit{birthday})$$

$$\textbf{then}\ \textit{she}.\textit{age} := \textit{ty}-\textit{she}.\textit{birthyear}-1$$
$$\textbf{else}\ \ \textit{she}.\textit{age} := \textit{ty}-\textit{she}.\textit{birthyear}$$　　　　■

　構造データ型の要素は，どのようなデータ型でもよい．たとえば，レコード型の要素を持つレコード型が定義できる．型 *person* の例では，生年月日の部分は独立なデータ型としておくことができる（図 4.4）．

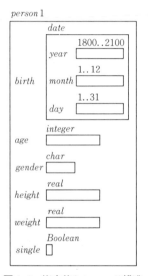

図 4.4　複合的なレコード構造

$$\textbf{type}\ \textit{date} = \textbf{record}$$
$$\textit{year}: 1800..2100;$$
$$\textit{month}: 1..12;$$
$$\textit{day}: 1..31$$
$$\textbf{end};$$
$$\textit{person}1 = \textbf{record}$$
$$\textit{birth}: \textit{date};$$
$$\textit{age}: \textit{integer};$$
$$\textit{gender}: \textit{char};$$
$$\textit{height}, \textit{weight}: \textit{real};$$
$$\textit{single}: \textit{Boolean}$$
$$\textbf{end};$$

こうしておけば，今日の日付を表わす変数も宣言することができる．

$$\textbf{var}\ \textit{today}:\ \textit{date}\ ;$$
$$\textit{she}:\ \textit{person}1\ ;$$

年齢設定処理は，次のようになる．

［解 4.3b］

$$\textbf{if}\ (\textit{today}.\textit{month} < \textit{she}.\textit{birth}.\textit{month})\ \textbf{or}$$
$$(\textit{today}.\textit{month} = \textit{she}.\textit{birth}.\textit{month})\ \textbf{and}$$
$$(\textit{today}.\textit{day} < \textit{she}.\textit{birth}.\textit{day})$$
$$\quad\textbf{then}\ \textit{she}.\textit{age} := \textit{today}.\textit{year} - \textit{she}.\textit{birth}.\textit{year} - 1$$
$$\quad\textbf{else}\ \ \textit{she}.\textit{age} := \textit{today}.\textit{year} - \textit{she}.\textit{birth}.\textit{year}$$

(c) 構造データ型の利用

数学で扱う種々の概念には，構造データ型をうまく使用できるものが多い．

［例 4.4］　複素数を定義し，その四則演算を実行する．□

複素数(complex number)は虚数単位を i，二つの実数を a, b として

$$a + ib$$

と表わされる．これ全体に対して四則演算等を施すことになる．

［解 4.4］

次のように型を定義する．

$$\textbf{type}\ \textit{complex} = \textbf{record}\ \textit{re}, \textit{im}:\ \textit{real}\ \textbf{end}\ ;$$

タグの re は**実数部**(real part)，im は**虚数部**(imaginary part)の意味である．四則演算の手順を示す．

$$\textbf{var}\ x, y, \textit{sum}, \textit{sub}, \textit{mul}, \textit{dv}:\ \textit{complex}\ ;$$

......

$$\textit{sum}.\textit{re} := x.\textit{re} + y.\textit{re}\ ;\ \textit{sum}.\textit{im} := x.\textit{im} + y.\textit{im}\ ;$$
$$\textit{sub}.\textit{re} := x.\textit{re} - y.\textit{re}\ ;\ \textit{sub}.\textit{im} := x.\textit{im} - y.\textit{im}\ ;$$
$$\textit{mul}.\textit{re} := x.\textit{re} * y.\textit{re} - x.\textit{im} * y.\textit{im}\ ;$$
$$\textit{mul}.\textit{im} := x.\textit{re} * y.\textit{im} + x.\textit{im} * y.\textit{re}\ ;$$
$$\textit{normx} := x.\textit{re} * x.\textit{re} + x.\textit{im} * x.\textit{im}\ ;\qquad 非 0 とする$$
$$\textit{dv}.\textit{re} := (x.\textit{re} * y.\textit{re} + x.\textit{im} * y.\textit{im}) / \textit{normx}\ ;$$
$$\textit{dv}.\textit{im} := (x.\textit{re} * y.\textit{im} - x.\textit{im} * y.\textit{re}) / \textit{normx}\ ;$$

［例 4.5］　ベクトルを定義し，その演算を実行する．□

ベクトル(vector)は，いくつかのスカラー量(scalar value)の組として表

わされ，2次元や3次元空間内での位置や速度を表わすのに用いられる．ここでは簡単のために，2次元ベクトルを扱おう．

　［解 4.5］

　　　　　　type *vector2* = **record** *x, y : real* **end** ;

位置や相対位置，速度などを表わす変数は，すべてこの型で宣言することになる．

　　　　　　var *pos*1, *pos*2, *relpos*, *speed : vector2* ;

まず点1(*pos*1)と点2(*pos*2)の位置を定義しよう．

　　　　　*pos*1.*x* := 1.0 ; *pos*1.*y* := 2.5 ;
　　　　　*pos*2.*x* := 4.0 ; *pos*2.*y* := 6.5 ;

この2点の相対位置を求めるには，ベクトルの減算を行なえばよい．

　　　　　relpos.x := *pos*2.*x* − *pos*1.*x* ;
　　　　　relpos.y := *pos*2.*y* − *pos*1.*y* ;

点1から点2へ5秒かかって移動するとすると，1秒あたりの移動量，すなわち速度ベクトルは，次のように求められる．

　　　　　speed.x := *relpos.x*/5 ;
　　　　　speed.y := *relpos.y*/5 ;

このようにして，各種のベクトル量の計算が進行する．　　　　　　■

　ある一つのレコード型変数の要素についての処理がまとまっている場合，いちいち変数名を指定するのがわずらわしいことがある．そのような場合のために，Pascal では次のような WITH 構文が用意されている．

　　　　　with *pos*1 **do begin** *x* := 1.0 ; *y* := 2.5 **end** ;

複合文の中の *x* は *pos*1.*x* を，*y* は *pos*1.*y* を，それぞれ表わしている．同じ型の別の変数(の要素)を扱う場合には，その変数名を明示する必要がある．

　　　　　with *relpos* **do**
　　　　　　begin *x* := *pos*2.*x* − *pos*1.*x* ;
　　　　　　　　　　y := *pos*2.*y* − *pos*1.*y*
　　　　　　end ;

この WITH 構文は，要素をたくさん持つレコード型の値を設定するときに，とくに有用である．前出の *person*1 型の変数の例を示す．

　　　　　with *she* **do** "*person*1 型"

　　　　begin with *birth* **do** "*date* 型"
　　　　　　　begin *year* := 1963 ; *month* := 3 ; *day* := 12 **end** ;
　　　　　　age := 25 ;
　　　　　　gender := 'F' ;
　　　　　　height := 162.3 ;
　　　　　　weight := 55.8 ;
　　　　　　single := *true*
　　　end ;

たとえば 3 行目の *year* は，*she . birth . year* を，4 行目の *age* は *she . age* を，それぞれ表わしている．

　[例 4.6]　解 4.3b に WITH 構文を利用する．□

　解 4.3b では，*person*1 というレコード型の変数 *she* と，*date* というレコード型の変数 *today* を扱っている．したがって，WITH 構文をどれに適用するかによって，いろいろな書き方ができる．

　[解 4.6a]　(*she* に適用)

　　　with *she* **do**
　　　　if (*today . month* < *birth . month*) **or**
　　　　(*today . month* = *birth . month*) **and**
　　　　(*today . day* < *birth . day*)
　　　　　then *age* := *today . year* − *birth . year* − 1
　　　　　else　*age* := *today . year* − *birth . year*　　　▌

　[解 4.6b]　(*today* に適用)

　　　with *today* **do**
　　　　if (*month* < *she . birth . month*) **or**
　　　　(*month* = *she . birth . month*) **and**
　　　　(*day* < *she . birth . day*)
　　　　　then *she . age* := *year* − *she . birth . year* − 1
　　　　　else　*she . age* := *year* − *she . birth . year*　　　▌

　[解 4.6c]　(*she*, *today* ともに適用．異なる型なので可)

　　　with *she* **do**
　　　　with *today* **do**
　　　　　if (*month* < *birth . month*) **or**
　　　　　(*month* = *birth . month*) **and**

$$(day < birth.day)$$

then $age := year - birth.year - 1$

else $age := year - birth.year$ ∎

(d)　レコード型の構造とその区別

型 *vector2* の例では，すべてのベクトル量を，共通の 2 次元ベクトル型で表わしていた．データ型が同一であるので，たとえば次のような"計算"が可能である．

$$pos1.x + speed.x, \quad pos1.y + speed.y$$

これらは，単なる実数値の加算としてみれば何の問題もないが，それらの意味を考えると正しい演算とは言えない．値 $pos1.x$ は位置を，$speed.x$ は速度を，それぞれ表わしており，本来加えられないものだからである．物理学ではこれを"次元が違う"という．"次元"を合わせるには，速度の値に時間を乗ずる必要がある．この事情は，整数型しか使わないと，12(月)を 4(日)で割った答を 3(時間)としてしまいかねないのと同じである．

この問題に対処する方法として二つのやり方が用意されている．

まず最初の方法は，要素となるデータ型の集まり(ここの例では二つの実数型)が同じであっても，意味が異なるものは別の型として定義することである．

type $position = $ **record** $x, y :$ *real* **end** ;

$relative = $ **record** $x, y :$ *real* **end** ;

$velocity = $ **record** $x, y :$ *real* **end** ;

var $pos1, pos2 : position$;

$relpos : relative$;

$speed : velocity$;

このように別々に定義された型同士は，たとえその構造とタグがまったく同じでも，異なる型として扱われる．たとえば

$$pos1 := speed$$

という代入文は，左辺の型($position$)と右辺の型($velocity$)が異なるので，エラーとして検出される．

新しく型を定義した場合に，もとの型と同じものとされるのは，4.2 節(a)

で示した別名づけの場合だけである．たとえば

$$\textbf{type}\ \ point = position\ ;$$

と定義された場合は，$point$ 型は $position$ 型と同一視される．

　同じ型構造を持つ型に別々の名前をつけるこのやり方は，レコード型の値をまるごと処理する場合(たとえば代入)に有効である．しかしながら，不当な加算

$$pos1.x + speed.x,\qquad pos1.y + speed.y$$

は，実数型のレベルまで分解されているのでエラーとはならない．このエラーを検出するためには，レコード型の値同士を加えるための手続きを宣言すればよい．手続きについては次章で詳しく調べるので，ここではこれ以上立入らないことにする．

(e)　可変レコード型

　不当な演算を防止する第2の方法は，第1の方法における型の情報を，レコード型の中に含めてしまうやり方である．

$$\begin{aligned}
&\textbf{type}\ \ vector = \textbf{record}\\
&\qquad\qquad kind : (posi,\ rela,\ velo)\ ;\\
&\qquad\qquad x, y : real\\
&\qquad\quad \textbf{end}\ ;\\
&\ \textbf{var}\ \ pos1,\ pos2,\ relpos,\ speed : vector\ ;
\end{aligned}$$

これらの変数の値には，二つの実数値のほかに，その"意味"を表わす値を含めておく．

$$\begin{aligned}
&pos1.kind := posi\ ;\ pos1.x := \cdots\\
&pos2.kind := posi\ ;\ pos2.x := \cdots
\end{aligned}$$

変数 $relpos$ の値を求める場合には，差を求めるべき二つのベクトル量が，正しい"型"であることを確かめる．

$$\begin{aligned}
&\textbf{if}\ ((pos1.kind = posi)\ \textbf{and}\ (pos2.kind = posi))\ \textbf{or}\\
&\quad ((pos1.kind = rela)\ \textbf{and}\ (pos2.kind = rela))\\
&\ \textbf{then}\\
&\ \textbf{with}\ relpos\ \textbf{do}\\
&\quad \textbf{begin}\ kind := rela\ ;\\
&\qquad\quad x := pos2.x - pos1.x\ ;
\end{aligned}$$

$$y := pos2.y - pos1.y$$

    end

    else *write*('type invalid')

常にこのような"次元チェック"をすることによって，意味のおかしい演算を検出することができる．

Pascal では，以上二つの方法を併用した，**可変レコード型**(variant record type)が用意されている．

> **type** *position* = **record** x, y : *real* **end** ;
> *relative* = **record** x, y : *real* **end** ;
> *velocity* = **record** x, y : *real* **end** ;
> *vectkind* = (*posi, rela, velo*) ;
> *vector* = **record**
>   **case** *kind* : *vectkind* **of**
>   *posi* : (*p* : *position*) ;
>   *rela* : (*r* : *relative*) ;
>   *velo* : (*v* : *velocity*)
>   **end** ;

可変部は **case** で示され，そのタグ(*kind*)は方法2と同じ働きをする．ただし，方法2ではプログラマが注意して検査を行なったが，可変レコード型では，Pascal の処理系がタグによって要素の型を決める．すなわち，x をこの *vector* 型の変数とするとき

$$x.kind = \begin{cases} posi & \text{なら，要素} (x.p) \text{は } position \text{ 型} \\ rela & \text{なら，要素} (x.r) \text{は } relative \text{ 型} \\ velo & \text{なら，要素} (x.v) \text{は } velocity \text{ 型} \end{cases}$$

とみなされる．タグの値の設定そのものは，プログラマの責任である．

可変レコード型には，可変部の前に**固定部**を置くことが許されている．たとえば，1文字の名前をデータに含ませるには次のように定義すればよい(図4.5)．

> **type** *vector* = **record**
>   *name* : *char* ;
>   **case** *kind* : *vectkind* **of**
>   ......

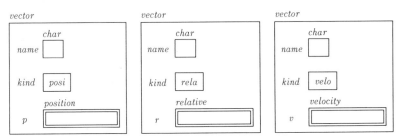

図4.5 可変レコード構造(1). *kind* の値によって
その下のデータ型が変わる.

end;

　これまでの例では, 可変レコード型は, "同じ構造を持つ別の型"を区別する
のに用いられていた. Pascal ではとくにこのような限定があるわけでは
なく, まったく異なった構造のデータ型をまとめてもよい.

> **type** *japanorwest* = (*jpn, wst*);
> 　　　*nengou* = (*shouwa, taisho, meiji, ⋯*);
> 　　　*jyear* = **record** *ng* : *nengou*;
> 　　　　　　　　　*yr* : 1..100
> 　　　　　　**end**;
> 　　　*wyear* = *integer*;

西暦は整数のみ, 和暦は年号(昭和など)と正整数で, それぞれ表わす例であ
る(図 4.6).

> *year* = **record**
> 　　**case** *kind* : *japanorwest* **of**

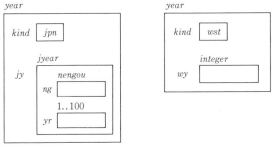

図4.6 可変レコード構造(2). 構造まで変化する例.

```
          jpn : (jy : jyear) ;
          wst : (wy : wyear)
    end ;
```

［例 4.7］　上に示した型 *year* の変数 *y* の値の，西暦を和暦に，またはその逆に変換する．□

　年号としては明治・大正・昭和だけを扱おう．明治元年が 1868 年，大正元年が 1912 年，昭和元年が 1926 年であることがわかれば，変換は簡単に書き表わせる．

［解 4.7］

```
    type year = …
    var y : year ;
        w : year ;
    ……

      with y do
        case kind of
          jpn : begin w.kind := wst ;
                  case jy.ng of
                    meiji :   w.wy := jy.yr +1867 ;
                    taisho :  w.wy := jy.yr +1911 ;
                    shouwa : w.wy := jy.yr +1925
                  end
                end ;
          wst : begin w.kind := jpn ;
                  with w.jy do
                  if wy > 1911
                    then if wy > 1925
                      then begin ng := shouwa ; yr := wy −1925
                           end
                      else begin ng := taisho ; yr := wy −1911
                           end
                    else if wy > 1867
                      then begin ng := meiji ; yr := wy −1867
                           end
                      else writeln('nengou unknown for', wy)
```

$$\mathbf{end}$$
$$\mathbf{end}\,;$$
$$y := w \qquad\qquad \blacksquare$$

第4章のまとめ

4.1　いろいろなデータ型に名前をつける機能を型定義と呼ぶ．別名づけの型定義では，新しい型はもとの型と同じ型とみなされる．

4.2　数え上げ型は順序づけられた名前の集まりを値とする．また，0から始まる順序数（*ord*）と隣接要素（*succ, pred*）を与える関数が用意される．

4.3　数え上げ型の使用によって，プログラムの信頼性を高めることができる．

4.4　部分範囲型は親の型の中の限られた範囲だけを指定する．この型の変数には範囲外の値は代入できない．

4.5　順序型とは，値が数えられ，しかも大小関係が定義されているもので，Pascalでは整数型，文字型，論理型，数え上げ型，および部分範囲型が順序型に分類される．実数型は順序型ではない．

4.6　レコード型は複数個の要素をまとめた型で，要素の識別にはタグを使う．要素がふたたびレコード型であってもよい．

4.7　レコード型はひとまとまりのデータを表現するのに使われる．この型の処理には手続きが対応する．

4.8　要素の型を切り換えたい場合は可変レコード型を使う．

キーワード

データの読み替え　　データの複合化　　有効桁数
型定義　　別名づけ　　数え上げ型　　順序数　　隣接要素
プログラムの信頼性
部分範囲型　　親の型　　順序型　　構造型
レコード　　タグ　　可変レコード型　　可変部　　固定部

演習問題4

4.1　二つの日付 $y1$ 年 $m1$ 月 $d1$ 日と $y2$ 年 $m2$ 月 $d2$ 日が，日数で数えてどれだけ離れているかを計算するプログラムを作れ．ただし4で割り切れる年はすべてうるう年であるとし，次のデータ型を使用する．

$$\mathbf{type}\ \mathit{month} = (\mathit{jan}, \mathit{feb}, \mathit{mar}, \mathit{apr}, \mathit{may}, \mathit{june},$$
$$\mathit{july}, \mathit{aug}, \mathit{sep}, \mathit{oct}, \mathit{nov}, \mathit{dec})\,;$$
$$\mathit{date} = 1..31\,;$$

4.2　次のように定義された型と変数について考える.

    type *dweek* $= (mon, tue, wed, thu, fri, sat, sun)$;

      workday $= tue..fri$;

      suit $= (club, diamond, heart, spade)$;

    var *d, d*1: *dweek*;

      w: *workday*;

      s: *suit*;

      i: *integer*;

(1)　以下の式の中できちんと値が求まるものを示せ. またその値を求めよ.

 (a)　*succ*(*wed*)   (f)　*ord*(*succ*(*succ*(*w*)))

 (b)　*pred*(*sun*)   (g)　*ord*(*tue*)+*ord*(*pred*(*fri*))

 (c)　*pred*(*succ*(*succ*(*sat*))) (h)　*ord*(*club*)−*ord*(*fri*)

 (d)　*succ*(*d*)   (i)　*ord*(*succ*(*s*))

 (e)　*pred*(*w*)   (j)　*ord*(*pred*(*mon*))

(2)　以下の代入文の結果, エラーとなるものを示せ. またエラーとならない場合は, 変数に与えられる値を示せ. ただし各代入文は独立して考えるものとする.

 (a)　*d* := *succ*(*succ*(*mon*)) (e)　*s* := *succ*(*s*)

 (b)　*d*1 := *succ*(*pred*(*d*))   (f)　*s* := *ord*(*succ*(*s*))

 (c)　*d* := *w*   (g)　*i* := *pred*(*w*)−10

 (d)　*w* := *d*   (h)　*i* := *ord*(*sat*)−*ord*(*diamond*)

4.3　4.3節(a)で考えた"実数値の整数値による表現"

    type *actualreal* = **record** *m, e*: *integer* **end**;

で表わされた二つの値 *x*1, *x*2 から, その積を *x* に求めるプログラムを作れ.

4.4　正立した長方形を表わす次のデータ型について考える.

    type *point* = **record** *x, y*: *real* **end**;

    rectangle = **record** *v*1, *v*2: *point* **end**;

ただし *v*1 と *v*2 は長方形の対角頂点の位置を示す. *rectangle* 型の二つの変数 *r*1 と *r*2 について, その二つの長方形が交わるか, 片方が他を含むか, あるいはまったく離れているかを判定するプログラムを作れ.

4.5　トランプの札を表わすレコード型を定義せよ. つぎに, その型の3枚の札のうち最強のものを求めるプログラムを作れ. ただしトランプの札の強さは, スペード, ハート, ダイヤモンド, クラブの順(に弱くなる)とし, 同じマーク(スーツ)の中では A, K, Q, J, 10, …, 2 とする.

4.6　平面上の1点を表わす座標としては, ふつうの直交座標 (x, y) によるほかに, 原点からの距離 $r(r>0)$ と *x* 軸からの角度 $a(0 \leqq a < 2\pi(=360\ 度))$ の二つによるものがある. これを極座標という. 両者の関係は以下のとおりである.

$x = r * cos(a), \quad y = r * sin(a)$

$r = sqrt(x * x + y * y), \quad a = arctan(y/x) \quad (x \neq 0 \text{ のときのみ})$

(1) 平面上の 1 点を表わすデータ型を定義せよ. 可変レコード型を使い, 直交座標と極座標を両方扱うようにせよ.

(2) このデータ型の変数の値から, その点を原点の回りに 90 度, 180 度, および 270 度回転させた点の座標値を求めるプログラムを作れ.

5

■ ■ ■ ■

手続きと関数

前3章では，プログラムで扱う基本単位であるデータとその
演算，および実行の制御とその構造，そして簡単なデータ型定
義法について学んだ．これらはプログラム言語の基本である．
実際，これらに加えて，次章で導入する配列の構造さえあれば，
原理的にはどのような計算手順もプログラムすることができる．
しかしながら，現実に使用するプログラムを構成するためには，
これでは不充分である．実際のプログラム作りを可能とし，か
つプログラムについての議論ができるようにするためには，抽
象化の機能を取り入れることが必要不可欠である．手続きと関
数とはそのための機構である．本章では，プログラミングに関
する最重要項目である手続きと関数について，その役割と利用
方法を学ぶ．

5.1　関数

ふつうの数学でもっともよく使う“まとまった手順”は関数である．三角関数から始まり，$y=f(x)$ と書いた場合の関数 f まで，われわれにはなじみ深い概念である．まずこの関数から話を始めよう．

(a)　関数と演算子

　プログラムの構成要素の一つである式は，さまざまな値に対する演算の積み重ねで作られる．個々の演算は，いくつかの値（被演算数）から一つの結果を得るものとして与えられている．たとえば加算

$$123+49$$

は，二つの被演算数 123 と 49 から，その結果 172 を与える．被演算数は一つであることもある．

$$-3.4, \quad \textbf{not} \ \textit{true}$$

前者では被演算数 3.4 から結果 -3.4 を，後者では *true* から *false* を，それぞれ与える．Pascal における演算子記号（$+$, $-$, $*$, $/$, **div**, **mod**, **and**, **or**, **not**, $<$, $>$ など）は，すべてのこのような演算を指定するものとして，あらかじめ定義されている．これらの演算子記号とは別に，Pascal にはいわゆる関数の形式で書く演算も用意されている．関数の形式というのは，**関数名**（f とする）と**引数**（$a_1, a_2, \cdots$ とする）とを使って

$$f(a_1, a_2, \cdots)$$

と書くやり方である．代表的な関数は三角関数である．

$$\textit{sin}(0.7), \quad \textit{arctan}(2.5)$$

この例はいずれも，引数が一つの関数であり，1引数関数と呼ばれる．

　関数の引数は，演算子の被演算数とまったく同じ扱いを受ける．また，関数と演算子との間にも本質的な差異はなく，括弧の使用法が異なるだけである．すなわち，被演算数が一つおよび二つである演算子は，それぞれ**1引数関数，2引数関数**として扱うことができる．たとえば，加算と乗算の演算子 $+$ と $*$ とは，それぞれ2引数関数 *add* と *mult* として表わすことができ，式

$$123 + 49$$

は関数の形式

$$add\,(123, 49)$$

で,

$$61 * 8$$

は形式

$$mult\,(61, 8)$$

で, それぞれ表わされる. それでは, 式

$$45 + 7 * 13$$

はどうであろうか. この式では, 乗算を先にやって, その結果を使って加算を行なう. その演算順序を括弧を使って明確に示すと

$$(45 + (7 * 13))$$

となる. したがって, 関数の形式では

$$add\,(45, mult\,(7, 13))$$

と表わされる(図 5.1). この例でわかるとおり, 演算子記号を用いた方が一般には表現が簡潔になる. そこで四則演算や比較などのよく使う"関数"について, 演算子記号による表現が用意されているのである.

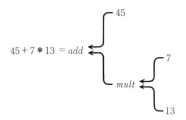

図 5.1　演算子と関数

(b)　関数の宣言

　Pascal にあらかじめ用意されている関数は, **標準関数**と呼ばれる. 標準関数には, 数学的なもの, 型の変換を行なうもの, 入出力に関するもの, などさまざまなものがある. これらはいずれも, プログラム作りの基本的な要素として与えられたものである. これに加えて Pascal では, プログラマが自分で関数を宣言する機能を提供している. これが, Pascal における"関

数”である．例として，正接関数(tangent)を考えよう．正弦(sin)と余弦(cos)は標準関数として用意されているが，正接関数はない．そこで，名前を tan として，次のように定義したい．

$$tan(x) = sin(x)/cos(x)$$

意味は自明であろう．これを関数として宣言するには，次のような手順が必要である．

[1]　引数を明示し，その型も指定する．これは定義式の左辺だけで行なえばよい．

$$tan(x: real) = sin(x)/cos(x)$$

[2]　関数の結果の値，すなわち関数値のデータ型も明示する．

$$tan(x: real): real = sin(x)/cos(x)$$

2番目の $real$ が結果の型である．

[3]　全体が関数の宣言であることを示すために，先頭に語記号 **function** を置く．同時に，関数値の定義式を，関数名への代入文に変更する．代入文の前にはセミコロンを挿入し，その前の部分と区切る．

function $tan(x: real): real$; $tan := sin(x)/cos(x)$

[4]　最後に，代入文の部分を複合文とする．

function $tan(x: real): real$;
　begin
　　$tan := sin(x)/cos(x)$
　end ;

最初の定義式にくらべてだいぶものものしくなったが，これを Pascal における**関数宣言**(function declaration)と呼ぶ．

　第1行目では，関数の名前と引数の名前および型，それに結果の型を明示的に示している．これを**関数頭部**(function heading)と呼ぶ．これに対して，残りの部分を**関数の本体**(function body)という．関数の本体が複合文となっている理由は，ここに任意のプログラム片を書けるようにするためである．たとえば今の例では，$cos(x)$ が0のときは除算を行なっては具合が悪いので，次のように変更することが考えられる．

function $tan(x: real): real$;
　begin

```
if cos(x) < > 0
   then tan := sin(x)/cos(x)
   else begin writeln(' tan = infinity');
                tan := 1e20
        end
end;
```

$cos(x)$ が 0 のときは，メッセージを出力した上で，結果の値を非常に大きな値(10 の 20 乗)にしておくわけである．

(c)　大域変数と局所変数

ここに示した 0 除算排除版の *tan* では，エラーが起こらない場合には，$cos(x)$ を 2 回計算する．もちろん 2 回とも同じ値となる．三角関数の計算にはかなり手間がかかるので，これは好ましくない．そこで，1 回だけ $cos(x)$ を計算し，その値を変数に保存しておくことを考えよう．変数名は w とする．

```
function tan(x: real): real;
   begin
      w := cos(x);
      if w < > 0
         then tan := sin(x)/w
         else begin writeln(' tan = infinity');
                      tan := 1e20
              end
   end;
```

ここで問題となるのは，この変数 w をどこに用意するかということである．もっともさぼったやり方は，この関数宣言の外に w が宣言されていることを仮定してしまう方法である．この方法では，全体の関係は次のようになる．

```
var w: real;                      外に用意された w
......
function tan(x: real): real;
   begin w := cos(x); …          外の w へ書き込み
   end;
......
```

> **begin** …
> 　*write*('tan 30deg =', *tan*(3.1416 ∗ 30/180))；　　関数の使用
> 　……
> **end**.

関数 *tan* から見ると，変数 *w* はより広い外の世界で宣言されている．そこで，*w* を *tan* の**大域変数**(global variable)と呼ぶ(図 5.2)．

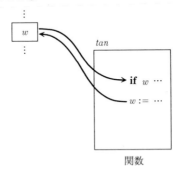

図 5.2　大域変数の使用

　大域変数をこのような形，すなわち関数に局所的な作業変数として使用するのは，きわめて好ましくない．たとえば上の例では，主プログラム中の WRITE 文を実行すると，その中で関数 *tan* が呼ばれるが，それによって *w* の値が書き変えられてしまう．関数 *tan* を呼ぶ側は，変数 *w* を準備しておく必要がある上に，その値が変化することを覚悟しなければならない．

　一般に，単なる数式，たとえば

$$63 + 7 ∗ 15$$

といったものの値を計算する，すなわち評価する場合に，関係のない変数の値が変化することは決してない，という暗黙の了解がある．これが，関数呼出しを含む式

$$63 + sin(1.20) ∗ 8$$

になっても，事情は同じである．すなわち，ふつうの意味の関数は，それを評価した結果の値を返すことのみが求められており，ほかの変数値などを変化させることは期待されていない．上に示したように宣言された関数 *tan* は，これに反した振舞をする．これを，所期の目的以外の効果という意味で，**副作用**(side effect)と呼ぶ．副作用は，可能な限り除去する必要がある．と

くにここでの例のように，局所的な計算手続きのために生じる副作用は，百
害あって一利なしである．

　そうはいっても，大域変数しか使えないとすれば，この例のようにするほ
かはない．Pascal では，これに対処するために，局所的に変数を宣言する機
能が準備されている．局所的な宣言は，関数頭部と関数本体との間に置く．
宣言の形式は，大域的な変数と同じである．

> **function** $tan(x: real): real$;
> 　**var** $w: real$;　　　　　　　　　w の局所宣言
> 　**begin**
> 　$w := cos(x)$;
> 　　（以下同じ）
> 　**end**;

このように局所的に宣言された変数を**局所変数**(local variable)と呼ぶ．こ
れを用意することによって，関数を使用する側では副作用の心配がなくなり，
関数を定義する側では外側の環境（w が用意されているかどうか）を気にし
ないですむようになる（図 5.3）．

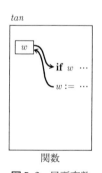

図 5.3　局所変数

　［例 5.1］　階乗を計算する関数を作る．▯
　階乗関数は非負の整数一つを引数として，1 からその引数までのすべての
整数の積を結果とする．すなわち，階乗関数を $fact$ とすると

$$fact(n) = 1 \times 2 \times 3 \times \cdots \times n$$

と定義される．ただし

$$fact(0) = 1$$

とする．この関数を計算するには，乗算を n 回反復実行するための補助変数
と，部分積を蓄える補助変数とが必要である．この二つ（i と f とする）は，
局所変数とするのがよい．

　　［解 5.1］

```
function fact (n: integer): integer;
  var i, f: integer;
  begin f := 1;
    for i := 1 to n do f := f * i;
    fact := f
  end;
```

　局所変数は，それが宣言されている関数や手続きの専用となる．したがっ
て，外からその局所変数を参照する必要はない．そこで局所変数はその関数
（または手続き）だけに有効なものとなっている．階乗関数の例では，局所変
数 i と f は関数 *fact* の中だけで参照できる．外からは，この変数があるこ
とすら知る方法はない．関数 *fact* の外部で i や f と書いた場合は，どこか
ほかで宣言されているほかのものを指定することになる（図 5.4）．

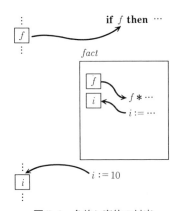

図 5.4　名前と実体の対応

　［例 5.2］　二つの時刻 $t1 = h1$ 時 $m1$ 分 $s1$ 秒と $t2 = h2$ 時 $m2$ 分 $s2$ 秒とか
ら，その差を秒で計算する．□

　この種の問題が与えられた場合は，比較すべきものを何らかの**標準形**に変
換するとよいことが多い．この問題では，時分秒で表わされている時刻を，

0時0分からの秒数に直しておく．まずその変換のための関数を宣言し，次に差を求めればよい．

［解 5.2a］

```
type hour = 0..23 ;
     minute = 0..59 ;
     second = 0..59 ;
function inseconds(h : hour ; m : minute ;
                              s : second) : integer ;
   begin
     inseconds := (h * 60 + m) * 60 + s
   end ;
function diffseconds(h1, h2 : hour ; m1, m2 : minute ;
                              s1, s2 : second) : integer ;
   begin
     diffseconds := abs(inseconds(h1, m1, s1)
                      − inseconds(h2, m2, s2))
   end ;
```
■

この例では，(h, m, s)で時刻を表わした．このような複合形式で一つの"値"を表わす場合には，前章で用いたレコード型を使うとよい．レコード型を使うと，次の解を見てもわかるとおり，関数の宣言も簡潔なものとなる．

［解 5.2b］

```
type hour = 0..23 ; minute = 0..59 ; second = 0..59 ;
     time = record
              h : hour ;
              m : minute ;
              s : second
            end ;
function inseconds(t : time) : integer ;
   begin
     with t do begin inseconds := (h * 60 + m) * 60 + s end
   end ;
function diffseconds(t1, t2 : time) : integer ;
   begin
     diffseconds := abs(inseconds(t1) − inseconds(t2))
```

     end ;   ▌

5. 2 引数

 関数に与えるデータを引数と呼ぶが，与えるやり方にはいくつかの種類がある．ここではその代表的なものを示す．

(a)　値引数

 演算子の“引数”である被演算数について考えてみよう．被演算数が数値そのものである場合には，その値が演算子に与えられる．すなわち

   $3+4$

は

   $add(3,4)$

と同じである．また，被演算数が変数の場合は，その変数そのものではなく，その値が使われる．

   $sum+40$

という加算では，変数 sum のそのときの値を v とすれば

   $add(v,40)$

が実行される．さらに，被演算数がもっと複雑な式である場合でも，まずその式の値を求める，すなわち評価が行なわれ，その結果の値について加算が行なわれる．

 式は，代入文の右辺にあるときは，必ず評価されてその結果の値が（左辺の）変数に代入される．このことを利用すると，加算演算子の実行は次のように表わせる．いま，$e1$ と $e2$ を式とするとき

   $e1+e2$

の実行は，補助的な二つの変数を $t1, t2$ として

   $t1 := e1$;
   $t2 := e2$;
   $add(t1, t2)$

と表わせる．たとえば

   $73*6+5*(13+49)$

という式の評価は,

$$t1 := 73 * 6 ;\qquad t1 \text{ が } 438 \text{ になる}$$
$$t2 := 5 * (13 + 49) ;\qquad t2 \text{ が } 310 \text{ になる}$$
$$add\,(t1, t2)$$

となる.

　このように,引数として与えられたもの,たとえば複雑な式や変数を完全に評価して,最終的な値だけを演算子や関数に渡すやり方を,**値引数**(value parameter)の方法という.また,関数(や演算子)の引数で,この方法で利用されるものを,値引数と呼ぶ.値引数は,もっとも単純であり,もっとも広く利用される.Pascal では,とくに指定しない限り,引数は値引数である.たとえば,正接関数の関数頭部では

$$\textbf{function}\ \ tan(x : real) : real$$

という指定をしたが,この中では引数 x が値引数となる.この x は,上で示した代入文を使った表記法の中の,補助的な変数 $t1, t2$ と同じ役目を果す.すなわち,この関数 tan の呼出しに際しては,まずその引数である式が評価され,その結果が x へ代入され,それから関数本体の実行が開始される.呼出しに際して与えられる引数(一般には式)を**実(値)引数**(actual (value) parameter),それを受けとるための引数を**仮(値)引数**(formal (value) parameter)と呼ぶ(図 5.5).

　Pascal の仮値引数は,したがって,呼出しのために使用する補助的な変数

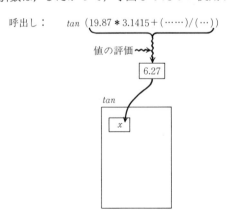

図 5.5　値引数による呼出し

である．そこで，関数の局所変数と同じように扱う．その名前が有効である
範囲も，その関数の中だけとなる．関数を呼び出す側は，仮引数の名前を知
ることはできないし，知る必要もない．

(b) 変数引数

Pascal の関数では，結果として返せる値の型に制限があり，単純な型に限
られている．より複雑な構造を持つ型の値や，不定個の値の並びを返せる言
語もあるが，プログラミングや処理系がそれだけ複雑になる．直交座標系と
極座標系との間の交換について考えてみよう．

　[例 5.3]　極座標系の座標値 (r, a) を与えて，直交座標系の座標値 (x, y)
を返す関数を作る．ただし両座標系の座標値間の関係は次のとおり．

$$x = r \times cos(a), \qquad y = r \times sin(a) \qquad\qquad □$$

まず大域変数を使う解を示す．

[解 5.3a]

```
function tox(r, a : real) : real ;
  begin
    tox := r * cos(a) ;
    y := r * sin(a)
  end ;
```

この解では，求められている二つの結果 x と y のうち，x を関数の結果とし
て，y を外部変数(大域変数)の書き換えによって，それぞれ返している．つ
まりこの関数は副作用を持っているわけである．

　前に示した正接関数の最初の例では，局所的な作業を行なうために大域変
数を使い，その結果として副作用が生じた．今の例では副作用は第 2 の関数
値を返すために利用されている．返す関数値が一つという制限があるので，
副作用の利用自体はいたしかたがない．しかしながら，大域変数を使うこと
による不具合は，前の例と同じである．そこで Pascal では，大域変数の指
定を関数の宣言時には固定せず，関数の呼出し時に引数によって確定させる
方式が用意されている．この方式では，関数側では"仮の"大域変数名を使
う．

[解 5.3b]

function *tox*(*r*, *a* : *real* ; **var** *y* : *real*) : *real* ;
  begin
    tox := *r* ∗ *cos*(*a*) ;
    y := *r* ∗ *sin*(*a*)
  end ;

変数名 *y* が"仮の"大域変数名であり，そのことを関数頭部の中で

    var *y* : *real*

という形で指定する．こうすることによって，関数 *tox* を作るにあたっては，値を返す大域変数の"実の"名前を知らなくてもすむことになる．

  この関数は，次のように使用する．*y* 座標を受けとる大域変数を *p*, *q*, *r* とする．

    rad := 7.5 ; *ang* := 0.5 ;
    write('when r =', *rad*, ' a =', *ang*) ;
    write(' (x, y) =', *tox*(*rad*, *ang*, *p*)) ;
    write(',', *p*)

出力例は次のとおり．

    when r＝7.5000 a＝0.5000 (x, y)＝6.5819, 3.5957

実際の大域変数名は，呼出し時に指定すればよいので，

    tox(3.0, 1.2, *q*),   *tox*(*rad*, 0.001, *r*)

という具合に，いろいろな変数に値を受け取ることができる(図5.6)．

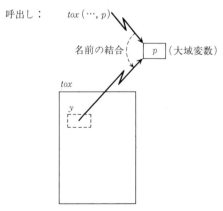

図5.6 変数引数による呼出し

このように，関数の宣言時に仮に決めておいた名前に，呼出し時に実際の変数名を結合するやり方を，**変数引数**(variable parameter)の方式という．また，引数でこの方法により利用されるものを，変数引数と呼ぶ．そして，宣言時に"仮に"使用する名前を**仮(変数)引数**，呼出し時に"実際に"指定される名前を**実(変数)引数**とそれぞれ呼ぶ．

変数引数の方式では，呼出し時に実引数がその値まで評価されない．すなわち，単に関数の中の仮引数が，実引数に置き換えられるだけである．したがって，値引数の場合のような，呼出し時の代入は行なわれない．それで，前章で述べたレコード型や次章で導入する配列などの複雑で大きなデータを引数とする場合，副作用による書き換えではなく参照だけの目的で，変数引数とすることがよくある．値引数としたとすると，関数の中に大きなデータ用の局所変数の領域が必要なうえに，呼出し時の代入操作に大きな手間がかかるからである．

5.3   手続き

関数は"値を計算する"まとまった手順であった．これに対して値を返すことが主目的ではない処理手順のまとまりを手続きと呼ぶ．ここではその主な要素を示す．

(a)   手続きの宣言

前節の座標系変換の例では，極座標値 (r, a) から直交座標値 (x, y) を求めた．ただし，x は関数値として，y は変数引数を通じて，それぞれ呼出し側に返された．x と y の扱いが異なっているのは，いかにも不格好である．そこで，この扱いをそろえることを考える．関数値は1個に限られているので，両方を変数引数とすることになる．ところがこうすると，関数値として返す値はなくなり，変数引数を使った副作用のみで結果を返すことになる．

Pascal では，副作用のみを目的とするひとまとまりの命令群は，関数ではなく**手続き**(procedure)と呼ぶ．手続きも関数と同様に宣言されるが，宣言の頭を **procedure** という語記号で始める．

［解 5.3c］

```
procedure toxy(r, a : real ; var x, y : real) ;
    begin
        x := r * cos(a) ; y := r * sin(a)
    end ;
```
∎

これを**手続き宣言**(procedure declaration)と呼ぶ．また，関数の場合と同じ
く，先頭行を**手続き頭部**(procedure heading)，それに続く部分を**手続き本体**
(procedure body)とそれぞれ呼ぶ．局所変数の宣言の仕方や，値引数・変数
引数の使い方も，関数の場合とまったく同じである．

手続き *toxy* の使用例は次のとおり．座標値を受けとる変数を p, q とする．

$$rad := 7.5 ; \quad ang := 0.5 ;$$
$$toxy(rad, ang, p, q) ;$$
$$write('when \; r =', rad, ' \; a =', ang) ;$$
$$write(' \; (x, y) =', p, ',', q)$$

出力例は以前と同じである．

手続きは，Pascal のプログラムを構築するうえで，もっとも重要な要素の
一つである．上に示した使用例でも，手続き *toxy* については

> 最初の二つの値を極座標値とみなし，直交座標値を第3と第4の引数
> へ返す

ということだけを知っていれば，これを利用することができる．すなわち，
関数の場合と同じく，手続きの中味に関する知識は不要で，その機能さえ知
っていればよい．ある意味では，その機能を果たす基本的な命令として扱う
ことができる．いわば，**ソフトウェアにおける部品**である．

(b) 手続きとデータ型

手続きや関数がソフトウェアにおける部品としての役割を持っていること
の例の一つとして，ユーザが定義したデータ型に対する演算命令がある．前
章で導入した数え上げ型とレコード型についての，いくつかの例を示そう．

［例5.4］ 4.2節(b)で例示した *student* 型の値を出力する手続き．▢

基本出力手続き *write* で出力できる値のデータ型は，Pascal の基本デー
タ型(整数型，実数型，文字型，論理型)とその部分範囲型，および文字列だ
けに限られている．したがって，せっかく新しいデータ型を定義しても，そ

れを出力するにはいちいちプログラムを書かなければならない．これを一つ
の"命令"として定義するのが手続きである．

［解5.4a］

```
procedure writestudent(x : student);
  begin case x of
      freshman :   write('freshman');
      sophomore :  write('sophomore');
      junior :     write('junior');
      senior :     write('senior')
    end
  end;
```

出力される文字列は，もちろん任意に決めることができる．学年で表示する
には次のようにする．

［解5.4b］

```
procedure writegakunen(x : student);
  begin write(ord(x)+1 : 1, '-nen') end;
```

たとえば

```
writegakunen(sophomore)    で  '2-nen'
writegakunen(senior)       で  '4-nen'
```

がそれぞれ出力される．

［例5.5］　次に示す型についての，循環的な後者関数($succ$)と前者関数
($pred$)とを作る．

```
type dweek = (mon, tue, wed, thu, fri, sat, sun);
```

［解5.5］

```
function dweeksucc(x : dweek) : dweek;
  begin if x = sun then dweeksucc := mon
                   else  dweeksucc := succ(x)
  end;
function dweekpred(x : dweek) : dweek;
  begin if x = mon then dweekpred := sun
                   else  dweekpred := pred(x)
  end;
```

この二つの関数を作っておけば，ある曜日(x)の前日および翌日の曜日は，

未定義のエラーを心配することなしに

$$dweekpred\,(x), \qquad dweeksucc\,(x)$$

で求めることができる.

　構造を持つレコード型の値についても, それを出力する機能は自分で定義することになる. 出力の形式等は, プログラマが任意に決められる.

　[例 5.6]　4.3 節 (b) で示した次の型についての出力用手続きを作る.

```
type date = record
              year : 1800..2100 ;
              month : 1..12 ;
              day : 1..31
            end ;
     person1 = record
                 birth : date ;
                 age : integer ;
                 gender : char ;
                 height, weight : real ;
                 single : Boolean
               end ;
     complex = record re, im : real end ;                ▯
```

[解 5.6]

```
procedure writedate (x : date) ;
  begin write(x.year : 4, '/', x.month : 2, '/', x.day : 2) end ;
procedure writeperson (p : person1) ;
  begin
    write('birthdate :') ; writedate (p.birth) ;
    write(', age =', p.age : 1) ;
    write(', gender =', p.gender) ;
    write(', h =', p.height : 6 : 1, ', w =', p.weight : 5 : 1) ;
    if p.single then write('  single')
                else   write('  married')
  end ;
procedure writecomplex (c : complex) ;
  begin write(c.re, '+', c.im, '*i') end ;        ▮
```

それぞれの出力例を示しておく.

```
1988/10/17      2001/ 1/31
birthdate : 1963/11/22, age＝25, gender＝F,
                h＝ 162.8,  w＝ 51.9  single
2.71828183e00＋3.14159265e03＊i
```

Pascal では，関数の結果としてレコード型の値を返すことはできない．したがって，レコード型の値の演算は，すべて手続きで行なうことになる．この場合，値を返すための引数は，当然変数引数でなくてはならない．値を手続きに与えるための引数も，変数引数とすることが多い，値引数とすると，手続き呼出し時のデータの複写に時間がかかるからである．

　［例 5.7］　4.3 節(b)で定義したレコード型 *date* の値 *t* と，*person*1 型の変数 *p* とを与えられて，年齢を設定する手続きを作る．□

　［解 5.7］

$$\textbf{procedure } \textit{setage}(\textbf{var } t : \textit{date} ; \textbf{var } p : \textit{person}1) ;$$
$$\textbf{begin}$$
$$\textbf{with } p.\textit{birth } \textbf{do}$$
$$\textbf{if}(t.\textit{month} < \textit{month}) \textbf{ or}$$
$$(t.\textit{month} = \textit{month}) \textbf{ and } (t.\textit{day} < \textit{day})$$
$$\textbf{then } p.\textit{age} := t.\textit{year} - \textit{year} - 1$$
$$\textbf{else } p.\textit{age} := t.\textit{year} - \textit{year}$$
$$\textbf{end} ;$$

手続きの引数の型の指定は，あらかじめ決められている基本データ型の名前か，プログラマが定義した型の名前に限られている．これは，型の概念をきちんとさせるための方法である．例で示そう．4.3 節(d)で示した次の型について考える．

$$\textbf{type } \textit{position} = \textbf{record } x, y : \textit{real } \textbf{end} ;$$
$$\textit{relative} = \textbf{record } x, y : \textit{real } \textbf{end} ;$$
$$\textit{velocity} = \textbf{record } x, y : \textit{real } \textbf{end} ;$$

これらの，位置(*position*)，変位(*relative*)および速度(*velocity*)というデータ型の意味を考えると，次のような演算を行なうことが考えられる．

$$\textit{position} - \textit{position} = \textit{relative}$$
$$\textit{position} \pm \textit{relative} = \textit{position}$$
$$\textit{relative} \pm \textit{relative} = \textit{relative}$$

$relative/real = velocity$ この *real* は時間(*time*)

$velocity * real = relative$ 同上

たとえば，位置と位置を加える演算は，意味をなさないので定義しない．このような"型検査"つきの演算は，手続きによって定義できる．

     procedure *subpos*(**var** x, y : *position*; **var** z : *relative*); ⋯

     procedure *addposrel*(**var** x : *position*; **var** y : *relative*;
                           var z : *position*); ⋯

     procedure *addrel*(**var** x, y, z : *relative*); ⋯

     procedure *relvel*(**var** x : *relative*; t : *real*;
                        var z : *velocity*); ⋯

     procedure *velrel*(**var** x : *velocity*; t : *real*;
                        var z : *relative*); ⋯

これら一群の計算手続きは，可変レコード型を使うとうまくまとめられる．

(c) 局所関数と局所手続き

以前の例では，ある関数で作業用に使う局所変数を導入した．それと同じように，ある関数(や手続き)専用の，より小さな関数(や手続き)を使いたい場合がある．Pascal ではこれを，**局所関数(局所手続き)**(local function/procedure)として宣言できるようになっている．

  [例5.8]　関数 $f(x)=x^3e^{-x\cdot x}$ のグラフの概形を印刷する．x の範囲は $-3\sim3$ とする．□

プログラムの動作の中で，もっとも典型的でしかも重要な副作用は，印刷や読込みなどの入出力である．標準手続き *read* は，指定された変数の値が変化するという副作用(！)がなければ意味を持たない．また *write* も，出力が行なわれてどこかの表示面(またはファイルの内容)が変化する，という副作用を目的として使われる．この例題のプログラムの構成法としては，与えられた式を計算する関数と，それを使ってグラフの概形を描く部分とに分けるのが一般的であろう．

  [解5.8a]

```
program plot0(output);
   const step = 20; range = 3.0;
   var i, j : integer;
```

$x : \, real$;

function $f(x : \, real) : \, real$;

   begin $f := x * x * x * exp(-x * x)$ **end** ;

begin

   for $i := -step$ **to** $step$ **do**

     begin $x := i/step * range$; $write(x : 6 : 3)$;

       for $j := 1$ **to** $round(f(x) * 50 + 40)$ **do** $write(' \, ')$;

       $writeln(' * ')$

     end

end.

このプログラムでは，x の範囲を $-range$ から $range$ までとし，その間を $step \times 2$ 等分した値 (x) について関数値 $f(x)$ を求め，それを適当な整数値 $(round(f(x) * 50 + 40))$ に変換して，その位置に ' * ' を出力している．結果は，図 5.7 のようになる．

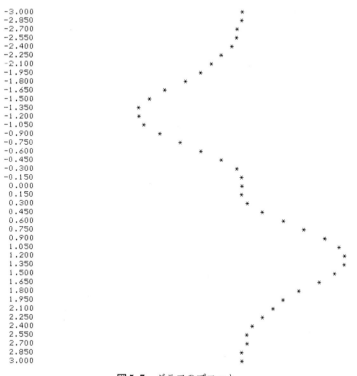

図 5.7 グラフのプロット

解 5.8a の出力結果に，横軸(実際の出力では縦に描かれる)をつけ加える
ことを考えよう．横軸を出力する位置は，関数値の 0.0 に対応する場所であ
る．すなわち

$$round\,(0.0*50+40) = 40$$

の位置である．ここで，関数値から出力位置を示す整数値への変換は，関数
によって行なうようにしておくほうが，拡張性の面から好ましい．この関数
を *pos* としよう．

$$\textbf{function } pos(x:\ real):\ integer\,;$$
$$\textbf{begin } pos := round\,(x*50+40)\ \textbf{end}\,;$$

こうしておくと，軸の位置は *pos*(0.0) で表わされる．

さて，軸も表示するとなると，各行の出力方法は次の 3 種類になる．

$pos\,(f(x)) < pos\,(0)$ まず関数値を示し，次に軸を示す

$pos\,(f(x)) = pos\,(0)$ 関数値だけを示す

$pos\,(f(x)) > pos\,(0)$ まず軸を示し，次に関数値を示す

表示が重なった場合は関数値の表示を優先させることにする．この場合分け
に忠実にプログラムを作ってみよう．

[解 5.8b]

```
program plot1(output);
  const step = 20; range = 3.0;
  var i: integer;
  function f(x: real): real;
    begin f := x*x*x*exp(-x*x) end;
  procedure singleline(x: real);
    var apos, fpos: integer;
    function pos(x: real): integer;
      begin pos := round(x*50+40) end;
    procedure advance(left, right: integer; c: char);
      var i: integer;
      begin
        for i := left+1 to right-1 do write(' ');
        write(c)
      end;
    begin {single line}
```

```
              write (x : 6 : 3) ;
              apos := pos (0.0) ;
              fpos := pos (f (x)) ;
              if  fpos = apos
                then  advance (0, fpos, '＊')
                else
              if  fpos < apos
                then begin  advance (0, fpos, '＊') ;
                            advance (fpos, apos, '|')
                     end
                else begin  advance (0, apos, '|') ;
                            advance (apos, fpos, '＊')
                     end ;
              writeln
          end ;
      begin
        for  i := −step to step do singleline (i/step＊range)
      end .
```

出力例を図5.8に示す．この解では，プログラム全体のレベルで有効なもの
は

step, range	定数
i	変数
f	関数
singleline	手続き

だけである．1行の中をどう印字するかは，すべて手続き *singleline* に任さ
れている．そして，この手続きの中だけで有効なものは

apos, fpos	変数
pos	関数
advance	手続き

である．これらは，外，すなわち主プログラムからは見えない．主プログラ
ムでは，1行の中をどう表示するかではなく，"1行分表示せよ"(*singleline*
(x))という指令を行なうだけであるから，表示のための小道具であるこれら
の変数や関数には関知しないのである．

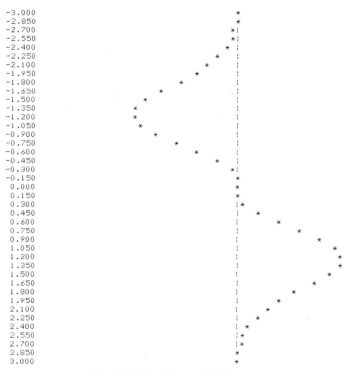

図 **5.8** 複数のグラフの多重プロット

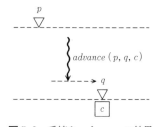

図 **5.9** 手続き *advance* の効果

　手続き $advance(p, q, c)$ は，現在の文字位置を p として，文字位置 q に文字 c を表示する（図 5.9）．この処理に使う変数 i は，*advance* 専用となる．
　以上のプログラム構造を図 5.10 に示す．このような構造により，手続きや関数のソフトウェア部品としての使い勝手が，格段によくなるのである．

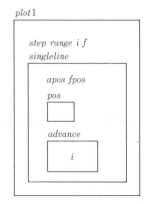

図 5.10 プログラム *plot* 1 の構造

5.4 再帰的関数と再帰的手続き

関数や手続きの本体の中で自分自身の呼出しを使うと，計算手順が明解になることがある．ここではそのやり方と注意点とを示す．

(a) 再帰的な関数

数学的な数の定義方法には，定義しているもの自身を使うものがある．たとえば，べき乗の定義として，

(A) $x^n = \begin{cases} 1 & n = 0 \\ x * x^{n-1} & n > 0 \end{cases}$

というものがある．第 2 行目では，x^{n-1} を使って x^n を定義している．これに従うとすると，x^8 の値を求めるには x^7 が，x^7 を求めるには x^6 が，という具合に次々と必要となり，都合が悪いように思える．しかしそうではなく，x^1 が x 掛ける x^0 で，x^0 は 1 と決まるので，無限に続くことはない．すなわちべき乗の定義(A)は，値の求め方をきちんと定義している．

　［例 5.9］　定義(A)をもとにしてべき乗計算の関数を作る．□

　［解 5.9］

```
function power (x : real ; n : integer) : real ;
  begin
```

$$\textbf{if} \ \ n = 0 \ \ \textbf{then} \ \ power := 1.0$$
$$\textbf{else} \ \ \ power := x * power(x, n-1)$$
$$\textbf{end} \ ;$$

　この例で注意すべき点は，関数 *power* の定義に，自分自身を用いていることである．一般にプログラムにおいては，定義されていないものは使用できない．変数や関数も，宣言をきちんとしてから使うことになっている．この例は，計算方法の定義の中で(まだ完全には定義が終わっていない)自分自身を使っているので，明らかに一般的な作法に違反している．しかしながら，数学的な関係式(A)は，べき乗数を完全に定義している．そこでPascalを始めとする多くの言語では，関数や手続きの呼出し方法が確定する，すなわち関数(手続き)頭部を見た段階で，その定義がなされたものとみなすことになっている．したがって，関数(手続き)本体の中では，自分自身を使用してもかまわない．このようにして定義されている関数(手続き)を，**再帰的関数**(recursive function)(または**再帰的手続き**)と呼ぶ．さらに，自分自身を直接使用していなくても，呼び出している別の関数や手続きが，自分を呼び返しているような関数や手続きも，再帰的であるという．もっと一般に，何段かの手続き・関数呼出しを通じて自分が呼ばれている場合も同様である(図5.11)．

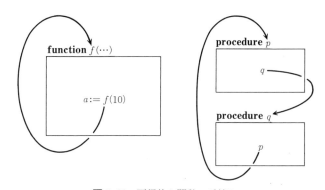

図5.11 再帰的な関数・手続き

　べき乗の定義(A)はあまりに簡単で，再帰的関数を使うまでもなく，FOR文を n 回まわせば同じ計算ができる．それでは次の定義はどうであろうか．

(B)　　$x^n = \begin{cases} 1 & n = 0 \\ x^m * x^m & n = 2m \quad\quad （偶数乗） \\ x^m * x^m * x & n = 2m+1 \quad （奇数乗） \end{cases}$

この定義方法でも，最後には，x^0 に"落ち着いて"計算がきちんとできることを示すことができる．

　[例 5.10]　定義(B)によるべき乗計算の関数を作る．□

　[解 5.10]

```
function powerb(x : real ; n : integer) : real ;
    var w : real ;
  begin
    if  n = 0  then  powerb := 1.0
            else begin  w := powerb(x, n div 2) ;
                    if  odd(n)
                        then  powerb := w * w * x
                        else  powerb := w * w
                end
    end ;
```

(b)　再帰計算の終了性

　再帰的な関数や手続きを定義する場合は，実行がきちんと終了することを確かめなければならない．上で示した再帰的なべき乗数関数が，きちんと終了することは，次のようにして示すことができる．

　[1]　まず再帰のたびに確実に減少する数を探す．(A)でも(B)でも，指数 n がこの性質を持っている．すなわち

　　　(A)の場合　　　$n \longrightarrow n-1$

　　　(B)の場合　　　$n \longrightarrow n \text{ div } 2$

　[2]　[1]で求めた値がいつかはたどり着く値があり，その値の場合には再帰呼出しをしないことを示す．ここの例では $n=0$ がその値である．この値であるかどうかは，どちらの解でも IF 文によって検査している．最初の指数が 11 である場合の値の移り変りを示す．

　　　(A)　　11, 10, 9, 8, 7, 6, 5, 4, 3, 2, 1, 0

　　　(B)　　11, 5, 2, 1, 0

再帰のたびに確実に値が減少するような数(上例では n)には下限がなければ
ならない. 整数値であることはもちろんである. 実数値だと, 下限(たとえ
ば 0)があっても,

$$1.000, \quad 0.500, \quad 0.250, \quad 0.125, \quad 0.0675, \quad \cdots$$

といった, いつまでも終わらない減少数値列があり得るからである.

(c)　再帰計算と局所変数

　再帰性は, プログラムの構成上たいへん有用な性質である. しかし, 一見
すると同じ関数・手続きを何回も使うことになるので, もし局所変数が宣言
されていた場合は, その扱いが問題となる. 実は解 5.10 の *powerb* がその
一例になっているが, ここでは再帰的な手続きの例を示す.

　[例 5.11]　整数値を, 3 桁ごとにコンマで区切って出力する. たとえば

$$12345 \longrightarrow 12{,}345$$

$$678 \longrightarrow 678$$

$$1988034 \longrightarrow 1{,}988{,}034 \hspace{4cm} \square$$

　まず再帰的な手続きの考えに慣れるために, 次のような例題について考え
よう.

　　　　非負の整数値の印刷を, 1 桁ずつの出力 $out1(n)$ $(0 \leq n < 10)$ によっ
　　　　て行なう

数値 k の 1 桁分は

$$k \ \mathbf{mod} \ 10$$

によって求められるが, これはもっとも下位の桁であり, 最後に出力される
べきものである(たとえば 12345 の 5). そこで, 10 位から上を全部出力して
から, この桁を出力すればよい. 上全部を出力するには, 自分自身を引数値
$k \ \mathbf{div} \ 10$ で呼べばよい(たとえば 12345 から 1234).

```
procedure writeint(k : integer);
  begin
    if k >= 10 then writeint(k div 10);
    out1(k mod 10)
  end;
```

この, "問題を少し縮小して自分自身を使う"というところが, 再帰的手続き

を構成するコツである.

　さて例 5.11 に取りかかろう. 上の簡単な例と同様にやるとすると,

12,345　の出力は　12,34　の後に 5 を,

12,34　の出力は　　12,3　の後に 4 を,

12,3　の出力は　　12,　の後に 3 を,

12,　の出力は　　　1　の後に 2, を,

という具合にすればよい. 引数は整数値一つと, “自分の後に続く桁数”とする.

　　［解 5.11］

```
procedure writeint3(k : integer);
  procedure wint1(k : integer; w : integer);
    begin
      if k >= 10 then wint1(k div 10, w+1);
      write(k mod 10 : 1);
      if (w mod 3 = 0) and (w > 0) then write(',')
    end;
  begin wint1(k, 0) end;
```

　ここで問題となるのが, *wint1* の値引数 k と w である. 値引数は局所変数と同じ扱いを受けるので, 結局, 何重にも再帰呼出しされた手続きの局所変数の問題となる. Pascal をはじめとする, 再帰を許す言語では,

　　　　手続き・関数が呼ばれるたびに, その複製が作られる

ことになっている. 複製といっても, プログラムの実行部分はまったく同じものなので, 結局, 局所変数の複製が有効に働くことになる. また,

　　　　本体の実行が終ると, その複製は消去される.

　例で示そう. 上で示した手続き *writeint3* が, 引数値 19876 で呼ばれたものとする. するとまず, *wint1* の第 1 番目の複製が作られ, その引数 k と w ($k1$ と $w1$ とする)に 19876 と 0 が代入される.

$(k1, w1)$

19876, 0

$k1$ の値は 10 以上なので, 再帰呼出しが起き, 2 番目の複製が, 引数値 19876 **div** 10＝1987 と 1 で呼ばれる.

$(k1, w1)$ $(k2, w2)$

19876, 0   1987, 1

次も同様である.

$(k1, w1)$ $(k2, w2)$ $(k3, w3)$

19876, 0   1987, 1   198, 2

もう1回再帰呼出しが行なわれる.

$(k1, w1)$ $(k2, w2)$ $(k3, w3)$ $(k4, w4)$

19876, 0   1987, 1   198, 2   19, 3

さらに1回再帰呼出しが行なわれる.

$(k1, w1)$ $(k2, w2)$ $(k3, w3)$ $(k4, w4)$ $(k5, w5)$

19876, 0   1987, 1   198, 2   19, 3   1, 4

ここで初めて引数値 $k5$ が 10 より小さくなったので,再帰呼出しの繰返しが停止する.この時点においては,手続き *wint*1 の複製が5個作られ,すべてが"計算中"となっている.そして,すべての複製が自分自身の k と w を持っているわけである.これ以降は以下のように実行が進行する.

$(k1, w1)$	$(k2, w2)$	$(k3, w3)$	$(k4, w4)$	$(k5, w5)$	出力
19876, 0	1987, 1	198, 2	19, 3	1, 4	'1'
19876, 0	1987, 1	198, 2	19, 3		'9, '
19876, 0	1987, 1	198, 2			'8'
19876, 0	1987, 1				'7'
19876, 0					'6'

結果として文字列 '19,876' が出力され,全計算が終了する(図 5.12).

　要約すると,局所変数はその手続き・関数の専用であるばかりでなく,1回ごとの呼出しに固有のものとして扱われる.したがって,再帰呼出しが行なわれても,その局所性は保たれるのである.

(d) 分離形の宣言

　お互いに他方を呼んでいる二つの手続き p と q を考えよう.もちろん p も q も再帰的手続きである.これらの宣言は次のような形式になる.

procedure $p(\cdots)$;
  begin $\cdots$ $q(\cdots)$ $\cdots$ **end** ;

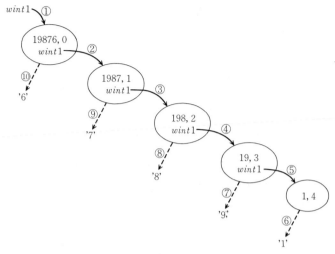

図5.12 再帰呼出しの実行. ◯数字は呼出しと出力の順番を示す.

procedure $q(\cdots)$;
  begin $\cdots$ $p(\cdots)$ $\cdots$ **end** ;

ここで p の宣言の中で現われる q の呼出しは, q の呼出し方法が定まっていない, すなわち q の手続き頭部がまだ処理されていないので, エラーとなってしまう. p と q の宣言の順序を入れ換えても, 今度は q の宣言の中の p の呼出しがエラーとなる.

Pascal ではこの問題を解決するために, 手続き・関数頭部だけを先に宣言できるようになっている. 本体はあとで定義する. 形式は次のとおり.

procedure $p(\cdots)$; *forward* ;
procedure $q(\cdots)$; *forward* ;
procedure p ;
  begin $\cdots$ $q(\cdots)$ $\cdots$ **end** ;
procedure q ;
  begin $\cdots$ $p(\cdots)$ $\cdots$ **end** ;

この例では p に関する先立ち宣言は不要であるが, 形をそろえるために両方並べた. *forward* は指定(directive)と呼ばれ, 本体の定義があとで出てくることを示す. また, 本体の定義では, 手続き名のみを指定し, 引数や結果の型は書かない.

5.5　関数・手続き引数とモジュール構造

関数や手続きはソフトウェア部品としてたいへん重要である．ここではこれらの部品を引数とする方法について調べる．

(a)　方程式の根の計算

これまでに示した関数や手続きは，Pascal のプログラムを組み上げていくのに重要な概念である．組上げに際しては，各手続きや関数が，それぞれ独立した部分品として利用できることが望ましい．その意味で，大域変数を直接使った副作用が排除されたのである．この節では，方程式の根を探す例題を通して，プログラムの部品化の方法について調べよう．

［例5.12］　3次方程式の係数を読み込んで，根を一つ求める．□

3次方程式には，根が必ず一つはある．いま方程式を

$$f(x) = ax^3 + bx^2 + cx + d = 0 \qquad (a > 0)$$

としよう．すると，充分に大きな正の x について $f(x) > 0$，充分に大きな負の x について $f(x) < 0$ となる．関数 f は連続であるから，その中間で必ず 0 となる．この事実を使って根を求めよう．手順は次のようになる．

［1］　係数 a, b, c, d を読み込む．

［2］　a が負のときは，係数の符号をすべて反転しておく．

［3］　$f(p) < 0$ となる値 p を求める．

［4］　$f(q) > 0$ となる値 q を求める．p と q の間に必ず一つは根がある．

［5］　区間 $[p, q]$ を $f(p) < 0$，$f(q) > 0$ という条件を保ったまま狭くしていく．

［6］　p と q が充分近い値になったら計算終了．

この手順を図5.13に図示する．

最後の"近い値"の意味は，要求されている精度に依存する．たとえば，根を小数点以下5桁求めればよい場合，$p = 1.005741$，$q = 1.005744$ になった時点で計算を終了し，答として 1.00574 を出力する．

この解法のポイントは手順[5]である．これを実現するのによく使われる方法は，**2分法**と呼ばれる次のようなやり方である．

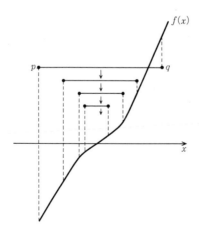

図 5.13 解の探索範囲の逐次縮小

[5.1] p と q の中点 $m=(p+q)/2$, および $f(m)$ を計算する.

[5.2] $f(m)>0$ であれば q の値を m とする. $f(m)<0$ であれば p の値を m とする.

[5.3] 再び[5.1]へ戻る.

手順[5]に示されている "条件" が常に満たされていることに注意しよう(図 5.14).

[解 5.12]

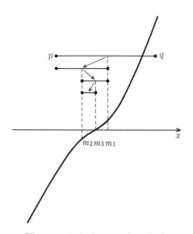

図 5.14 2分法による解の探索

```
program eq3root(input, output);
    const eps = 1e−6;
    var a, b, c, d, p, q, m: real;
    function f(x: real): real;
        begin f := ((a∗x+b)∗x+c)∗x+d end;
begin
    read(a, b, c, d);
    if a = 0 then writeln('coef. of x∗x∗x is 0') else
        begin
            if a < 0 then begin a := −a; b := −b; c := −c;
                                    d := −d end;
            p := −1; while f(p) > 0 do p := p∗2;      範囲下限
                                                       の初期値
            q := +1; while f(q) < 0 do q := q∗2;      範囲上限
                                                       の初期値
            while q−p > eps do
                begin m := (p+q)/2;
                    if f(m) > 0 then q := m
                                else p := m
                end;
            writeln('a root of eq (a, b, c, d), where');
            writeln('a=', a, 'b=', b, 'c=', c, 'd=', d);
            writeln('is', p)
        end
    end.
```

この解で注意すべき点は，3次式の計算が関数として宣言されていることである．ともするとこの程度の計算は主部分にだらだらと書きがちであるが，3次式という明確な概念があるので，関数としてまとめるべきである．その効用は，主部分で気軽に f を3か所で使用できることにも表われている．その他の注意点を列挙しておく．

(1) 定数 *eps* は解に要求する精度である．

(2) 3次式の計算は，$a∗x∗x∗x+b∗x∗x+c∗x+d$ という原型ではなく，$((a∗x+b)∗x+c)∗x+d$ としている．前者では乗算回数（∗の数）が6であるのに対し，後者では3と半分ですむ．このやり方は

ホーナーの方法(Horner's method)と呼ばれ，多項式の計算によく使用される．前に示したべき乗の表の例と同じく，"少しずつ計算を蓄積してゆく"方法の一種である．

(3) 変数 p と q の初期値としては，-2^s と $2^t (s, t \geqq 0)$ の形の数で，$f(-2^s) < 0$ および $f(2^t) > 0$ となる最小の s および t を求めて決めている．これにより，初期値を決めた段階で $p < q$ が保証される．

解 5.12 の実行例を示す．この例では 2 の立方根が計算される．

  "入力" $a = 1.0,\ b = c = 0,\ d = -2.0$ $\{x^3 - 2 = 0\}$

  "範囲" $p = -1$ $((-1)^3 - 2 < 0$ より$)$

       $q = 2$ $(1^3 - 2 < 0,\ 2^3 - 2 > 0$ より$)$

p	q	q − p	m	f(m)
−1.000000	2.000000	3.000000	0.500000	−1.875000
0.500000		1.500000	1.250000	−0.046875
1.250000		0.750000	1.625000	2.291016
	1.625000	0.375000	1.437500	0.970459
	1.437500	0.187500	1.343750	0.426361
	1.343750	0.093750	1.296875	0.181194
	1.296875	0.046875	1.273438	0.065061
	1.273438	0.023438	1.261719	0.008574
	1.261719	0.011719	1.255860	−0.019280
1.255860		0.005859	1.258790	−0.005384

         （以下略）

探索の範囲の大きさが半分半分になるとともに，$f(m)$ の値が 0 に近づいていく様子がよくわかる．

(b) 関数引数

次に上の例をさらに一般化したものについて調べよう．

［例 5.13］ 与えられた 1 変数関数の根を 2 分法を使って求める関数を作る．$\square$

プログラム *eq3root* における変数の使い方を調べてみると，変数 m は 2 分法の本体である WHILE 文の中でしか計算に使われていない．またこの部分の中で変数 p と q は書き換えられている．したがってこの部分は，m

を局所変数, p と q を変数引数とする手続きとして切り出すことが可能である.

```
procedure bisect(var p, q : real) ;
    var m : real ;
  begin
    while q − p > eps do
      begin m := (p + q)/2 ;
        if f(m) > 0 then q := m else p := m
      end
  end ;
```

主部分からは, 変数 m の宣言が不要となり, WHILE 文が手続き呼出し

$$bisect(p, q)$$

に置き換わる. この手続き *bisect* は, 計算の方式自体を手続き化したものということができる. 主部分を書く場合には, 2分法の詳細については知らなくてもよく, p と q に適当な初期値を入れて *bisect* を呼べばよい.

これをもっと徹底させる方法の一つとして, **関数引数**(function parameter)と呼ばれる機構が, Pascal には用意されている. すなわち, 手続き *bisect* における "大域" 関数 f の使用をやめ, そのかわり, f を引数として指定させる. 引数の形としては, 関数頭部の形式をそのまま使う.

```
procedure bisect(var p, q : real ;
              function f(x : real) : real) ;
```

さらにもっと "好ましい" 形として, 変数引数 p と q をやめることを考えよう. p と q は根を含む区間の両端の値であり, 元来, 根を要求する場合には不要なものである. ただしこれらの初期値は, 2分法の手順を開始する前に与えておく必要がある. そこで, p と q を値引数に変更し, 局所的な変数として利用することにしよう. また, 結果はやはり関数値として返すことにする.

[解5.13a]

```
function bisect(p, q : real ;
              function f(x : real) : real) : real ;
    var m : real ;
  begin m := (p + q)/2 ;
```

```
        while (p < m) and (m < q) do
          begin
            if f(m) > 0 then q := m else p := m;
            m := (p+q)/2
          end;
        bisect := m
      end;                                              ▮
```

この関数では，主部分との関係をさらに減らすために，要求精度 *eps* を使用していない．その代りとして，実数の精度ぎりぎりの解を求めるようになっている．そのために，$q-p$ が実数の精度と同程度になったときに，関係

$$p < \frac{p+q}{2} < q$$

が成り立たなくなるという，実数型特有の性質を使っている．

　主プログラムは次のようになる．

［解 5.13b］

```
        program eqroot(input, output);
          var a, b, c, d, p, q : real;
              s : integer;
          function f(x : real) : real;
            begin f := s * (((a*x+b)*x+c)*x+d) end;
          function bisect(⋯) ⋯;
        begin
          read(a, b, c, d);
          if a = 0 then writeln('coef. of x*x*x is 0') else
            begin
              if a < 0 then s := -1 else s := 1;
              p := -1; while f(p) > 0 do p := p*2;
              q := 1; while f(q) < 0 do q := q*2;
              writeln('a root of eq (a,b,c,d), where');
              writeln('a=', a, 'b=', b, 'c=', c, 'd=', d);
              writeln('is', bisect(p, q, f))
            end
        end.                                            ▮
```

関数 *bisect* に与える区間の初期値は，*f* の性質から直接求めてもよい．た

とえば，5 の立方根を計算したい場合は，

$$\textbf{function } f(x:\ real):\ real\,;$$
$$\textbf{begin } f := x*x*x-5 \textbf{ end}\,;$$

という関数 f を用意し，$f(0)=-5<0$，$f(2)=3>0$ を利用して

$$bisect\,(0, 2, f)$$

と呼び出せばよい．

　関数や手続きそのものを引数として受け渡すこの手法は，プログラムの部品化や汎用化にとって重要であり，他のいくつかのプログラム言語にも取り入れられている．

第 5 章のまとめ

5.1　関数とは，いくつかの引数から対応する値を求めるものである．式の中で使う四則演算の記号も，関数と同じ働きをする．

5.2　関数の宣言は，関数名や引数などを示す関数頭部，局所変数などを用意する宣言・定義部，それに計算の手順を記述した関数本体とから成る．

5.3　関数の外側で宣言された変数は，その関数にとっての大域変数と呼ぶ．大域変数への書き込みは，その関数を使用した際の副作用となる．

5.4　関数の中で宣言された変数や関数，手続きは，その関数中だけで有効である．

5.5　引数には，最終的な値まで評価して，その値を授受する値引数の方法と，変
・　数名だけを受け渡す変数引数の方法とがある．また，関数や手続きそのものを引数とする関数引数，手続き引数がある．

5.6　手続きは副作用のみを目的とする，すなわち値を返さない関数である．手続きは，ユーザが定義したデータ型の値に対する一連の処理を定義するのによく使われる．

5.7　自分自身を直接あるいは間接に呼び出す関数（手続き）を再帰的関数（手続き）と呼ぶ．再帰的な呼出しを行なう場合は，呼出しが無限に続かないようにしなければならない．

5.8　関数（手続き）引数は，計算の方法や処理の手順自体を引数とする場合に使われる．

キーワード

関数　　演算子　　引数　　標準関数　　関数宣言　　関数頭部　　関数本体
大域変数　　副作用　　局所変数　　値引数　　変数引数　　仮引数　　実引数

手続き　　手続き宣言　　手続き頭部　　手続き本体
局所関数　　局所手続き　　再帰的関数　　再帰的手続き
分離形宣言　　関数引数　　手続き引数　　ホーナーの方法

演習問題 5

5.1 以下の式を関数の形式で書け．関数名は次のとおりとする．

$$add(+), sub(-), mult(*), divide(/)$$
$$idiv(\textbf{div}), rem(\textbf{mod}), neg(単項の\ -)$$

(a) $1988 + 50 * 7$　　　　(e) $trunc(94\ \textbf{mod}\ 3)$

(b) $-73/6 - 73/6$　　　　(f) $sin(a+b) * cos(a-b)$

(c) $2 * 91\ \textbf{mod}\ 8$　　　　(g) $ord(mon) + ord(wed) + ord(sat)$

(d) $66\ \textbf{div}\ (14\ \textbf{div}\ 5)$　　(h) $x * x * x * exp(-x * x)$

5.2 以下の関数の宣言を書け．データ型は適当に決めること．

(1) $leap(y) =$ "y が 4 で割り切れ 100 で割り切れないか，400 で割り切れれば *true*，さもなくば *false*"

(2) $norm(x, y) =$ "x と y の 2 乗和の正の平方根"

(3) $intcube(x) =$ "x の立方根の整数部分"

(4) $triangle(a, b, c) =$ "a, b, c を 3 辺の長さとする三角形が作れれば *true*，さもなくば *false*"

(5) $vowel(c) =$ "c が母音字 (a, i, u, e, o) であれば $0..4$，そうでなければ -1"

5.3 次の複合文 S について考える．

> **begin** $s := 0$; $i := 0$;
> 　**while** $i < 10$ **do begin** $s := s+a$; $i := i+1$ **end**;
> 　$f := s$
> **end**

(1) この複合文が次のような関数宣言の本体であるとする．

> **function** $f(a : integer) : integer$;
> 　**var** $s, i : integer$;
> 　S;

このとき，呼出し

$$f(12)$$

の結果の値を求めよ．

(2) 関数宣言が次のようであるものとする．

> **function** $f(\textbf{var}\ a, s, i : integer) : integer$;
> 　S;

このとき，以下の呼出しの結果の値を求めよ．ただし x, y, z は呼出し側で用意された変数とする．

　　(a)　$x := 12$; $f(x, y, z)$

　　(b)　$x := 12$; $f(x, x, z)$

　　(c)　$x := 12$; $f(x, y, x)$

5.4　二つの実数 x と y を平面上の座標値として，同一点の極座標表示 (r, a) を求める手続きを作れ．ただし $r \geqq 0$, $0 \leqq a < 2\pi$ とする．

5.5　二つの複素数 x と y から，$z = x/y$ を求める手続きを作れ．複素数の型は次のとおりとする．

　　　　type *complex* = **record** *re, im* : *real* **end** ;

5.6　4.3 節 (e) で導入した可変レコード型 *vector* の値について，次の演算を行なう手続きを作れ．

　(1)　加算 *addvector*

　　　　position + *relative* $\longrightarrow$ *position*

　　　　relative + *relative* $\longrightarrow$ *relative*

　(2)　減算 *subvector*

　　　　position − *position* $\longrightarrow$ *relative*

　　　　position − *relative* $\longrightarrow$ *position*

　　　　relative − *relative* $\longrightarrow$ *relative*

　(3)　定数倍 *multvector*

　　　　position ∗ *real* $\longrightarrow$ *position*

　　　　relative ∗ *real* $\longrightarrow$ *relative*

　(4)　型変換 *exchangeposrel*（注：要素値は不変）

　　　　position $\longrightarrow$ *relative*

　　　　relative $\longrightarrow$ *position*

5.7　以下に示すのは，組合せ数 $_nC_m$ の 3 種の定義である．それぞれに対応した関数を作れ．また $_5C_3$ を例として，計算の手間についての考察を行なえ．

　(1)　$_nC_m = \dfrac{n(n-1)(n-2)\cdots(n-m+1)}{(1 \times 2 \times 3 \times \cdots \times m)}$

　(2)　$_nC_m = {}_nC_{m-1} \times \dfrac{n-m+1}{m}$

　(3)　$_nC_m = \begin{cases} 1 & m = 0, n \\ {}_{n-1}C_{m-1} + {}_{n-1}C_m & 1 \leqq m \leqq n-1 \end{cases}$

なお (3) の関係式は，いわゆるパスカルの三角形を作るのに使われる．

5.8　ある整数値 x を与えられて，その 10 進表示の逆順数を計算する関数を作れ（例 1947 → 7491）．再帰の考え方を使うこと．

5.9　5.5 節 (b) で構成した "関数を引数とする関数" *bisect* では，区間の大きさを半分半分にした．これは，区間の両端における関数値 $f(p)$ と $f(q)$ の大き

さの情報を使わないやり方である．たとえば $f(p) = -0.01$, $f(q) = 100$ といった場合には，次の m の値を $(p+q)/2$ ではなく，p の方に近寄せて決めた方がよいことが多い．この考え方を用いて，*bisect* を改良せよ．

6

■ ■ ■ ■

配列

　配列は，添字つきの値をプログラムの中で利用するための，データの構造化手法の一つである．現在のほとんどすべてのプログラム言語には，配列の機能が備わっている．それは，現実のコンピュータの機械命令で効率的に実行することが可能だからである．実際，配列機能をサポートするための機構は，コンピュータ開発のごく初期に実現されている．したがって，配列の利用方法は，複雑なプログラムを効率よく実行するためのキーポイントの一つとなっている．本章では，この配列の概念を学んだ後，いろいろな構造を持つデータの配列による表現とその処理とについて学習する．

6.1　添字つき変数と配列

配列をきちんと提示する前に，添字つきの値について考えてみよう．

(a)　添字つきの値

添字つきの値の例をいくつか示す．

例1　フィボナッチ数列

$$f_1 = 1, \qquad f_2 = 1$$
$$f_i = f_{i-1} + f_{i-2} \qquad (i \geq 3)$$

具体的な数列の最初の方は次のとおりである．

i	1	2	3	4	5	6	7	8	9	10
f_i	1	1	2	3	5	8	13	21	34	55

この例における添字つきの値は，あらかじめ決められている，あるいは，計算方法がわかっている値の集まりの中の一つを示している．添字の値（上例では i）は，その中の特定の一つを指示するのに用いられる．

例2　平均値の計算

N 個のデータ $x_1, x_2, \cdots, x_N$ の平均値 m は，次のように計算される．

$$m = \frac{x_1 + x_2 + \cdots + x_N}{N}$$

この例においても，添字つきの値 x_i は，あらかじめ与えられている値の集まりの中の一つを示している．ただし，フィボナッチの例と異なり，その値の計算方法までは与えられていない．平均値の計算に対する入力データとして扱われている．

例3　循環水送りの問題

N 人の人が二つずつバケツを持ち，円周上に並んでいる．すべての人が，一定時間ごとに次の操作を行なう．

　　[1]　まず右手のバケツに入っている水の半分を，左手のバケツに移す．

　　[2]　つぎに左手のバケツの水を全部，左隣の人の右手のバケツに加える．

はじめは，1番目の人の右手のバケツに1リットルの水が入っており，他の

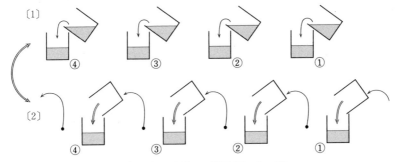

図6.1　循環水送りの問題（$N=4$ の例）

バケツはすべて空だとする．毎時間ごとの，各人の右手のバケツ水量を表示する（図6.1）．

　i 番目の人の右手のバケツの水量を u_i，左手のバケツの水量を v_i とすると，水送りの操作は次のように表わせる．

　[1]　　　$v_i := u_i/2, \quad u_i := u_i/2 \quad (1 \leq i \leq N)$

　[2]　　　$u_i := u_i + v_{i-1} \quad (2 \leq i \leq N), \quad u_1 := u_1 + v_N$

$N=3$ とした場合の，各 u の値は次のように変化する．

$$
\begin{array}{ccccccc}
u_1 & 1 & 1/2 & 1/4 & 2/8 & 5/16 & 11/32 \\
u_2 & 0 & 1/2 & 2/4 & 3/8 & 5/16 & 10/32 \\
u_3 & 0 & 0 & 1/4 & 3/8 & 6/16 & 11/32
\end{array}
$$

これを見ると，すべての人のバケツの水量が等しくなるように，変化が進行していくことがわかる．この例においては，添字つき値（u_i と v_i）は，単位時間ごとに再定義される．すなわち，u_i や v_i は変数である．

　以上の 3 つの例に共通することがらを挙げてみよう．まず，添字がつかない名前（f, x, u, v）は，何らかの値あるいは変数の集合を示している．たとえば f はフィボナッチ数の全体，x は入力データの全体，u は右手バケツ水量の，v は左手バケツ水量の，それぞれ全体を表わしている．

　つぎに，

　　　　　添字はその集合の中の一つを指定する

役目があることがわかる．すなわち，集合の名前（たとえば f）と添字値（たとえば 7）とを指定すると，対応する値（$f_7 = 13$）あるいは変数（u_2 など）が一意的に定まる（図6.2）．

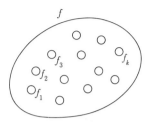

図6.2 添字つきの値と変数

(b) 配列とその定義

前項で調べた値あるいは変数の集合を表わすのが，プログラム言語の**配列**（array）である．配列は，**要素**のデータ型と，**添字値**のデータ型とで指定される．添字値は，順序型でなければならない．

$$\textbf{type}\ indata = \textbf{array}[1..N]\ \textbf{of}\ real\ ;$$
$$bucket = \textbf{array}[1..20]\ \textbf{of}\ real\ ;$$
$$fibonacci = \textbf{array}[1..100]\ \textbf{of}\ integer\ ;$$
$$\textbf{var}\ x:\ indata\ ;$$
$$u, v:\ bucket\ ;$$
$$f:\ fibonacci\ ;$$

添字づけを表わすには，配列変数の名前に続けて，添字値を表わす式をカギ括弧で囲んでつける．フィボナッチ数列の計算例で示す．

$$f[1]:= 1\ ;\ f[2]:= 1\ ;$$
$$\textbf{for}\ i:= 3\ \textbf{to}\ 100\ \textbf{do}\ f[i]:= f[i-1]+f[i-2]$$

この計算の様子を図6.3に示す．

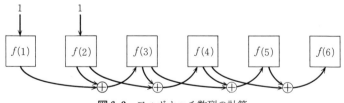

図6.3 フィボナッチ数列の計算

上の例では，添字の型はすべて部分範囲型である．もちろん，この部分範囲型の定義を先にやっておいてもよい．

$$\textbf{type}\ \textit{bsize} = 1\mathinner{.\,.}20\,;$$
$$\ldots\ldots$$
$$\textit{bucket} = \textbf{array}[\textit{bsize}]\ \textbf{of}\ \textit{real}\,;$$

また，数え上げ型も，配列の添字の型としてよく使われる．

$$\textbf{type}\ \textit{dweek} = (\textit{mon},\,\textit{tue},\,\textit{wed},\,\textit{thu},\,\textit{fri},\,\textit{sat},\,\textit{sun})\,;$$
$$\textit{worktable} = \textbf{array}[\textit{dweek}]\ \textbf{of}\ \textit{real}\,;$$
$$\textbf{var}\ x : \textit{worktable}\,;$$
$$d : \textit{dweek}\,;$$

使用例を示す．

$$\textbf{for}\ d := \textit{mon}\ \textbf{to}\ \textit{fri}\ \textbf{do}\ x[d] := 8.0\,;$$
$$x[\textit{sat}] := 4.5\,;\ x[\textit{sun}] := 0.0$$

(c)　配列と反復実行

　配列の最大の特徴は，添字に式が許されることである．もしも添字として定数しか許されないとすると，異なる要素を指定するには異なる書き方をしなければならない．たとえば，右手バケツを初期状態とするためには，

$$u[1] := 1.0\,;$$
$$u[2] := 0\,;\ u[3] := 0\,;\ u[4] := 0\,;\ \cdots$$
$$\cdots\ u[19] := 0\,;\ u[20] := 0$$

というように，山のような代入文をせっせと書かなければならない．ところが実際には FOR 文を使って

$$u[1] := 1.0\,;$$
$$\textbf{for}\ i := 2\ \textbf{to}\ 20\ \textbf{do}\ u[i] := 0$$

とするだけですんでしまう．このように，配列の要素にほとんど同じ処理を次々と施す場合には，反復文，とくに FOR 文が利用できる．

　［例 6.1］　正弦関数と余弦関数のグラフを重ね合わせて，軸とともに表示する．▯

　前章でも同様な例題をやったが，ここでは配列を使った別の方法を示す．二つ以上の関数を重ねて表示する場合の問題は，関数値の大きさの順番がいろいろ変化することであった．二つぐらいなら比較で処理できるが，関数の数が多くなってくるととても対処しきれない．それを解決する方法の一つが関数値を求める処理と表示の処理を切り離す

ことである．この切離しの道具として，配列が使われる．具体的には，表示
1行分の文字配列を用意しておき，そこに表示すべき文字を全部書き込んで
から，最後に一気に出力する．

[解 6.1]

```
program plotsincos(output);
    const step = 20; pi = 3.14159265; len = 120;
    type index = 1..len;
    var a: array[index] of char;
        i: index;
        k: integer;
        x: real;
    function pos(x: real): index;
        begin pos := trunc(x*35+40) end;
    begin
    for k := 0 to step do
        begin x := k/step*2*pi;
        for i := 1 to len do a[i] := ' ';
        a[pos(0.0)] := '|';
        a[pos(sin(x))] := 'S';
        a[pos(cos(x))] := 'C';
        for i := 1 to len do write(a[i]);
        writeln
        end
    end.
```

出力を図6.4に示す．

[例6.2] 体操競技で審判の示した得点を読み込んで，平均得点を計算す
る．審判はn人いるものとし（$n \geqq 3$），最高点と最低点は計算から除外す
る． □

この例題では，得点を一つずつ読みながら処理することもできるが，例6.
1と同様に

　　　得点の読み込み処理と計算の処理を切り離す

ようにするとよい．まず全得点を配列に読み込んでから，最大得点と最小得
点を探し，総和からそれらを除けばよい．

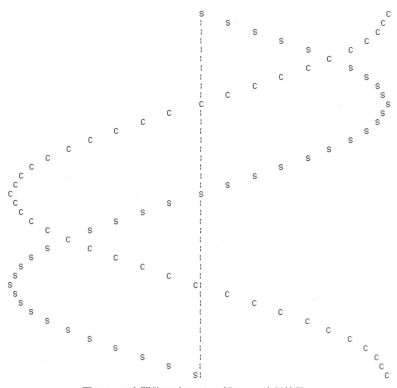

図 6.4 三角関数のプロット. 解 6.1 の実行結果.
ただし *step*=40 としてある.

[解 6.2]

```
program average (input, output);
  const n = 8;
  type index = 1.. n;
  var a: array[index] of real;
      i, min, max: index;
      s: real;
begin
  for i := 1 to n do read(a[i]);          全得点の読み込み
  s := a[1]; min := 1; max := 1;
  for i := 2 to n do
    begin s := s + a[i];
```

$$\textbf{if } a[i] < a[min] \textbf{ then } min := i; \quad \text{最低点番号の更新}$$
$$\textbf{if } a[i] > a[max] \textbf{ then } max := i \quad \text{最高点番号の更新}$$
$$\textbf{end};$$
$$write('\text{min} =', a[min]:4:1,' \text{ max} = ', a[max]:4:1);$$
$$write(' \text{ average} =', (s-a[min]-a[max])/(n-2):6:3);$$
$$\text{平均}$$

$$writeln$$
$$\textbf{end}. \qquad\qquad\qquad\qquad\qquad\qquad\qquad \blacksquare$$

実行例を示そう.

```
9.0  9.2  8.8  9.1  9.0  9.5  9.4  9.4
min=  8.8  max=  9.5  average=  9.183
9.8  10.0  9.7  9.7  9.9  10.0  9.8  10.0
min=  9.7  max=  10.0  average=  9.867
```

この例題についての注意点を示しておく.

(1) 計算は簡単のため実数型で行なったが, 審判の出す点が 0.1 きざみなので, 点を 10 倍して整数として扱ってもよい. しかし n の値が小さければ, 実数型で充分である.

(2) 平均する場合, 小数点以下 4 桁目は切り捨てるのが(体操競技では)ふつうである. これに合わせるには, 求めた平均値を 1000 倍して *trunc* 関数を使い, 最後に 1000 で割るか, 始めから 0.001 を単位としてすべてを整数として扱う.

[例 6.3] 1000 以下の素数をすべて求める. □

素数を小さい方から順に求めるアルゴリズムとしては, **エラトステネスのふるい法**が有名である. この方法では, 求める範囲(ここでは 1 から 1000 まで)のすべての数値に 1 対 1 に対応する変数群を用意し, 確定した素数の整数倍の値(に対応する変数)に印をつける. 印をつけられた数は, もちろん素数ではない. こうして最後まで印がつかなかった数が素数である(図 6.5). 素数の確定は小さい順に行なう. また, 範囲の上限(1000)の平方根(31.6)より大きな素数については, その整数倍の消去はすでにすんでいるので, 処理しなくてもよい.

[解 6.3]

program *primes* (*output*);

	2	3	4	5	6	7	8	9	10	11	12	13	14	15	16	17	18	19	20	21	22
2 の倍数	○		×		×		×		×		×		×		×		×		×		×
3 の倍数		○			×			×			×			×			×			×	
5 の倍数				○					×					×					×		
7 の倍数						○							×							×	
11 の倍数										○											×

（以下略）

図6.5 エラトステネスのふるい. ○は素数として確定した数，×は素数の倍数.

```
    const  n = 1000 ;
    type  num = 1 .. n ;
    var  a : array[num] of Boolean ;          false＝素数ではない
        i, p : num ;
        k : integer ;
begin
    for  i := 1 to n do a[i] := true ;        最初は全部素数の候補
    p := 2 ;
    while  p * p <= n do
      begin
        if  a[p] then for i := 2 to n div p do a[p * i] := false ;
        p := p+1                               素数ならその倍数を消す
      end ;
    k := 0 ;
    for  p := 2 to n do
      if  a[p] then
        begin if k mod 10 = 0 then writeln ;     10 個ごとに改行
          write(p : 5) ; k := k+1
        end
end.
```

(d) 配列と文字列

文字列はこれまでにも *write* 文の中などに現われてきた．文字列は，"文字の列"であるから，配列によって表現することができる．

$$\textbf{type } \textit{charstring} = \textbf{array}[1..20] \textbf{ of } \textit{char};$$

この型の変数を使えば，長さ 20 の文字列を扱うことができる．しかしながら，一般的なプログラミングにおいては，文字列に対して次の処理が望まれることが多い．

(1) 長さが可変であること

(2) 文字列相互の大小比較ができること

(3) 文字列定数が使え，変数への代入などができること

Pascal ではこれらの要望のうち(1)以外の機能を提供している．まず**文字列型**は次のように定義する．

$$\textbf{type } \textit{string}10 = \textbf{packed array}[1..10] \textbf{ of } \textit{char};$$

単なる配列ではないことを示すために，語記号 **packed** をつける．また配列の添字の下限は 1，上限は整数値である．この型の変数は

$$\textbf{var } \textit{name}1, \textit{name}2: \textit{string}10;$$

という具合に宣言する．そして**文字列定数の代入**

$$\textit{name}1 := \text{'shinkansen'}$$

や比較

$$\textbf{if } \textit{name}2 < \text{'airplane27'} \textbf{ then } \cdots$$

が許される．大小関係は，辞書の見出しの順にならって定義される．もちろん変数に対しては，

$$\textit{name}1[6] := \text{'A'}$$
$$\textit{name}1[7] := \textit{succ}(\textit{name}2[8])$$

といった配列機能が利用できる．

［例 6.4］ 終止符(ピリオド)で終わる英小文字と空白の列を読み込んで，英字を"進ませる"方法で暗号とし，出力する．▯

英小文字は 'a' から 'z' まで順序づけられるが，'a' を 'b' に，'b' を 'c' に，'c' を 'd' に，それぞれ変えるのが，"1 だけ進ませる"操作である．'z' は 'a' に戻す．一般に n だけ進ませる ($0 \le n < 26$) 操作が考えられる．ここでたとえば

$$\textit{chr}(\textit{ord}(\text{'a'})+1) = \text{'b'}$$

となることは保証されていないので，自分で対応を計算する必要がある．

［解 6.4］

$$\textbf{program } \textit{encrypt}(\textit{input}, \textit{output});$$

```
        const advan = 12 ;                    進ませる数
        var a : packed array[1..28] of char ;
            c : char ;
            i : integer ;
    begin
        a := 'abcdefghijklmnopqrstuvwxyz ?';
        read (c) ;
        while c < > '.' do
          begin  i := 1 ; a[28] := c ;          番兵.6.2節(b)参照
            while a[i] < > c do i := i+1 ;
            if i < = 26                          英小文字
              then write (a[(i−1+advan) mod 26+1])
              else
            if i = 27
              then write (' ') ;
            read (c)
          end ;
        writeln ('.')
    end.
```

この解の実行結果を示す.

```
this is a programming text.    入力
ftue ue m bdasdmyyuzs fqjf.    出力
uimzmyu oaybgfqd eouqzoq.      別の出力(入力は何か?)
```

6.2 構造データの配列

配列の要素のデータ型としては,基本的な型や数え上げ型ばかりではなく,構造を持つ型を指定することができる.ここでは,配列の配列,およびレコードの配列について調べる.

(a) 多次元配列

配列の要素型として配列を指定すると,**多次元の配列**を構成することができる.カレンダーを例として,多次元配列について調べよう.

　［例 6.5］　カレンダーの一月分の表示データを作る．□

　一月分のカレンダーは，横軸に曜日が示されている 2 次元の表になっている．縦軸はその月の週の番号であるが，ふつうは何も書かない．また，カレンダーのます目には，日付である 1 から 31 までの数，または空白が入れられる．空白は，そこが前月あるいは翌月であることを示している．以上の考察からデータ型を決めよう．まず，ます目に入るデータとしては，整数の部分範囲を使う．

> **const** *mbefore* = 0 ; *mnext* = 32 ;
> **type** *daynum* = *mbefore*.. *mnext* ;
> 　　*weeknum* = 1.. 6 ;

型 *weeknum* は，週の番号である．週と月のデータを次に定義する．

> *weekdata* = **array**[*dweek*] **of** *daynum* ;
> *monthdata* = **array**[*weeknum*] **of** *weekdata* ;

この *monthdata* 型の変数を *m* とすると，*m* 自身は *dweek* および *weeknum* という二つの型の二つの添字を持つ 2 次元の配列となる．そして，

> *m*[3]　　　　は　*weekdata* 型
> *m*[3, *wed*]　は　*daynum* 型

となる(図 6.6)．2 番目の例は *m*[3][*wed*] の略記法である．

　さて，このように定義された *monthdata* 型の変数に，*daynum* 型の値を書

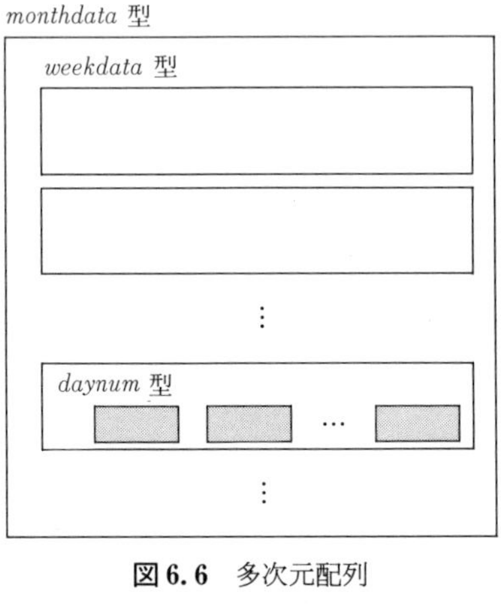

図 6.6　多次元配列

き込む手続きを作ろう．引数として必要なのは，値を書き込まれる *monthdata* 型の変数，その月の最終日の日付(28 から 31 のいずれか)，および初日の曜日である．

　　　［解 6.5］

```
        procedure setmonth(var m : monthdata ; last : daynum ;
                                    start : dweek) ;
            var w : weeknum ;
                day : daynum ;
                d : dweek ;
        begin  day := 1 ;
          for  w := 1 to 6 do
            for  d := mon to sun do
              if  (w = 1) and (d < start)
                then  m[w, d] := mbefore
                else begin  m[w, d] := day ;
                      if  day < last then  day := day+1
                                     else  day := mnext
                  end
        end ;
```

この手続きを

　　　setmonth(*m*, 30, *wed*)

と呼んだ場合の，変数 *m* の内容は以下のようになる．

	mon	tue	wed	thu	fri	sat	sun
(1)	0	0	1	2	3	4	5
(2)	6	7	8	9	10	11	12
(3)	13	14	15	16	17	18	19
(4)	20	21	22	23	24	25	26
(5)	27	28	29	30	32	32	32
(6)	32	32	32	32	32	32	32

　　［例 6.6］　連立 1 次方程式を解く．□

　連立 1 次方程式を解く一つのやり方は，一つの式を変形し，ある変数を他の変数で表わしておいて，それを他の式へ代入して変数の個数を減らす方法である．例で示そう．

$$2x - y + z = 0 \qquad (1a)$$
$$x + y - z = 6 \qquad (2a)$$
$$x + 2y + 3z = 5 \qquad (3a)$$

まず(1a)から x を解くと

$$x = 0.5y - 0.5z \qquad (1a')$$

これを(2a)と(3a)へ代入して整理すると

$$1.5y - 1.5z = 6 \qquad (2b)$$
$$2.5y + 2.5z = 5 \qquad (3b)$$

次に，また(2b)から y を解く．

$$y = z + 4 \qquad (2b')$$

これを(3b)へ代入して整理すると

$$5z = -5 \qquad (3c)$$

第3段階として，(3c)から z を“解く”と

$$z = -1 \qquad (3c')$$

以上が前進部分である．次は後退部分で，まず(3c′)を(2b′)へ代入して整理すると

$$y = 3 \qquad (2b'')$$

最後に(3c′)と(2b″)を(1a′)へ代入して整理すると

$$x = 2 \qquad (1a'')$$

これですべての解 $(x, y, z) = (2, 3, -1)$ が求まった．この方法は **Gauss 法** と呼ばれるが，未知の変数を一つずつ消去していくという，堅実な方法であるといえる．

　ある変数について解くという操作，たとえば(1a)から(1a′)を得る処理は，

　　　解きたい変数についている係数で式全体を割る

ことと等価である．つまり(1a′)は，

$$x - 0.5y + 0.5z = 0 \qquad (2x - y + z = 0 \text{ を 2 で割ったもの})$$

と同じである．また，こうして得られたものを別の式へ代入する操作は，式全体の減算で表わされる．たとえば

$$x - 0.5y + 0.5z = 0$$

と

$$x + y - z = 6 \qquad (2a)$$

GMWウィンドウ・システムと Wnn 日本語入力システム

森島晃年・鈴木隆

GMW ウィンドウ・システム

GMW(Give me More Windows)は，UNIX 系の OS と，ビットマップ・ディスプレイとマウスのハードウェアを備えたパーソナル・ワークステーション上で稼働する汎用のウィンドウ・システムである．Andrew, X, NeWS といった，最近の他のウィンドウ・システムと同様，インプリメンテーションの基礎にはサーバ=クライアント・モデルを用いているので，UNIX 4.2BSD のソケットまたはそれに類するプロセス間通信機能，同じく 4.2BSD の select ( ) システムコールのような，複数の入出力をマルチプレクスする機能があれば基本的に移植は簡単である．ビットマップ・ディスプレイやマウスのような，ハードウェアに依存する部分の書き直しが必要であるが，それらの部分は，デバイスに依存しない他の部分とは明確に切り分けられている．

現在，GMW は，

Sun-2/3

SX9100（立石）
NEWS（ソニー）
DS7500（Data General）
EWS4800（NEC）

で稼働している．

サーバ=クライアント・モデルのインプリメンテーションであるので，ビットマップ・ディスプレイやマウスへのアクセスは基本的にはプロセス間通信を用いたサーバへのリクエストという形で行なわれる．

GMW の特長としては以下のようなものがある．

(1) 描画操作の抽象化（ディスプレイ・オブジェクト）

描画の対象が，ウィンドウや画面そのものではなく，ディスプレイ・オブジェクトであり，個々のウィンドウはあるディスプレイ・オブジェクトの一部または全部をのぞいていると考える．これによって，同一のディスプレイ・オブジェクトの異なる部分を複数のウィンドウで同時に見ることができる．

(2) ウィンドウの階層構造とイベントの加工

複数のウィンドウを表示した，画面全体にあたるもの（デスク）が，再びディスプレイ・オブジェクト（ディスプレイ・デスク）となっている．これによって，ウィンドウ

全体が自然に階層構造をなす．キー入力や
マウスの移動などのイベントも，この階層
構造に沿って流れるので，デスクによって
イベントを横取り・加工して再発生させる
こともできる．Wnnとデスクの機能を組
み合わせた，ウィンドウ指向の仮名漢字変
換フロントエンドは，この機能の代表的な
使用例である．

（3）仮想機械によるサーバ機能の動的
　　　拡張

GMWは，サーバがMという仮想機械
の機械語を実行する一種のマルチタスク
OSとして実装されている．サーバ内部に
仮想機械のプログラムを登録してそれを呼
び出すことによって，アプリケーションに
応じた機能をサーバに付加し，サーバ，ク
ライアント間のプロセス間通信量を減少さ
せる．Mのタスクは生成コストも小さい
ので，簡単な仕事を行なうタスクを多数発
生させるようにすると，複数のイベントの
処理が単純に記述できる．

このような拡張は，各クライアント（タ
スク）毎に行なうだけではない．一旦登録
したプログラムは他のタスクから利用可能
（いわゆる共有ライブラリ）であるので，洗
練されたライブラリ群をあらかじめサーバ
に登録しておけば，アプリケーションの負
担が減少する．

Mはさらに，動的に生成・消滅する資源
やデータをオブジェクトという形で統一し
て管理し，不要になったデータの排除（ガ
ベージ・コレクション）も行なっている．

（4）高級言語GによるMプログラムの
　　　記述

強く型づけのされた，オブジェクト指向
の高級言語Gの処理系（コンパイラ）があ
り，これを用いてサーバ機能の拡張を行な
うプログラムを記述する．処理系はCom-
mon Lispで記述されている．

（5）日本語をはじめとする外国語への
　　　対応

サーバとクライアントの通信における文
字コードにはEUCの内部コードを用いて
おり，これによって日本語をはじめとする
外国語にも対応できる．上にあげたような
他のウィンドウ・システムでは，設計に際
してこのことを考慮しておらず，漢字を処
理できるようにするには多少の書き直しを
要する．

これらの特長を持つGMWは，ソケッ
トの持つネットワーク機能によって，ネッ
トワーク対応のウィンドウ・システムとな
っている．

現在のところ，GMWはバージョン2が
配布されている．バージョン1との主な違
いは，サーバがネットワーク対応になった
こと，ユーザ・カスタマイズのできるウィ
ンドウ・マネージャが追加されたこと，カ
ラー対応になったことなどである．

GMWの今後の発展であるが，

（1）サーバの描画機能と仮想機械の機
　　　能の拡張

（2）ツールキットの体系的な整備

などを目標としたプロジェクトが進行中で
ある．GMWに対する要望・問題点など，
この機会に御教示いただければ幸いである．

Wnn日本語入力システム

Wnnは，UNIXをOSとするマシンの
上で，既存のOSやアプリケーションをほ
とんど手直しすることなく日本語処理を提
供する目的で作られたもので，同時に開発

されたGMWと同様，サーバ＝クライアント方式を採っている．仮名漢字変換を一括してつかさどるjserverと呼ばれるサーバは，複数のクライアントに対する辞書の管理も行っている．クライアントはサーバに対して，さまざまなリクエストを出すことにより，一連の仮名漢字変換のセッションに必要なデータを得るのである．

Wnn = jserver
　　　　＋仮名漢字変換ライブラリ
　　　　＋フロントエンドプロセッサ
　　　　＋辞書管理用ユーティリティ
　　　　＋etc.

Wnnは，世にある多くの仮名漢字変換システムと同様，連文節変換（あるいは文章一括変換とも言う？）を提供している．解析は接続ベクトルを用いた，語の接続関係のチェックという形で行われ，残念ながら意味解析は行っていない．ここでは，いくつか特徴と思われる点を挙げてみよう．

（1）辞書

正確な変換を行うための一つの必要条件として，「整備された辞書を使う」ことが挙げられる．一般に仮名漢字変換に用いる単語辞書はサイズが大きく，検索に時間がかかる．また辞書のメンテナンスは容易にできなくてはならない．Wnnではこのため，2種類のフォーマットを用意した．それは，内部形式と外部形式と呼ばれるもので，前者は，検索の効率を考慮したもの，後者は，UNIXのテキスト・ファイルの形をしており，ユーザが通常のエディタを用いて変更可能なものである．そして両者の間のコンバータ・プログラムが用意され，内部形式↔外部形式の変換が，容易に行えるように配慮されている．内部形式の辞書は更に，

動的な登録が可能な辞書と，動的な登録はできないが，サイズがコンパクトになる辞書とに分けられる．そのため，まずは動的な登録が可能な辞書に変換の最中に必要な単語をどんどん登録し，ある程度使い易い辞書になったところで，これを外部形式を経由してサイズがコンパクトになる辞書に作りかえるという使い方ができる．

（2）ユーザ・インターフェース

仮名漢字変換を行うとき，ユーザはさまざまなキー入力を行う．まず仮名を入力し，適当な所で変換キーを押し（最近は変換キーを押さなくても自動的に変換してくれるものもある）漢字仮名混じり文が表示された所で，必要ならば次候補を選択し，望みの文字列になったならば確定の操作を行う（確定キーを押したり，あるいは次の仮名列を入力するなど）といった具合である．ここで問題となってくるのは，このような変換のセッションには，モードという考えがどうしてもついてまわることである．例えば，

・仮名（一般には変換対象文字列）を入力可能なモード
・変換を行った後の次候補選択の可能なモード
・文節の区切りを変更しているモード

などが考えられる．このモードをユーザがいちいち意識していたのではスムーズな日本語入力ができない．そのため，ユーザにできるだけモードを意識させないようなインターフェースが必要になる．

またこれとは別に，ある一つの操作ができるだけ多くのモードで統一的に定義されていることが必要であろう．例を挙げて説明しよう．あるキー（例えばCTRL-E）に

「行末へカーソルを飛ばす」という機能が設定されていたとしよう．この機能は上に挙げた3つのモード全てで定義可能である．その時，いずれかのモードでこのキーが働かなかったとしたらユーザは統一が取れていないと思わないだろうか？

Wnn では，このようにユーザがこうできて欲しいと思うことができるだけ実現されるようにと考えられている．キー・バインドも，ユーザ可変であって，自分の好みの設定が可能である．

さらに，単語登録をはじめとする動的な辞書管理ユーティリティは非常に使い易くなっている．使用する辞書の切り換えも簡単な操作で可能なようになっている．単語登録などは使っていて楽しささえ感じてしまう．

(3) ユーザ・カスタマイザビリティ

ポイント(2)は，各機能とモードの統一性がとれているかどうかの問題であった．Wnn はもうひとつ，システムをユーザの好みに合わせてある程度変えられるようになっている．例えば，各機能のキー・バインド，使用する辞書，ローマ字仮名変換表の設定，変換に使用する評価関数のパラメータ，何文節解析するか，最大変換文字数などまだまだ沢山の事柄が設定可能である．これは「ユーザが変えられるべきところは最大限そうする」という Wnn の思想の一つである．

以上，部分的ではあるが Wnn の特徴を見てきた．もちろん，Wnn がベストである訳はなく，まだまだ改良の余地はたくさんある．仮名漢字モジュールを組み込んだ使い易いエディタはどうあるべきか考えることも必要であろうし，ウィンドウを上手に活用した日本語システムを考察することも必要であろう．なによりも変換のアルゴリズムを含め，日本語システムの在り方は今後更に考えていく必要があると思う．Wnn はその第一歩なのである．

GMW ウィンドウ・システムと Wnn 日本語入力システムはともに，京都大学数理解析研究所，ASTEC，立石電機が共同で同時期に開発した．文字フォントと日本語辞書に対するロイヤリティーと，配布手数料のみで配布している．

GMW と Wnn の入手及び問い合わせ先
(株)アステック　Tel. 03-477-1541

(もりしま　あきとし，すずき　たかし
京都大学数理解析研究所)

ABCL/1 ができるには

柴山悦哉

外が急に明るくなってきた．そろそろ限界かな．目の奥に軽い痛みを感じる．端末に向かいだして何時間になるだろう．目を閉じても残像が光って見える．あーあ，疲れた．

昨日もずいぶん酒を飲んでしまった．しらふでプログラミングなんかできないもんなあ．全身にだるさが残る．胃がガサガサしてくる．朝飯くらいは食いたいなあ．でも，大岡山近辺の店はまだ開いていないし，環7のデニーズまで出かける元気もないし，電車はもう動いているからひとまず帰るか，それとも，少し時間をつぶして朝飯にしよ

うか．もう考える気力もわかないや．

1984年のこんな生活の中から並列オブジェクト指向言語ABCLの処理系は生まれた．ABCLの言語仕様の設計は，私の直属の上司にあたる米澤明憲先生によって行なわれ，実現は私が担当した．無理な要求はすべて退け，並列を擬似並列と読み替え，実現上都合の悪い仕様に手を入れて，ともかく動くものを作ることだけに力を注いだ．依頼を受けてから，最初のずさんな処理系ができるまで半月程度であった．

ABCLは，その後言語仕様を改訂し，現在はABCL/1と呼ばれている．実現も私の手を離れ，高田敏弘氏(現NTT)を経て，一杉裕志氏(修士課程1年)が引き継いでいる．世界中で使われているという状態ではないが，日本以外でも真面目に使っている人がいるようである．時々，電子メイルで文句を言ってくる．

よく言われることだが，日本で作られたソフトウェアが世界中で広く使われることはほとんどない．つい最近までは「全くない」と言ってもいい状態であったが，近頃はKCL(Kyoto Common Lisp)のような例外もあるので，「ほとんどない」と言っておく．情けない話だが，現在のABCL/1の普及度は，日本生まれのソフトウェアの中ではマシな方なのである．

1984年当時を今振り返ると，世界に通用するソフトウェアを作るためには何が重要か見えてくるような気がする．思うに，ABCL(/1)が1984年という時期に産声をあげたのは，ある意味では必然的なのである．ABCL(/1)が生まれるために必要なお膳立ては，1983年くらいからそろい始め

る．時間順に見ていこう．

1983年1月：東工大情報科学科にDEC社のVAX11/780とVAX11/750が導入される．

ちゃんとしたソフトウェアを作るためには，ちゃんとした計算機システムが絶対に必要である．VAXが導入される以前には，FACOM-230/45Sが学科の主力計算機であった．私は幸いこの機械を使わずに済んだが，当時の学生達は，バッチLisp等の物凄い実習を行なっていたらしい．まあ，精神力の鍛錬にはなるかもしれないが，いくら精神力が強くても，竹槍でB29は落とせない．これでは，アメリカの一流大学に勝てるはずがない．

1983年当時，アメリカの有力校では，DEC10, VAX11等がよく使われていたという話である．SUN, Apollo, Symbolics等のワークステーションも，そろそろ現れ出した時代である．この時点でVAXが使えれば，まあまあである．ただし，我々が使っていたVAXが性能をフルに発揮するのは，夜中だけであった(卒論・修論の季節には，一日中遅くて使えないこともあった)．当然，昼寝て夜働くのが日常的になる．冒頭のような日々を送ることになる．

1983年3月：米澤先生助教授に昇任

研究プロジェクトの成否を決める重要な要件の一つに，誰が(あるいはどんな人物が)プロジェクト・リーダーになるかという問題がある．私は，直属の上司を褒めたりするような立場にはないので，一般論を少しだけ語ろう．

ともかく，プロジェクト・リーダーは一

国一城の主であることが望ましい．幸いにして，我々の学科では，助教授も教授同様に自分の研究室を持ち，一国一城の主となることができる．助手の場合，自分の研究はできるがプロジェクト・リーダーになるのは難しい．独自の予算と人材(たいていは学生)を揃えることができなくては．

1983 年 7 月：筆者が米澤研の助手に就任

プロジェクトはリーダーだけいても始まらない．プロジェクト・メンバーもやはり必要である．私が処理系を作る以前に，並列機能を抜きの ABCL 処理系を試作した松田裕幸氏(現東京工業大学総合情報処理センター助手)もこの年の 4 月から米澤研の一期生として修士課程に入学している．

さて，ABCL プロジェクトに必要な計算機とリーダーとメンバーが，1983 年の 7 月までにほぼそろったことになる．しかし，これですぐに ABCL プロジェクトが走り出すかというと，世の中はそんなに甘くない．

1983 年当時，情報科学科の VAX11 はOS として DEC 社純正の VMS を使っていた．この VMS 上で Franz Lisp が動いていたのだが，なんとコンパイラがなかった．じゃあ，C 言語を使えばよいではないかと言われるかもしれないが，そうはいかない．私は生粋の Lisp プログラマなのだ．

1983 年暮れ：UNIX 4.1BSD を導入

その後，OS を VMS から 4.1BSD に取り替え，Franz Lisp のコンパイラも動くようになった．しかし，メーカーサポートのない OS を動かすのは大変だ．木村泉研究室の当時のメンバーがいなかったら絶対にできなかっただろう．私は，UNIX なんて全然知らなかったので，ただ，まわりで見ていただけである．

さて，Franz Lisp が動いたからと言って，喜んでばかりはいられない．TOPS-20 の Emacs で育った私にとって，UNIXの ed のような純粋な行エディタや vi のような変則型行エディタは，どうにも使い難い．「こんなもので Lisp のプログラムができるか!!」とかなんとか言いながら，プログラミングのできない日々が続く．

こうなると，もう UNIX を恨むしかない．当時 UNIX は世間の注目を集め始めていて，たいていの人が良い評価を下していたものだから，恨みはさらに募る．「UNIX はセンスが良い」と言う人がいれば，「vi, find, makefile を設計した奴は絶対にセンスが悪い」と言い返したくなる．それから，「DECnet が使えないぞ！　どうしてくれるんだ」とかなんとか，ぶつぶつぶつぶつ……

1984 年：Gosling Emacs 導入

そんなある日，BSD 系の UNIX 上でもEmacs が使えることを知った．いわゆるGosling Emacs である．「なんだ，UNIX君，君もやればできるんじゃないか！」という気分になったものである．早速，米澤先生に泣き付いて，Gosling Emacs を買ってもらったのは，1984 年に入ってからであった．

実は，この段階で我々は一つの幸運に助けられている．普通，国立大学の経費で，国内に代理店のない外国製ソフトウェアを買うのはまず不可能である．したがって，

Gosling Emacs も通常の方法ではまず入手不可能であったものと思われる。アメリカの商務省が聞いたら怒るだろうが，現実は厳しいのである。ところが，よくしたもので，この現実にも抜け道があった。詳しくは話さないが，この抜け道を通って Gosling Emacs を 995 ドルで手に入れることができた。ところが，この抜け道は，我々が，通った直後に封鎖されてしまったのであった。危ない，危ない。

1986 年：レーザライタを買う

さて，ABCL(/1)の海外進出の最大のネックはマニュアルであった。外国人に使ってもらうには，普通英語のマニュアルが必要だ。しかも，みすぼらしくないものが。ABCL/1 の英文マニュアルができたのは，1986 年になってからであった。

ここで，忘れてはならないのが，レーザビーム・プリンタとまわりのソフトウェアの進歩である。ABCL/1 のマニュアルがまがりなりにも存在するのは，アップル社のレーザライタとネットワーク経由で流れてきたソフトウェアのおかげなのである。レーザライタは，ABCL/1 のマニュアル（troff で 50 頁強）を 10 分ちょっと出力してくれる。おかげで，マニュアルを 3 週間で書き上げることができた。レーザライタ導入前なら，マニュアルの出力に 4 時間以上かかったはず。プリンタを 4 時間も占有するなんて 1 日に 1 回真夜中にしか許されないことである。レーザライタがなかったら，原稿書きにどれだけ時間が必要だったかわかったものではない。我々はそんなに暇ではないから，レーザライタが導入されるまで ABCL/1 のマニュアルができなか

ったのは必然なのである。

さて，時は流れて 1988 年。4 年前に比べて辺りの状況は一変した。2 台の VAX11 は 36 台の SUN ワークステーションに化けてしまった。今や，昼日中でも Lisp がちゃんと動くのである。しかも，Common Lisp という Franz Lisp より重い Lisp が。それから，VAX11/780 では禁じ手となっていた GNU Emacs も自由に使える。昔は Gosling Emacs のモードラインに時間とロードアベレージを表示するだけでも非難された。当時私は腕時計を持っていなかったし，ロードアベレージを知りたくなるくらいマシンが遅かったのに。それが今では，ディスプレイ上に，時計やらパフォーマンス・モニタやらを表示するのがむしろ普通となってしまった。今では私も腕時計を持っているし，マシンも遅くないからパフォーマンスなんて普通は気にならないのに。

もちろん，アメリカの一流校に勝てないという点に関しては変化がない。ただ，5 年前なら 1 億円くらいのお金がないとVAX のような有意義な計算機が買えなかったが，今なら，数百万円あればワークステーションが買える。大艦巨砲主義の時代なら超大国には絶対に勝てないが，今はゲリラにも勝機のある時代なのではなかろうか。

さて，マシンと基本ソフトは，なんだかんだ言っても，お金の問題である。SUN ワークステーションだって，Symbolics のリスプマシンだって，お金さえあれば，いくらでも買える。東工大や電総研は米国製スーパーコンピュータを神風予算で買うこ

とにしたが，仮に，米国製ワークステーションを代わりに買うことができれば，アメリカの一流校とだって勝負になるくらいのマシンが揃えられるのである．でも，それに見合う人材は神風予算では買えない．

プログラミングも研究も，ともに職人芸であるかぎり，研究プロジェクトによる人材育成は重要である．自分の過去を振り返ると，正直なところ，私は幸運であったと思う．私はプロジェクトとともに歩んできた人間である．京大の大学院時代は，中島玲二先生のIOTAプロジェクトの末席を汚し，プロジェクトと言うほどでもないが，Prolog-KABAの開発にも参加した．そして，東工大に来てからはABCLプロジェクトである．プロジェクト・リーダーの米澤先生も，Algol-Nプロジェクトで鍛えられたと聞いたことがある．

マシン環境のようなハード面に対し，人材養成のようなソフト面はどうしても遅れをとる．教育にはお金だけでなく時間もかかるのだ．でも，今変化の兆しが感じられる．JUNETのようなネットワークが生まれ，今や有志が自分の作ったソフトのソースを無償で流す時代に日本も入った．ABCLプロジェクトの真価が問われるのはこれからだ．プロジェクトに参加した学生の皆さんが，いつか世界に通用するソフトウェアを開発してくれるものと期待している．

ABCL/1の処理系はCommon Lispで作られており，現在SUN3のKCL(Kyoto Common Lisp)とSymbolicsリスプマシン上で稼動している．入手を希望される方は，以下の住所まで，1/2インチMTまたは1/4インチCMTと返信用の封筒を同封の上お申し込み下さい．

152 東京都目黒区大岡山 2-12-1
東京工業大学理学部情報科学科
米澤研究室内 ABCL プロジェクト
Tel. 03(720)0795

ABCL/1の使用に際しては使用同意書にサインしていただきます．

1/2インチMTの場合，1600または6250 bpiの tar format に限ります．

1/4インチCMTの場合，SUN3またはSymbolicsリスプマシンで読める形で配布します．

(しばやま　えつや
東京工業大学理学部)

編集部より　岩波講座「ソフトウェア科学」をお買い上げいただきありがとうございます．以降，毎月1巻ずつ刊行いたします．引き続きご購読下さいますようお願い申し上げます．

本講座には，毎月「月報」を添付いたします．大学や研究所で開発された優れたソフトウェアの紹介を軸に，肩のこらない，しかし知っていると役に立つ話題を提供していきたいと考えています．お見逃しのないよう．

次回(第2回配本)予告　7月6日発売
14　知識と推論
　　長尾　真　著
1知識とは何か／2事実的知識とその体系化／3推論的知識と問題解決（I）／4推論的知識と問題解決（II）／5記号論理による推論／6知識表現と質問応答／7エキスパートシステム

とから x を消去するには，(2a)から上の式を引けばよい．結果は

$$1.5y - 1.5z = 6 \qquad\qquad\qquad (2b)$$

となる．もし x の係数が 1 でなければ，引く式をその係数倍しておけばよい．よって，この解法は次の 2 種の要素計算で構成できることがわかる．

　[1]　ある式を定数で割る．

　[2]　ある式から，別の式の定数倍を引く．

あとはこの二つをプログラムとして表わせばよい．係数のデータは 2 次元配列に入れておく．

　[解 6.6]

```
const n = 3; n1 = 4;
type eix = 1..n; rix = 1..n1;
     row = array[rix] of real;
     coef = array[eix] of row;
var a: coef;
    i, j: eix;
```

演算[1], [2]の手続きを示す．

```
procedure rowdiv(var b: row; v: real);
    var k: rix;
  begin for k := 1 to n1 do b[k] := b[k]/v end;
procedure rowdif(var b, c: row; v: real);
    var k: rix;
  begin for k := 1 to n1 do b[k] := b[k] - c[k] * v end;
```

プログラム全体は次のようになる．

```
program lineareq(input, output);
    "定数・型の定義，変数・手続きの宣言"
begin
    "係数を配列 a へ読み込む";
   for i := 1 to n do
     begin rowdiv(a[i], a[i, i]);
        for j := i+1 to n do rowdif(a[j], a[i], a[j, i])
     end;
   for i := n-1 downto 1 do
     for j := n downto i+1 do rowdif(a[i], a[j], a[i, j]);
```

$$\textbf{for } i := 1 \textbf{ to } n \textbf{ do } writeln('\text{x}', i:1, '=', a[i, n1])$$
$$\textbf{end}.$$

この解法を実際に用いる場合には，次のような点に配慮する必要がある（図 6.7）．

1	*	*	*	*	*	*
0	1	*	*	*	*	*
0	0	1	*	*	*	*
0	0	0	**＊**	*	*	*
0	0	0	*	*	*	*
0	0	0	*	*	*	*
0	0	0	*	*	*	*

図 6.7 Gauss 法の途中状態

(1) $rowdiv(b, v)$ について，実際の除算は $k(: rix)$ を 1 からではなく，$i+1$ から始めればよい．$a[i, 1]$ から $a[i, i-1]$ まではすでに 0 となっているし，$a[i, i]$ は割った結果が常に 1.0 になるからである．

(2) 同じ理由で，前進部分の $rowdif$ においても，実際の計算は $i+1$ から始めればよい．

(3) 後退部分の $rowdif$ については，$a[i, n1]$ のみ計算すればよい．各段階において，$a[j, 1]$ から $a[j, n]$ まで（$a[j, j]$ を除く）はすべて 0，$a[j, j]$ は 1 となっているからである．

(4) $rowdiv$ を使う際に，$a[i, i]$ が 0 であると 0 除算のエラーとなる．これを避け，かつもっとも計算の精度を高める方法は次のとおり．

前進部分の各 i に対する計算を始めるまえに，$a[i, i]$ から $a[n, i]$ までの絶対値の最大値 $|a[p, i]|$ を求め，行 $a[i]$ と $a[p]$ とを交換する（実際の交換はしないで，添字の調整ですます方法もある）．

これを Gauss 法に対する**部分ピボット法**と呼ぶ．

(b) レコードの配列

配列の要素型としてレコード型を使うことを考えよう．第 4 章で使ったレコード型 *person* を簡略化した，次の型を例としよう．

$$\textbf{type } person2 = \textbf{record}$$

$$first, last : char ;$$
$$birthyear : 1800 . . 2099 ;$$
$$height, weight : real$$
end ;

最初の *first* と *last* は氏名のイニシャルである．さて，この型のデータをいくつか並べた，次のような配列が定義されたものとする．

$$psindex = 1 . . n ;$$
$$persons = \mathbf{array}[psindex] \ \mathbf{of} \ person2 ;$$

さらに，この型の変数を用意しておく．

$$\mathbf{var} \ psfile : persons ;$$

［例 6.7］　レコード配列 *psfile* の要素の中で，生まれ年が 1970 のものを探す．□

一般にこの形の問題を **探索**(search)と呼ぶ．簡単に考えると，*psindex* 型の変数 p を用意しておいて，

$$p := 1 ;$$
$$\mathbf{while} \ psfile[p]. \ birthyear <> 1970 \ \mathbf{do} \ p := p+1$$

とすればよいように思われる．しかしこの方法では，目的のデータが *psfile* の中にある場合はよいが，なかった場合には，添字 p の値が n を越えていってしまう．そこで，p の値に対する検査もつけ加えよう．

$$p := 1 ;$$
$$\mathbf{while} \ (p <= n) \ \mathbf{and} \ (psfile[p]. \ birthyear <> 1970) \ \mathbf{do}$$
$$p := p+1$$

ところがこうしても，探索不成功の場合，やはり p の値が n を越してしまい，*psindex* 型の範囲をはずれる．これはエラーとなる．

この問題に対処する方法は二つある．第 1 の方法は，反復の継続を制御する専用の論理変数(*more* とする)を使うやり方である．

［解 6.7a］

$$p := 1 ; \ more := p <= n ;$$
$$\mathbf{while} \ more \ \mathbf{do}$$
$$\quad \mathbf{if} \ (psfile[p]. \ birthyear = 1970) \ \mathbf{or} \ (p = n)$$
$$\quad\quad \mathbf{then} \ more := false$$
$$\quad\quad \mathbf{else} \ \ p := p+1$$

反復終了時には *more＝false* となっているので，

(A)　　　*psfile*[*p*]. *birthyear* ＝ 1970

または

(B)　　　*p* ＝ *n*

が成り立っている．よって，(A)の条件をあらためて調べてみれば，探索が成功したかどうかがわかる．

　第2の対処法は，探す範囲を *psfile*[*n*−1] までとすることである．そして，あらかじめ *psfile*[*n*] に，その *birthyear* の値が 1970 であるデータを入れておく．見つからなかった場合の"走りぬけ"防止用である．

　〔解 6.7b〕

　　　　　p := 1 ; *psfile*[*n*]. *birthyear* := 1970 ;
　　　　　while *psfile*[*p*]. *birthyear* ＜＞ 1970 **do** *p* := *p*+1　　　　∎

反復終了時には，*p*＜*n* であれば探索成功，*p*＝*n* であれば不成功であることがわかる．この方法で使われた"走りぬけ"防止用のデータのことを，一般に **番兵**(sentinel)と呼ぶ(図 6.8)．番兵の役目は，探索の条件を必ず満たすことで，範囲外であることの検査を兼ねてしまうことである．

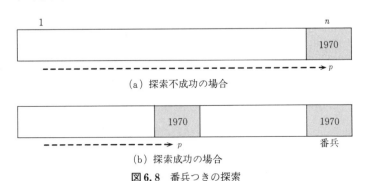

　　　　　　　　　　　　(a) 探索不成功の場合

　　　　　　　　　　　　(b) 探索成功の場合

図 6.8　番兵つきの探索

6.3　配列計算

　配列を使うと，大量のデータを組織的に蓄え，それに対して系統的な演算を施すことが可能である．ここでそのいくつかの例について調べる．

（a） 探索とその高速化

例6.7で扱った探索の処理は，大量のデータを扱う処理のうち，もっとも基本的なものの一つである．同じ例題を，**計算の手間**という観点から考えてみよう．

探索の手がかりとなる値を，探索の**キー**(key)と呼ぶ．例6.7でのキーは，*birthyear* 要素であった．探索は，ふつうの場合，キーの値だけではなく，そのキー値を持つデータ全体を見つけることを目的とする．1970年生まれの人に関するレコードの参照がその例である．すなわち探索は，レコードの配列に対して行なわれることが多い．

解6.7aのプログラムについて，探索のためにどれだけの計算の手間がかかるかを考えてみよう．目的となるデータは，1番目($p=1$)にあることも最後($p=n$)であることもあり，また存在しないこともあり得る．存在しない場合も含めて，どの位置にあることも均等に起こり得るものとすると，平均的には約半分のデータを探すことになる．すなわち，反復文は平均すると $n/2$ 回実行される．

データ量に比例する $n/2$ という計算の手間は，いろいろな工夫をすることによって，もっと小さくすることが可能である．ただしそのためには，データの配列方法の変更や付加的なデータの作成などの，前準備が必要となる．

［例6.8］ 高速探索法(1)　見出し表　□

例6.7におけるキーは *birthyear* 要素で，その値の範囲は1800から2099であった．n個のキーのどれもがこの範囲のどこかにあるとして，全体をひとまとめにして扱ったのが解6.7のプログラムである．ここで，この範囲をいくつかに分割することを考えよう．たとえば，配列内のデータを再配置して，キーの値が1800～1899, 1900～1999, 2000～2099であるような3個の部分に分けられたものとする．それぞれの部分は，先頭の位置とデータの個数によって表わされる．これを表わす付加データを用意しよう．

```
type ixentry = record  head : psindex ;
                       size : integer
               end ;
var ixtable : array[0..2] of ixentry ;
```

変数 *ixtable* の意味は，

キー値が $1800+100 \times k$ から $1800+100 \times k+99$ までの範囲内のデータが

    psfile[*ixtable*[*k*]. *head*]　から

    psfile[*ixtable*[*k*]. *head*+*ixtable*[*k*]. *size*−1]　までにあること

となる．ただし，*size*=0 のときは，その範囲のデータがないことを示すものとする．

このような付加データを**見出し表**(index table)と呼ぶ(図 6.9)．これが用意できているとすると，探索のアルゴリズムは次のようになる．探索のキー値を *key* とする．

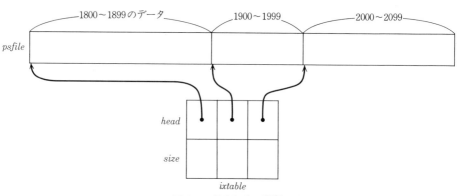

図 6.9　見出し表の役割

[解 6.8]

    $k := (key-1800)$ **div** 100 ;

    with *ixtable*[*k*] **do**

      begin $i :=$ *head* ; $j :=$ *head*+*size* **end** ;

    （以下同様，ただし 1 は i に，n は j に置きかえる）

ここで見出し表があらかじめ準備されており，しかもキー値が平均的な分布をしているとすると，以前のアルゴリズムにくらべて約 1/3 の量のデータだけを調べればよいので，3 倍の高速化が実現できたことになる．

見出し表を用いた探索の高速化は，キーの範囲の分割数，すなわち見出し表の大きさをふやすことで，その度合を高めることができる．ここの例においても，変数 *ixtable* の宣言を

    var *ixtable* : **array**[0 . . 29] **of** *ixentry* ;

と変更し，アルゴリズムの先頭行を

$$k := (key-1800) \textbf{ div } 10 ;$$

と変えることによって，さらに(平均的には)10倍の高速化をはかることができる．最初のアルゴリズムと比較すると実に30倍の高速化であり，充分採用の価値がある．この方法の極限は，すべてのキー値に対して見出しを用意することである．すなわち

var *ixtable* : **array**[1800 . . 2099] **of** *ixentry* ;

と宣言しておき，探索キーの値をこの配列の添字値として直接指定する．

with *ixtable*[*key*] **do** ⋯

このような極限的な見出し表を，**逆引き表**(inverted table)と呼ぶ．

　見出し表の方法では，探索の手間は小さくなるが，見出し表の準備とそれに付随するデータの再配置に要する手間が必要となる．それに，分割の度合が大きくなってくると，見出し表のために使う記憶量も増加する．それで探索の頻度や必要な高速性などに応じて，適切な分割を行なわなければならない．

(b)　2分探索法

　見出し表の方法では，配列中のデータの再配置に加えて，見出し表が必要であった．この見出し表の役目を，データ自身に持たせることができないか考えてみよう．見出し表の各要素は，特定の範囲のキー値を持つデータ群の，配列の中における位置，あるいは位置の範囲を示している．これに対して，各データのキー値(*key* とする)が表わせるキーの範囲は，*key* より大きい部分と小さい部分の二つである．たとえばキー値1970が表わす範囲は

$$1800\sim1969 \qquad 1970\sim2099$$

の二つとなる．また，配列中の位置範囲としてそのデータが表わせるものは，そのデータの位置(*k* とする)よりも前の部分と後の部分の二つである．たとえばデータの位置53は

$$1\sim52 \qquad 53\sim n$$

という二つの位置範囲を指定することができる．この両者をまとめて，見出しとして有効に働くようにするためには，たとえば

　　　　キー値が *key* より小さいデータは位置 *k* より前に，

　　　　　キー値が *key* より大きいデータは位置 *k* より後に，
それぞれ存在すればよい(図 6.10)．この性質がすべてのデータについて成
り立つためには，データが，添字値が大きくなるとキーの値も大きくなるよ
うに並べられていればよい．すなわち

　　　$1 \leq i \leq j \leq n$　であれば

　　　　psfile[*i*]. *birthyear* $\leq$ *psfile*[*j*]. *birthyear*

が成り立つようにする．こうすることを，配列データをキーの**昇順に整列**す
る(sort in ascending order)という．範囲の対応関係を逆にすると，添字の
順にキー値が小さくなってもよいことがわかる．この並べ方は，**降順**
(descending)の整列と呼ばれる．

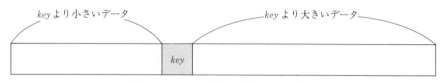

　　　　　　　　　図6.10　データ自身を見出しとする方法

　さて，配列が昇順に整列されている場合の，探索のプログラムを作ってみ
よう．探索すべきキー値を *key* とし，探索の範囲を *i* から *j* までとする．

　　　　p := "*i* 以上 *j* 以下の一つの値"；
　　　if *psfile*[*p*]. *birthyear* $\leq$ *key*
　　　　　then "*i* = *p* + 1 として先頭へ戻る"
　　　　　else "*j* = *p* − 1 として先頭へ戻る"

このアルゴリズムでは，与えられた範囲 [*i*..*j*] を二つの部分範囲 [*i*..*p* − 1]
と [*p* + 1..*j*] とに分け，キー値の大小でそのどちらかを選んでいる．残って
いるのは，*p* の値の決め方と，反復の終了条件である．

　p の値としては，*i* と *j* の平均値がよく使われる．こうすると，範囲 [*i*..*j*]
がほぼ半分に分割され，どちらの半分が選ばれてもほぼ一定の回数で決着が
つく．ほかの極端な選び方は *p* = *i* (または *p* = *j*)とすることだが，こうする
と，範囲 [*i*..*j*] が [*i*..*i*] と [*i* + 1..*j*] とに分割されたことになり，前のほう
から一つ一つ調べてゆく例 6.7 の探索と変わらなくなる．

　新しい *p* の値を *i* と *j* の平均とするやり方を，**2分探索法**と呼ぶ．これは，
第5章で関数の根を求めたときの方法と，基本的には同じやり方である(図

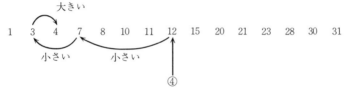

図6.11 2分探索法

6.11).

［例6.9］ 2分探索法のプログラムを作る．□

［解6.9］

$$i := 1 \,;\; j := n \,;\; psfile[0] := key - 1 \,;$$
while $i <= j$ **do**
  begin $p := (i+j)$ **div** $2 \,;$
    if $psfile[p].\,birthyear <= key$
      then $i := p+1$
      else $j := p-1$
  end $;$
if $psfile[j] = key$ **then** "成功"   ∎

key の値が $psfile[1]$ よりも小さいとき，このアルゴリズムは $j=0$ で終了する．この場合に対処するために，$psfile[0]$ にはあらかじめ key とは異なる値を入れておく．

このアルゴリズムでは，探索する範囲が順に2分されてゆくので，k 回目の反復の終りには範囲の大きさは約 $n/2^k$ となる．これが1になったところで処理が終了するので，結局

$$2^k = n$$

すなわち

$$k = \log_2 n$$

回程度の反復ですむ．これは解6.7の n に比例する手間とくらべて，n が大きくなると格段に小さくなる．

（c） 整列の基礎

前項で調べた探索のアルゴリズムでは，データが整列していることが重要

な仮定の一つとなっていた．整列しているデータに対する探索は，そうでない場合に比べて，劇的に高い効率で実行できる．それでは，整列自体はどのようにやるのだろうか．簡単な例から調べよう．なおこの項では簡単のために，整数配列を整列することにする．

$$\textbf{var}\ \ a: \textbf{array}[1 .. \ n]\ \textbf{of}\ integer\ ;$$

(1) 逆順是正法

整列の目的は，すべての $i, j\ (1 \leqq i < j \leqq n)$ について，$a[i] \leqq a[j]$ とすることである．このためには，隣合う二つの要素 $a[i]$ と $a[i+1]$ について，$a[i] \leqq a[i+1]$ を成立させればよい $(1 \leqq i < n)$．このことから，隣接した要素が逆順であればそれを交換するというアルゴリズムが導かれる．調べるべき要素の対としては，前の方から順に見ていくことにする．

$$\textbf{for}\ i := 1\ \textbf{to}\ n-1\ \textbf{do if}\ a[i] > a[i+1]\ \textbf{then}\ swap(a[i], a[i+1])$$

ここで $swap(x, y)$ は，二つの変数 x と y の値を交換する手続きであるとする．実例で調べよう．

5	2	3	6	1	4	初期状態
2←→5		3	6	1	4	$i = 1$
2	3←→5		6	1	4	$i = 2$
2	3	5	6	1	4	$i = 3$ （不変）
2	3	5	1←→6		4	$i = 4$
2	3	5	1	4←→6		$i = 5$

これで見ると，上記の FOR 文の1回の実行では，整列は完了しないことがわかる．1回も隣接しなかった要素相互の大小関係が考慮されていないからである．ただし，最大の要素は常に右隣の要素と交換され，もっとも右の位置へ移動する．そこで，今度はもっとも右の要素だけを除いた部分について，同じ操作を行なう．

2	3	5	1	4	[6]	
2	3	5	1	4	[6]	$i = 1$ （不変）
2	3	5	1	4	[6]	$i = 2$ （不変）
2	3	1←→5		4	[6]	$i = 3$
2	3	1	4←→5		[6]	$i = 4$

あとはこれを順々に繰り返せばよい．

2	3	1	4	[5	6]

2	3	1	4	[5	6]	$i=1$	(不変)
2	1←→3		4	[5	6]	$i=2$	
2	1	3	4	[5	6]	$i=3$	(不変)
1←→2		3	[4	5	6]	$i=1$	
1	2	3	[4	5	6]	$i=2$	(不変)
1	2	[3	4	5	6]		
1	[2	3	4	5	6]		

プログラムは次のとおり

> **for** $k := n$ **downto** 2 **do**
>   **for** $i := 1$ **to** $k-1$ **do**
>   **if** $a[i] > a[i+1]$ **then** $swap(a[i], a[i+1])$

このアルゴリズムは，要素が泡のように(右へ)移動するので，**泡整列(バブルソート**，bubble sort)と呼ばれる．バブルソートでは，比較のための IF 文は

$$(n-1)+(n-2)+(n-3)+\cdots+3+2+1 = \frac{n(n-1)}{2}$$

回だけ実行される．つまりこのアルゴリズムは，概略 n^2 に比例する手間がかかる．

(2) 最大値選択法

バブルソートで行なっている最大値選択に，別の方法を使ってみよう．隣接要素の交換を基本とせず，最大値を最右端に残すことを目的とする．

> **for** $k := n$ **downto** 2 **do**
>   **for** $i := 1$ **to** $k-1$ **do**
>   **if** $a[i] > a[k]$ **then** $swap(a[i], a[k])$

以前と同じ例で，処理の進み方の様子を示す．

5	2	3	6	1	4	初期状態
4	2	3	6	1	5	$k=6,\ i=1$ での交換
4	2	3	5	1	6	$k=6,\ i=4$ での交換
1	2	3	5	4	[6]	$k=5,\ i=1$
1	2	3	4	5	[6]	$k=5,\ i=4$

(以降変化せず)

このアルゴリズムでの IF 文の実行回数は，バブルソートの場合と同じように

$$(n-1)+(n-2)+(n-3)+\cdots+3+2+1 = \frac{n(n-1)}{2}$$

となる.

(3) 反復挿入法

配列の長さが 2 である極端な場合を考えよう. この場合は, $a[1]$ と $a[2]$ を比べ, 小さい方を前に, 大きい方を後ろにそれぞれ置くことで整列が完了する. これを拡張して, 長さ k の配列のうち, 先頭から $k-1$ 個の要素が, すでに整列しているような場合を考えよう.

$$2 \quad 4 \quad 5 \quad 8 \quad 12 \quad 13 \quad 6 \quad (k=7)$$

ここで, 最後の要素 6 を整列している部分 $(2, 4, \cdots, 13)$ の適当な場所へ挿入すればよい.

$$2 \quad 4 \quad 5\,6\,8 \quad 12 \quad 13$$

"適当な場所"を見つけるには, 整列している要素を頭から順に調べていくか, 整列部分の 2 分探索を行なえばよい. もちろん 2 分探索の方が (k が大きくなれば) 計算の手間は小さくなる.

このやり方の問題点は挿入の方法である. 配列にすき間なく並べられている要素の列には, 単独では挿入はできない. できることは, 挿入する場所から後のすべての要素を, 後ろへ一つずつずらすことである. 整列部分の要素を後ろから調べることにすれば, この操作が同時に実行できる.

$$w := a[k]\,;\ i := k-1\,;$$
while $a[i] > w$ **do begin** $a[i+1] := a[i]\,;\ i := i-1$ **end** ;
$$a[i+1] := w$$

この様子を図 6.12 に示す. この操作を $k=2$, $k=3$, $\cdots$, $k=n$ について繰り返し行なえば, 配列全体が整列したことになる. ただしこの場合, 探索の走りぬけを防止する必要がある. ここでは, 要素 $a[0]$ が使用できるものとして, 番兵の方法を使用しよう.

for $k := 2$ **to** n **do**
  begin $w := a[k]\,;\ a[0] := w\,;\ i := k-1\,;$
    while $a[i] > w$ **do begin** $a[i+1] := a[i]\,;\ i := i-1$ **end** ;
    $a[i+1] := w$
  end

再び実例で操作の手順を示す.

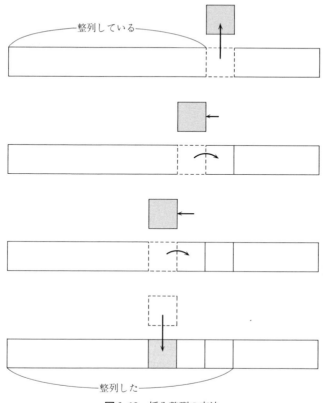

図6.12 挿入整列の方法

```
[5]   2    3    6    1    4    初期状態
[2   5*]   3    6    1    4    k = 2
[2    3   5*]   6    1    4    k = 3
[2    3    5    6]   1    4    k = 4
[1   2*   3*   5*   6*]   4    k = 5
[1    2    3    4    5*   6*]  k = 6
```

＊印は挿入のために移動した要素を示す.

　このアルゴリズムの計算の手間は,内側の WHILE 文の本体の実行回数で
見積ることができる.各回の挿入が,平均的には半数の要素の右移動を伴う
ものとすれば,この回数は

$$\frac{1+2+3+\cdots+(n-2)+(n-1)}{2} = \frac{n(n-1)}{4}$$

となり，やはりおよそ n^2 に比例する手間がかかることがわかる．

(d) 併合整列法

前項で示した三つのアルゴリズムは，いずれもおよそ n^2 に比例する計算の手間がかかるものであった．ここでは，これらよりも手間の小さいアルゴリズムについて調べよう．

反復挿入法では，挿入のための要素ずらしが問題であった．ここでは考え方を変えて，挿入を施した列を別の配列に作ってしまうことを考えよう．

長さ k の配列の先頭 $k-1$ 個の要素がすでに整列しているものとする．挿入を別の配列上で実現するには，次のようにすればよい．最初の配列を a，第 2 の配列を b とする．また，アルゴリズムの記述を明確にするために，次のような補助手続き *put* と *copy* とを定義しておく．

$$\textbf{procedure } put\,(x: integer)\,;$$
$$\quad \textbf{begin }\ b[j] := x\,;\ j := j+1\ \textbf{end}\,;$$
$$\textbf{procedure } copy\,;$$
$$\quad \textbf{begin }\ put\,(a[i])\,;\ i := i+1\ \textbf{end}\,;$$

$$\quad i := 1\,;\ j := 1\,;$$
$$\quad \textbf{while }\ a[i] < a[k]\ \textbf{do } copy\,;$$
$$\quad put\,(a[k])\,;$$
$$\quad \textbf{while }\ j <= k\ \textbf{do } copy$$

中間の部分で j の値だけが 1 ふやされ，挿入の効果が実現されていることに注意しよう（図 6.13）．

この方法では，整列部分の長さを一つふやすために，その長さ分だけの操

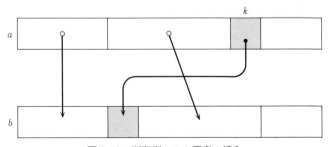

図6.13　別配列への 1 要素の挿入

作が必要である．したがって，全体としては反復挿入法の約2倍の手間がかかってしまう．そこで今度は，二つの要素を一度に挿入してしまうことを考える．すなわち，長さ k の配列の先頭 $k-2$ 個の要素がすでに整列しており，$k-1$ 番目と k 番目の要素を一度に扱うことになる．この二つの要素を一つずつ順に挿入したのでは何もならない．そこで，あらかじめこの二つの要素を，小さいものを $k-1$ 番目，大きいものを k 番目に移動しておく．すると，k 番目要素の挿入は必ず $k-1$ 番目の要素の挿入のあとになる．

> **if** $a[k-1] > a[k]$ **then** $swap(a[k-1], a[k])$;
> $i := 1$; $j := 1$;
> **while** $a[i] < a[k-1]$ **do** $copy$;
> $put(a[k-1])$;　　　　　　　　　　　　　　　$a[k-1]$ の挿入
> **while** $(a[i] < a[k])$ **and** $(i < k-1)$ **do** $copy$;
> $put(a[k])$;　　　　　　　　　　　　　　　　$a[k]$ の挿入
> **while** $j <= k$ **do** $copy$

このように，二つの要素をまとめて挿入しても，計算の手間が変らないことに注意しよう．すなわち，能率が2倍になっている（図6.14）．これは，まとめて挿入する要素の個数がいくらであっても，それらが整列している限り成り立つ事実である．たとえば $k=2m$ として，$a[1]..a[m]$ と $a[m+1]..a[2m]$ が，それぞれ整列していれば，次のような手順で長さ k の整列した結果を得ることができる．

> $i := 1$; $j := 1$;
> **for** $t := m+1$ **to** k **do**
> 　**begin**

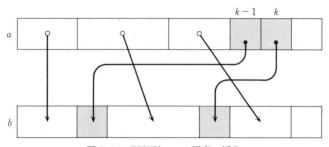

図 6.14 別配列への2要素の挿入

```
        while  (a[i] < a[t])  and  (i <= m)  do  copy ;
        put (a[t])
    end ;
    while  j <= k  do  copy
```

このように，二つの部分列をまぜ合わせて，一つの長い列を作ることを，**併合**(merge)とよぶ．ここに示したアルゴリズムでは，$a[1]..a[m]$ の中に $a[m+1]..a[2m]$ を挿入していったが，これが逆でも一向にかまわない．そこでふつうは，両者を対等に扱った，次のような形式でアルゴリズムが表現される(図 6.15)．

```
    procedure  copyi ;
        begin  b[j] := a[i] ;  i := i+1 ;  j := j+1  end ;
    procedure  copyt ;
        begin  b[j] := a[t] ;  t := t+1 ;  j := j+1  end ;
    "主部分"
        i := 1 ;  t := m+1 ;  j := 1 ;
        while  (i <= m)  and  (t <= 2*m)  do
            if  a[i] < a[t]  then  copyi  else  copyt ;
        while  i <= m  do  copyi ;
        while  t <= 2*m  do  copyt
```

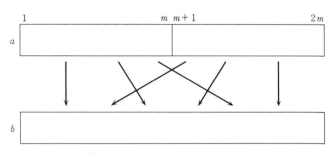

図 6.15　同じ長さの整列部分の併合

さて，完全な形でのアルゴリズムを手続きとして示そう．そのために，次のような定数と型の定義をしておく．

```
    const  n = 25 ;
    type  ind = 1..n ;
        ar = array[ind] of integer ;
```

手続きの宣言を示す. この手続き *mergesort* は, 変数引数である配列 *a* の一部分(*a*[*low*] から *a*[*high*] まで)を整列した結果を, 別の配列 *b* の同じ部分に書き込む.

```
procedure mergesort(low, high : ind ; var a, b : ar);
    var i, j, t, mid : integer ;
        c : ar ;
    procedure copy(var p : integer);
        begin b[j] := c[p]; p := p+1; j := j+1 end;
    begin
        if low = high
            then b[low] := a[low]
            else begin mid := (low + high) div 2;
                    mergesort(low, mid, a, c);
                    mergesort(mid +1, high, a, c)
                    i := low; t := mid +1; j := low;
                    while (i < = mid) and (t < = high) do
                        if c[i] < c[t] then copy(i) else copy(t);
                    while i < = mid do copy(i);
                    while t < = high do copy(t)
                end
    end;
```

さて, この手続きの計算の手間について考えてみよう. 併合のための手間は, 引数でわたされた区間の大きさ, すなわち *high* − *low* +1 に比例する. また, 下請け作業として, *low* ∼ *mid*, *mid* +1 ∼ *high* という, ほぼ同じ大きさの二つの区間を処理している. すなわち, 処理すべき区間の大きさを N, 処理にかかる計算の手間を $T(N)$ とすると, ほぼ次の式が成立する.

$$T(N) = CN + 2 \cdot T(N/2) \qquad (C \text{ は定数})$$

これを少し展開すると,

$$
\begin{aligned}
T(N) &= CN + 2 \cdot T(N/2) \\
&= CN + 2(C \cdot N/2 + 2 \cdot T(N/4)) \\
&= CN + CN + 4(C \cdot N/4 + 2 \cdot T(N/8)) \\
&= CN + CN + CN + 8 \cdot T(N/8)
\end{aligned}
$$

簡単のために $N = 2^p$ とすると, この式は

$$T(N) = C \cdot p \cdot N + bN \quad (b \text{ は定数})$$

となる．$p = \log N$（底は 2）であるので，結局

$$T(N) = C \cdot N \cdot \log N + b \cdot N$$

となり，全体としては $N \cdot \log N$ に比例する手間となる．

これまでの方法では，N^2 に比例する計算の手間であったので，今回の方法はその $N/(\log N)$ 倍速いということができる．この数の N による値を示す．

N	$\log N$	$N/(\log N)$
1	0	—
16	4	4
256	8	32
4096	12	341
65536	16	4096

この表でもわかるとおり，N が大きくなると，高速化の度合は非常に大きくなる．$N = 4096$ でも 300 倍以上であるから，たとえば 1 時間の計算時間がかかるものが，約 10 秒ですんでしまうことになる．

整列の計算の手間は，原理的に $N \cdot \log N$ に比例する以上には改良できないことがわかっている．その意味で併合整列法は最適なものの一つであり，とくにファイルを使用した整列によく用いられる方法である．

(e)　交換分割整列法

整列の条件にふたたび立戻ってみよう．すべての要素が昇順に整列していれば，任意の k $(1 \leq k \leq n)$ について，次の式が成立する．

$$i < k \quad \text{ならば} \quad a[i] \leq a[k]$$
$$j > k \quad \text{ならば} \quad a[j] \geq a[k]$$

すなわち，探索の項でも示したとおり，整列された配列の中の任意のキーは，配列全体をそれ以前の部分 $(a[1] .. a[k-1])$ と以後の部分 $(a[k+1] .. a[n])$ とに 2 分する．したがって，この条件式が成り立っていない状態から成り立つ状態に変えれば，整列された状態に一歩近付くことになる．この処理を，要

素の交換によって行なう方法を示す.

　配列の中に初めに含まれている任意の要素は，最終的に整列が完了した時点においても，その配列のどこかに位置するはずである．したがってその要素のキーは，上で述べた分割に利用することができる．分割は，選んだキー（k とする）より大きいものを配列の後ろの方へ，小さいものを前の方へ，それぞれ移動して行なう．この二つの移動は，要素の交換によって行なうことができる．例によって示そう．配列の初期状態を

$$5 \quad 2 \quad 3 \quad 8 \quad 1 \quad 4 \quad 6 \quad 7$$

とし，先頭のキー 5 を分割用の値として選ぼう．つぎに，先頭から順に 5 より大きいか等しい値が見つかるまで，右へ要素を探索する.

　　　$i := 1 ; k := a[1] ;$
　　　while $a[i] < k$ **do** $i := i+1 ;$　　　　　　(A)

ここでは i は 1 のままとなる．次に，末尾から逆順に，5 より小さいか等しい値が見つかるまで，左へ要素を探索する.

　　　$j := n ;$ "ここでは $n=8$"
　　　while $a[j] > k$ **do** $j := j-1 ;$　　　　　　(B)

この結果 $j=6$ で探索がとまる.

$$5 \quad 2 \quad 3 \quad 8 \quad 1 \quad 4 \quad 6 \quad 7$$
　　i　　　　　　　　　$j\longleftarrow\text{―――}$

ここで $a[i]$ と $a[j]$ とを交換し，i を 1 ふやし，j を 1 減らしてから，ふたたび WHILE 文 (A) と (B) を実行する.

$$4 \quad 2 \quad 3 \quad 8 \quad 1 \quad 5 \quad 6 \quad 7$$
　$\text{―――}\longrightarrow i \quad j\longleftarrow\text{―――}$

また交換を行ない，i と j の値を変える.

$$4 \quad 2 \quad 3 \quad 1 \quad 8 \quad 5 \quad 6 \quad 7$$
　　　　　　　j　　i

これで，配列全体が $k(=5)$ より小さい部分と大きい部分とに分割できた．あとは，分割されたそれぞれの部分に対して，同じ処理を行なえばよい.

```
procedure quicksort(low, high : integer ; var a : ar);
    var i, j, x : integer ;
  begin
    if low < high then
```

```
begin i := low ; j := high ; x := a[i] ;
  while i <= j do
    begin while a[i] < x do i := i+1 ;
          while a[j] > x do j := j−1 ;
      if i <= j then
        begin swap(a[i], a[j]) ;
          i := i+1 ; j := j−1
        end
    end ;
  quicksort (low, j, a) ;
  quicksort (i, high, a)
end
end ;
```

このアルゴリズムは，ふつう**クイックソート**(quick sort)と呼ばれる．このアルゴリズムの計算の手間 $T(N)$ (N は配列の長さ)は，1回ごとに配列が2分されるものとすれば

$$T(N) = CN + 2 \cdot T(N/2) \qquad (C \text{ は定数})$$

となり，併合整列と同じく，$N \cdot \log N$ に比例するものとなる．ところが，分割が片寄る場合，たとえば極端な例として，一つの要素とそれ以外とに分かれる場合には，N^2 に比例する手間がかかってしまう．しかしながらこのようなことはほとんど起こらないので，平均的な意味ではクイックソートはもっとも速いアルゴリズムである．

(f) 文字列照合

探索の処理は，配列の中からただ一つの要素を見つけだすものであった．この処理の拡張として，配列の中から，要素のキーが一定の順序で並んでいるものを見つけ出すことを考えよう．

［例 6.10］ 与えられた文字配列中から文字列 'put' を探す．□

まず問題を整理しよう．文字配列の内容を

      c o m p u t e r

とする．この中には文字列 'put' が含まれており，その先頭(p)位置は左から数えて4番目にある．この '4' を答とすればよいわけである(図 6.16)．ここ

で，与えられた文字列を**テキスト** (text)，探す方の文字列を**パターン** (pattern) と呼ぶ．左から探すとすると，次のような手順が導かれる．

> **var** t : **array**$[1..n]$ **of** *char* ;
> i : *integer* ;
> f : *Boolean* ;
> ……
> $i := 1$; $f := false$;
> **while not** f **do**
>   **if** $(t[i] = \text{'p'})$ **and** $(t[i+1] = \text{'u'})$ **and** $(t[i+2] = \text{'t'})$
>   **then** $f := true$
>   **else** $i := i+1$

この方法では，文字列 'put' を次々と右へずらしながら照合を行なっている．

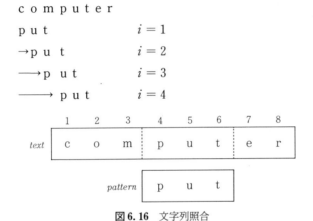

```
c o m p u t e r
p u t              i = 1
→p u t             i = 2
──→p u t           i = 3
──→ p u t          i = 4
```

図 6.16　文字列照合

概略はこれでよいが，このままでは具合が悪い点がいくつかある．まず第1点は能率の問題で，先頭の

$$t[i] = \text{'p'}$$

が成立してもしなくても，第 2, 3 の文字の比較を行なっている．これを改善するには，文字列 'put' も配列に入れて，先頭から順に比較をすればよい．これを配列 p に入れよう．

> **var** t : **array**$[1..n]$ **of** *char* ;
> p : **array**$[1..m]$ **of** *char* ;
> i, j : *integer* ;

```
        f, g : Boolean ;
        ……
        i := 1 ; f := false ;
        while not f do
          begin j := 1 ; g := true ;
            while g and (j <= m) do
              if t[i+j−1] = p[j]
                then j := j+1
                else g := false ;
            if g then f := true
                 else i := i+1
        end
```

　不具合の第2点は，探しているパターンが存在しない場合の処理である．
この場合，i の値はどんどん増加し，配列の右の方へ"走りぬけ"ていってし
まう．この点まで考慮した解の一つを示す．ここで n と m は，それぞれテ
キストとパターンの長さとする．

　［解6.10］

```
        i := 1 ; f := false ;
        while not f and (i+m−1 <= n) do
          begin j := 1 ; f := true ;
            while f and (j <= m) do
              if t[i+j−1] = p[j]
                then j := j+1
                else f := false ;
            if not f then i := i+1
          end ;
```

内側の反復用のフラグ(以前の g)と外側のそれとは共用した．

　このようにパターンの存在を探す処理を，一般に**パターンマッチング**(pat-
tern matching)と呼ぶ．解6.10の方法では，テキストの中にパターンが含
まれていない場合は，最大 $m \times n$ 程度の比較演算が必要である．パターンの
ずらし方に工夫を施すと，これが n, あるいは n/m に比例する程度の演算で
すむようにできる．

6.4 データ構造の表現

プログラミングの対象となる問題では，さまざまな構造を持つデータが使われる．"構造"の定義方法にはいろいろなものがあるが，"構造"を理解するには"構造"のないデータを考えるのがよい．構造のないデータとは，ふつうのコンピュータで機械命令で直接扱えるもので，それ以上分解できないものを言う．Pascal では，整数，実数，文字，論理値，そして数え上げ型の値が，構造のない型である．そして，配列はもちろん構造のあるデータ型である．加えて，配列は実際のコンピュータで効率的に実現できる構造を持つ，数少ないデータ型の一つである．そこで，構造のあるデータを，配列の上に展開して表現することがよく行なわれる．

（a） 列の表現と処理

列(sequence)は，要素となるものが一列に並んだものである．バス停での行列や，貨物列車の列のようなものを表現する場合に使われる．まず，窓口での行列を考えよう．

［例 6.11］ 銀行の窓口にできる行列のシミュレーションを行なう．お客は a 秒ごとに 1 人やってくるが，全員が(標準的には)b 秒かかる用事を持ってくる．窓口の行員は，列の先頭の人に何秒待たされたかを聞き，その答に c を加えた秒数に比例した能率で，そのお客の用事を片づける．行列の変化の様子を出力する．▯

まず最初に，1 人のお客を表わすデータ型を決めよう．今の場合は，並んだときの時刻だけを保持すればよい．

$$\textbf{type } \textit{customer} = \textbf{record } \textit{arrive} : \textit{integer} \textbf{ end} ;$$

あとで拡張することを考えて，レコード型としてある．お客が 1 人到着したときには，列の末尾に追加する手続き

$$\textbf{procedure } \textit{put}(\textbf{var } x : \textit{customer}) ;$$

を呼ぶ．また，1 人用事がすんだときは，列の先頭から取り除く手続き

$$\textbf{procedure } \textit{get}(\textbf{var } x : \textit{customer}) ;$$

を呼ぶ．行列の長さを調べる関数も用意しておく．

function *leng* : *integer* ;

シミュレーションをもっとも簡単に行なうには，時刻を 1 秒ずつ増加させながら，適当なタイミングで状況を変化させればよい．

［解 6.11］

```
var x0, x1 : customer ;
    time, nextc, nextserve : integer ;
    eff : real ;
    ......
    time := 0 ;              時計
    nextc := 0 ;             すぐ客が来る
    nextserve := 0 ;         窓口は暇
    while true do            無限ループ
      begin
        if (nextserve = 0) and (leng > 0) then    次の客の応対
          begin get (x1) ;
            eff := factor * (time − x1. arrive + c) ;
            nextserve := trunc (b/eff)
          end ;
        if nextc = 0 then                          来客
          begin x0. arrive := time ; put (x0) ; nextc := a end ;
        time := time + 1 ;                         時刻の更新
        nextc := nextc − 1 ;
        if nextserve > 0 then nextserve := nextserve − 1 ;
        if time mod 10 = 0 then                    10 秒ごとに表示
          begin write (time : 6) ;
            for i := 1 to leng do write (' * ') ; writeln
          end
      end
```

変数 *nextserve* は次の用件の処理を始められるまでの時間を示す．したがって，窓口が暇な場合は値が 0 となる．そのとき行列が空でなければ先頭のお客を呼び（*get*），その待ち時間（*time* − *x1. arrive*）から所要時間を計算して，ふたたび *nextserve* にセットしておく．*nextc* は次の客が来るまでの時間である．これが 0 になったときには，そのときの時刻をつけて，行列の最後に並ばせる（*put*）．

　さて問題は，*put, get, leng* をどのように作るかである．もっとも簡単な
やり方をまず示そう．行列自体は要素が *customer* 型の配列で表わす．

　　　　var *qbody* : **array**[0.. *n*] **of** *customer* ;

行列の本体は，この配列の先頭から並べる．そして，現在の行列の末尾を示
す変数も用意する．

　　　　　　qtail : *integer* ;

まず準備として行列を空にする．

　　　　procedure *qinit* ;
　　　　　begin *qtail* := -1; **end**

末尾につけ加えるのは簡単である．

　　　　procedure *put* (**var** *x* : *customer*) ;
　　　　begin if *qtail* >= *n* **then** "配列あふれエラー"
　　　　　　　　　　　　　　else begin *qtail* := *qtail* +1;
　　　　　　　　　　　　　　　　　qbody[*qtail*] := *x*
　　　　　　　　　　　　　　　end

　　　　end ;

これに対して，先頭要素を取り除くには，2 番目以降の要素を一つずつ前へ
ずらす必要がある．

　　　　procedure *get* (**var** *x* : *customer*) ;
　　　　　var *i* : *integer* ;
　　　　begin
　　　　　if *qtail* < 0
　　　　　　then "配列空エラー"
　　　　　else begin *x* := *qbody*[0] ;
　　　　　　　　for *i* := 0 **to** *qtail* -1 **do**
　　　　　　　　　qbody[*i*] := *qbody*[*i* +1] ;
　　　　　　　　qtail := *qtail* -1
　　　　　　end

　　　　end ;

長さはすぐにわかる．

　　　　function *leng* : *integer* ;
　　　　　begin *leng* := *qtail* +1 **end** ;

これらの宣言をつけ加え，主部分の先頭で *a, b, c, factor* の値を決めたあと，

```
10
20
30*
40*
50**
60**
70***
80***
90****
100****
110*****
120*****
130******
140******
150*******
160*******
170********
180********
190*********
200*********
210**********
220**********
230***********
240***********
250************
260************
270*************
280*************
290**************
300**************
310***************
320***************
330****************
340*************
350************
360*********
370********
380******
390*****
400*****
410*****
420****
430****
440***
450***
460**
470**
480**
490**
500**
510***
520**
530**
540**
550**
560**
570**
580**
590**
600**
```

図 6.17　待ち行列シミュレーション．解 6.11 の実行結果．ただし $a=20$, $b=5$, $c=2$, $factor=0.005$.

qinit を呼んでおけばよい．実行例を図 6.17 に示す．

　この例で使われた列は，要素が末尾に追加され，先頭から取り出された．一度行列に並んだ人は途中で帰ったりせず，行列の先頭への割込みもないものとしている．このようにすると，先に並んだ人から順に用件が片づけられる．つまり，取り出される（先頭の）要素は，もっとも古く（末尾に）追加されたものとなる．すなわち，最初（*first*）に追加されたものが最初に取り出される．それで，この形式の列のことを，**先入れ先出し記憶**（first-in-first-out memory），略して **FIFO 記憶**，または**待ち行列**（queue）と呼ぶ（図 6.18）.

　待ち行列の機能は，処理されるべきデータを，順序よく一時的にためておく場合に使われる．駅の出札窓口での行列を考えるとよい．実際のプログラミングでもよく使われる方法である．

　ここで示した待ち行列の表現法では，末尾への追加（*put*）は簡単にできるが，先頭からの取出し（*get*）はたいへんである．行列の長さが長くなってくると，それに比例したずらし作業の手間が必要となるからである（図 6.19）．そこで，待ち行列の先頭の要素の位置を，配列の先頭に固定しないようにして，取出しの処理も簡単にすることを考えよう．行列の先頭の位置を示す変数として *qhead* を新設する．すなわち，行列の本体は配列の中の

$$qbody[qhead],\ qbody[qhead+1],\ \cdots,\ qbody[qtail]$$

に位置することにする．

　この表現方法で末尾要素をどんどん追加してい

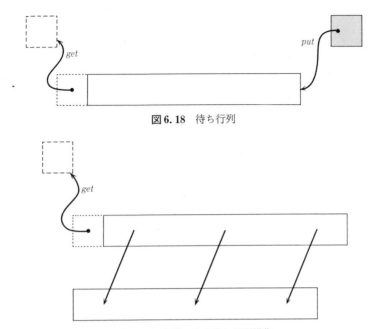

図6.18 待ち行列

図6.19 配列による待ち行列操作

くと, $qtail$ の値が増加していき, そのうちに配列の添字の上限値(ここでは n)になる. そこでもう1回末尾への追加を行ないたい場合, 簡単にエラーとしてしまうのでは能がない. 先頭要素がいくつか取り除かれて, 配列の前の方が再使用できるかもしれないからである. そこで, $qtail$ の値が上限値 n の場合の末尾への追加では, $qtail$ の値を0に戻すことにする. これで, 配列を環のように使用することになる. まったく同じ理由で, $qhead$ の値は次のように変化させる.

if $qhead = n$ **then** $qhead := 0$ **else** $qhead := qhead + 1$

なお, 値を一つふやして n を越したら0に戻す演算は, 剰余演算 **mod** を使って

$$x := (x+1) \bmod (n+1)$$

と書くこともできる.

次に, 空である列について考えよう. いま, $qhead$ の値を決めたとすると, $qtail$ の値のとり得る範囲は, 0から n までの $n+1$ 通りである. それに

対して，列の長さの方は，空列の長さ 0 から，配列全体に詰まった列の長さ $n+1$ まで，$n+2$ 通りの場合がある．したがって，*qhead* と *qtail* だけでは不足で，第 3 の値が必要となる．第 3 の値としてよく使われるのは，列の長さが 1 以上であることを示す論理値や，列の長さそのものを蓄えておく整数値である．

列の長さを蓄えておくやり方を示しておく．また，列を複数個同時に扱う場合もあることを考えて，列を表わすデータ型を定義しておく．

```
const qsize = 100 ;
type qindex = 0 . . qsize ;
     queue = record head, tail : qindex ;
                    leng : integer ;
                    body : array[qindex] of customer
            end ;
procedure init (var q : queue) ;
  begin
    with q do
      begin head := 0 ; tail := qsize ; leng := 0 end
  end ;
function leng (var q : queue) : integer ;
  begin leng := q. leng end ;
procedure put (var q : queue ; var x : customer) ;
  begin
    with q do
      if leng = qsize +1
        then "待ち行列あふれエラー"
        else begin tail := (tail +1) mod (qsize +1) ;
                   body[tail] := x ;
                   leng := leng +1
             end
  end ;
procedure get (var q : queue ; var x : customer) ;
  begin
    with q do
      if leng = 0
```

> **then** "待ち行列空エラー"
> **else begin** $leng := leng-1$;
> 　　　　　　$x := body[head]$;
> 　　　　　　$head := (head+1) \bmod (qsize+1)$
> 　　　**end**
> **end** ;

　この 2 番目の表現では，列に対する追加と取出しの操作が，反復文の実行なしに，すなわち一定量の手間で能率よく行なわれる．待ち行列は空の状態から始まって，長さが増減しながら，配列の中を後の方へ移動していく．配列は環として使われているので，絶対的な位置には重要性はなく，要素の並び順だけが意味を持つことになる(図 6.20)．そこで，このように表現された待ち行列のことを，**リングバッファ**(ring buffer)とも呼ぶ．

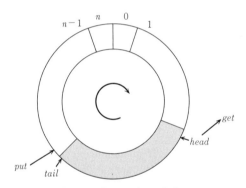

図 6.20　待ち行列の環状表現

　この表現を使うと，先頭への追加(割込み)や末尾からの取除き(あきらめ)という操作も，同様に効率よく実現できる．先頭への追加では，変数 *head* に対して

> **if** $head = 0$ **then** $head := qsize$
> 　　　　**else**　$head := head-1$

または

$$head := (head+qsize) \bmod (qsize+1)$$

という操作を行なう．*tail* に対してもまったく同様である．このように，両端に対する追加・取出しをすべて許した列を，**双端待ち行列**(double ended queue, 略して deque)と呼ぶ.

　列の表現としては, このほかにも, より一般的な構造の表現としてのリスト表現がある. これについては後で述べる.

(b) スタック

　前項では, 列の両端に対する操作とその実現について調べた. ここでは操作の種類を限定して, 一方の端に関するものだけにしてみよう. すなわち, 列のきめられた一端に対して, 要素を追加することと取り除くことだけを許すわけである. このようにすると, 列は空の状態から始まって, 後ろの方へ伸びたり縮んだりする. そして, 取り出される(末尾の)要素は, もっとも最近(末尾に)追加されたものとなる. すなわち, 最後(*last*)に追加されたものが最初(*first*)に取り出される. それで, このような制限が加えられた列のことを, **後入れ先出し記憶**(last-in-first-out memory), 略して **LIFO 記憶**, または**スタック**(stack)と呼ぶ(図 6.21). スタックの機能は, 一時的なデータを一時的に記憶しておくのに適している. 必要の都度データをスタックに入れておき, 不要になったら取り出してしまえばよい.

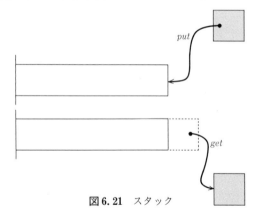

図 6.21　スタック

　なお, スタックでは, 要素の追加を**押込み**(push), 取出しを**跳上げ**(pop), 現在の末尾要素を**スタックの先頭**(stack top)ということが多い. 列を末尾を上にして上下に並べて考え, 末尾を固定して先頭が(下の方で)上下するという感じである(図 6.22).

　スタックでは, つい最近入れたデータはすぐ取り出されてなくなってしま

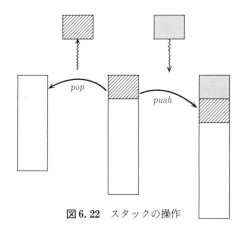

図6.22　スタックの操作

う．この性質から，大きな構造の中に小さな構造が順に入れ込まれているようなデータを処理する場合に，スタックがよく用いられる．この代表例の一つは，Pascal のような構造化されたプログラム言語の解析と実行である．ここではその小さな例（数式）を扱ってみよう．

　［例6.12］　括弧を含んだ四則演算式を逆ポーランド記法に変換する．□

　逆ポーランド記法とは，演算子を被演算数の後ろに書くことによって，括弧の必要性をなくした記法である．たとえば "$a+b$" は "$ab+$"，"$a*b$" は "$ab*$" と書く．もっと複雑な例を示そう．

$$a*b+c \quad\longrightarrow\quad ab*c+ \qquad ab* と c を +$$

$$a+b*c \quad\longrightarrow\quad abc*+ \qquad a と bc* を +$$

$$a*(b+c) \quad\longrightarrow\quad abc+* \qquad a と bc+ を *$$

$$(a+b*c)/(x+y) \longrightarrow abc*+xy+/ \quad (a と bc* を +) と xy+ を /$$

逆ポーランド記法で書かれた数式の計算法は次のとおりである．記号は左から右へ順に見ていくものとする．

　　　次の記号が変数や値なら，それをスタックへ積む（push）

　　　次の記号が演算子なら，スタックの先頭二つの値を取り除き（pop），

　　　演算を施してその結果をふたたびスタックに積む

最後の例でスタックがどう変化するかを見てみよう．

　　　　記号　　　スタック（左端がスタックの先頭）

　　　a　　　　　*empty*

$$b \qquad a$$
$$c \qquad b \qquad a$$
$$* \qquad c \qquad b \qquad a$$
$$+ \qquad b*c \qquad a$$
$$x \qquad a+b*c$$
$$y \qquad x \qquad a+b*c$$
$$+ \qquad y \qquad x \qquad a+b*c$$
$$/ \qquad x+y \qquad a+b*c$$
$$\mathbf{end} \qquad (a+b*c)/(x+y)$$

スタックが一時的な計算にうまく使われている様子がわかるであろう.

さてこの問題に対するアルゴリズムは,おおむね次のように考えて作ればよい.

[1] 変数名は読んだらすぐ出力する.

[2] 変数あるいは括弧で囲まれた部分式の前後の記号を比べて,その時点で,前にある記号を出力できるかどうかを調べる.出力できるのなら出力し,そうでなければスタックへ一時退避する.例で示そう.

　　出力できる例

　　　　$+a+$　$+a-$　$*a+$　$/a-$　$+a)$　$*a)$

　　出力できない例

　　　　$+a*$　$(a+$　$(a*$　(a)

前にある方の記号は,後の記号が読まれた時点まで出力できなかったのだから,当然スタックに積まれている.したがって前後の記号の比較は,スタックの先頭にある記号と,新しい入力記号との間で行なえばよい.スタックの先頭の記号を出力したら,それは取り除いておく.

[3] 前後の記号の比較が開き括弧と閉じ括弧になったら,それらはまとめて取り除く.

これらをもとに,変換の主部分のプログラムを構成しよう.簡単のために,変数名や演算子記号はすべて1文字とする.また,式の終りを示すために,よぶんな閉じ括弧を一つつけ加えることにする.

　　　　$a*(b+c))$

という具合である.それから,以下のような手続きと関数群とが用意されているものとする.

```
procedure out(x : char);              1文字出力する
procedure next(var c : char);         次の1文字を読む
procedure push(x : char);             xをスタックへ入れる
function pop : char;                   スタックから1文字
                                       取り出す
function sempty : Boolean;             スタックが空なら
                                       true を返す
function name(x : char) : Boolean;    x が変数名なら
                                       true を返す
```

［解 6.12a］

```
push('(');
while not sempty do
  begin next(s);
    if s = '('
      then push(s)
      else begin
             if name(s) then begin out(s); next(s) end;
             w := pop;
             while putok(w, s) do
               begin out(w); w := pop end;
             if s < > ')' then begin push(w); push(s) end
           end
  end
```

関数 putok(x, y) は，x と y とを比べて x を出力できるかどうかを判定する．素直にこれをプログラムすると，次のようになる．

```
function putok(x, y : char) : Boolean;
  function a(x : char) : Boolean;
    begin a := (x = '+') or (x = '-') end;    x が加減演算子
  function m(x : char) : Boolean;
    begin m := (x = '*') or (x = '/') end;    x が乗除演算子
begin
  putok := (x < > '(') and
           ((y = ')') or
```

$$a(x) \text{ and } a(y) \text{ or } m(x) \text{ and } m(y)$$
$$\text{or } m(x) \text{ and } a(y))$$

    end ;   ▌

入力文字列

$$a + (b - c * d))$$

について，このプログラムの振舞を調べてみよう．

スタック	入力記号	出力記号	
(	a		
(	+	a	$putok('(', '+') = false$
(+			
	(		すぐに $push$
(+ (			
	b		
(+ (	−	b	$putok('(', '-') = false$
(+ (−			
	c		
(+ (−	*	c	$putok('-', '*') = false$
(+ (− *			
	d		
(+ (− *	)	d	$putok('*', ')') = true$
(+ (−		*	$putok('-', ')') = true$
(+ (		−	$putok('(', ')') = false$
(+			部分式おわり
(+	)		$putok('+', ')') = true$
(	)	+	$putok('(', ')') = false$
$empty$			部分式おわり

結果は $abcd * - +$ となる．

　この解については，以下のような改良が考えられる．

　(1) 関数 $putok$ では，おおまかに言えば，演算子記号の強さが比較されている．たとえば

　　　$* a +$　では　$*$　が出力でき，

　　　$+ a *$　では　$+$　は出力できない

のは，乗法演算子 $*$ の方が加法演算子 $+$ よりも，強く被演算数(この場合は

a)に結びついているからである．すなわち，意味的に考えると

$$*a+\quad は\quad *a]+$$

$$+a*\quad は\quad +[a*$$

と，それぞれ解釈されるのである．そこで，この"強さ"を数値で置き換えることができれば，その強さの間の数値比較をすればよいことになる．この強さのことを，**優先度**(precedence)と呼ぶ．以後，記号 x の優先度を $pr(x)$ で表わすことにする．

まず四則演算子については，次のように決めればよい．

$$pr(+) = pr(-),\quad pr(*) = pr(/),\quad pr(*) > pr(+)$$

こうしておけば，関数 *putok* 中で使われた

$$a(x) \text{ and } a(y) \text{ or } m(x) \text{ and } m(y) \text{ or } m(x) \text{ and } a(y)$$

という長い論理式は

$$pr(x) >= pr(y) \tag{A}$$

という簡単なものに置き換えることができる．

二つの括弧('(',')')まで含めてこの簡単な式で扱えるだろうか．まず *putok* の第1項が

$$(x <> \text{'('}) \text{ and } \cdots$$

であることに着目しよう．これは，$x=$'(' のときはこの式の値が *false* となることを示している．この条件を(A)式が成立しないことによって表わすためには

$$pr(\text{'('}) < pr(他のすべての記号)$$

とすればよい．また，*putok* の次の項が

$$\cdots \text{ and } ((y = \text{')'}) \text{ or } \cdots)$$

であることから，$x \neq$'(' のときは $y=$')' であればよいことがわかる．このためには

$$pr(\text{')'}) < pr(開き括弧以外のすべての記号)$$

であればよい．まとめると

$$pr(\text{'('}) < pr(\text{')'}) < pr(+) = pr(-) < pr(*) = pr(/)$$

となる．この値を計算して返す関数を用意することにしよう．

$$\textbf{function } pr(x: char): integer;$$

(2) スタックの先頭要素の値は，取り出さないでも調べられるようにして

おくと，いろいろ都合がよい．そこで，新たなスタック関数として，次のものを用意する．

function *top*: *char*;

この関数を使っても，スタックの状態は変わらないものとする．

［解 6.12b］

```
push('(');
while not sempty do
  begin next(s);
    if s = '('
      then push(s)
      else begin
              if name(s) then begin out(s); next(s) end;
              while pr(top) >= pr(s) do out(pop);
              if s = ')' then s := pop else push(s)
           end
  end;
```

優先度を使う手法は，複数の条件を一つにまとめて扱うという意味で，番兵と同種のプログラミング技法である．ここで扱っている例においても，変数名にも優先度を与えたりすることによって，外側の WHILE 文中の 3 個の IF 文のうち，最初の 2 個を消去することが可能である．

最後にスタックの実現法の例を示しておく．待ち行列の場合と同様に，スタックを表わすデータ型を定義しておく．

```
const ssize = 100;
type sindex = 0..ssize;
     stack = record tail: sindex;
                    body: array[sindex] of T
             end;
```

T は要素のデータ型である．

```
procedure sinit(var s: stack);    初期化
  begin s.tail := 0 end;
procedure push(var s: stack; var x: T);
  begin
    if s.tail = ssize
```

```
            then "スタックあふれエラー"
            else begin  s. tail := s. tail +1 ;
                         s. body[s. tail] := x
                end
    end ;
function  pop(var  s : stack) : T ;
    begin
      if  s. tail = 0
        then "スタック空エラー"
        else begin  pop := s. body[s. tail] ;
                     s. tail := s. tail -1
                end
    end ;
function  top(var  s : stack) : T ;
    begin
      if  s. tail = 0
        then "スタック空エラー"
        else  top := s. body[s. tail]
    end ;
function  sempty(var  s : stack) : Boolean ;
    begin  sempty := s. tail = 0  end ;
```

(c)　線形リスト

　配列自身の構造は，同種のデータが一列にきちんと並んでいるものである．並べ方が非常に単純なので，その中の任意の要素を直接に指定することができる．これが添字付けという機能であった．これに対して，同じ並び構造でも，列の中の任意のデータは指定できなくてもよく，両端から順に操作できればよかった．この理由で，列は配列を使って効率的に表現することができるのである．

　列に対する新しい操作として，指定された位置への要素の挿入を考えよう．よく出てくる例は，値が大きくなる順に要素が並んでいる列に，新たな値を加える操作である．この操作は，反復挿入による整列で使われた．たとえば，列

(5 12 14 15 19 22 26 30)

に値 17 を挿入すると

(5 12 14 15 17 19 22 26 30)

となる．挿入の操作を許すと，配列にきちんと並べるやり方では，操作の効率が非常に低下する．列の要素のある部分を，一斉に位置換えしなければならないからである．上の例では，部分列 (19 22 26 30) を後ろへずらすか，(5 12 14 15) を前へずらさなければならない．このようになる原因は，列の中における順番を表わすのに，配列の中での順番をそのまま用いているからである．挿入の逆操作である削除についても，同じ問題が存在する．

　挿入・削除を能率よく実行するためには，書き換えるデータの数を少なくしなければならない．いいかえれば，並びの構造が，一部分の挿入や削除によってほとんど変化しない表現方法によって表わされている必要がある．この種の表現方法の代表例は，要素相互の直接の前後関係を利用するものである．たとえば，列

(5 12 14 15 19 22 26 30)

を，次のようなデータの集まりで表現する（図 6.23）．

5 の次は 12，12 の次は 14，14 の次は 15，15 の次は 19，

19 の次は 22，22 の次は 26，26 の次は 30

ここで，15 と 19 の間に 17 を挿入するには，データ

15 の次は 19

を

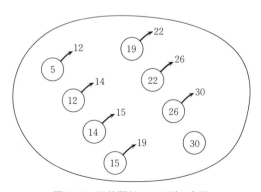

図 6.23　隣接関係による列の表現

　　　　15 の次は 17

に書き換え，さらに

　　　　17 の次は 19

を追加すればよい．この表現方法を実現するには，要素が入る配列を二つ用
意する．これを a と b とするとき，

　　　　p の次は q

というデータは，ある整数値 i について，

　　　　$a[i] = p,$　　$b[i] = q$

で表わされる．上の列の例はたとえば次のようになる．

i	1	2	3	4	5	6	7
$a[i]$	5	12	14	15	19	22	26
$b[i]$	12	14	15	19	22	26	30

そして，15 の後ろに 17 を挿入した結果，$a[4]$ と $b[4]$ が書き換わり，$a[8]$ と
$b[8]$ が追加される．

i	1	2	3	4	5	6	7	8
$a[i]$	5	12	14	15	19	22	26	17*
$b[i]$	12	14	15	17*	22	26	30	19*

変化した値には＊印をつけた．要素 15 の前後にいくら多くの要素が並んで
いても，挿入はこの 2 個所の変更だけですむ．

　この表現方法は，実はあまり効率的なものではない．まず，先頭と末尾以
外の要素を，2 個ずつ書いておく必要がある．それから，ある要素の次の次
の要素を求めるのに，大きな手間がかかる．次の要素は対応する b の中に書
いてあるが，そのまた次を求めるには，その b の要素値と同じ値を a の中か
ら探さなければならないからである．上に示した挿入後の例で，15 の次の
次，17 の次の次を，それぞれ求めることを考えればよい．そこで，

　　　　p の次は q

というデータを，次の要素値 q そのものではなく，値 q の配列 a の中におけ
る位置，すなわち添字値を配列 b に入れることによって表現しよう．つま
り，

　　　　$a[i] = p,$　　$b[i] = j$　ただし　$a[j] = q$

である．このやり方を採用すれば，効率の悪さは両方とも解消する．もとの

列の例を示す.

i	1	2	3	4	5	6	7	8	9
$a[i]$	5	12	14	15	19	22	26	30	
$b[i]$	2	3	4	5	6	7	8	0	

最後の要素 30 の次には何もこないので,対応する b の要素には 0 を入れて
おく.挿入による変化は次のようになる.

i	1	2	3	4	5	6	7	8	9
$a[i]$	5	12	14	15	19	22	26	30	17*
$b[i]$	2	3	4	9*	6	7	8	0	5*

最後に追加されたデータは,

$$a[9] = 17 \quad の次の要素が \quad a[b[9]] = a[5] = 19$$

であることを示している.

　この表現における配列 b の要素の値は,処理すべきデータそのものではな
く,データの(配列中の)位置を表わしている.このように,データの位置を
示す値を,一般に**ポインタ**(pointer)と呼ぶ.図で表わすときには,ポインタ
が置かれているデータから,ポインタが指しているデータへ,矢印を書くこ
とが多い.たとえばここの例では,各 i について $a[i]$ と $b[i]$ をまとめて考
えると,図 6.24 のようになる.

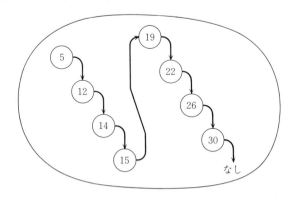

図 6.24　ポインタによる列の表現

　この形態を**線形リスト**(linear list)と呼ぶ.線形リストでは,ポインタで
表わされる並び順だけが意味を持っている.たとえば,要素 17 を挿入した
あとの様子は,配列上の位置の通りに書くと図 6.25(a)のようになるが,実

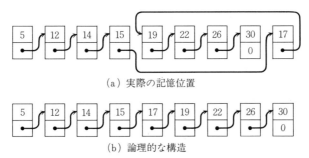

（a）実際の記憶位置

（b）論理的な構造

図6.25　ポインタによる位置独立性の実現

は(b)と同等である．このように，ポインタを使うと，実際の記憶位置とは独立に，自由なつなぎ構造を表現することができる．

　線形リストの例では，各要素に付随するポインタは一つである．これを2個以上にすると，より複雑な構造を構成することができる．ポインタを使ったこの種の構造を，一般に**リスト構造**(list structure)と呼ぶ．線形リストは，もっとも単純なリスト構造の例である．

第6章のまとめ

6.1　配列は添字つきの値や変数の集まりを表わす．その指定は，要素となる値や変数のデータ型と，添字自身のデータ型によって行なう．

6.2　配列の個々の要素に一様な処理を施す場合には，FOR文などの反復文を使用する．

6.3　配列を要素型とする配列は，多次元の配列となる．

6.4　配列に蓄えられたデータの中から特定のものを探し出す処理を，配列による探索と呼ぶ．探索の手がかりとなる値をキーと呼ぶ．この処理では，目的のデータが存在しない場合に対処する必要がある．

6.5　配列による探索を高速化する手法としては，探索が必要な範囲を限定する見出し表や，キーの値から直接求められるようにする逆引き表などのほかに，キー値自身で探索範囲を限定していく2分探索法がある．2分探索法では，配列のデータが整列されていることが前提となる．

6.6　配列の添字値が大きくなるにしたがって要素のキー値が大きく（小さく）なるようにすることを，キーの昇順（降順）に整列（ソート）するという．

6.7　整列のアルゴリズムのうち，逆順是正・最大値選択・反復挿入の各方法では，整列される要素数の2乗に比例する手間がかかる．これに対して併合法では常に，また交換分割法ではほとんどいつでも，要素数とその対数との積に比

例する手間ですむ.

6.8 列のうち,先頭からの要素の取出しと末尾への追加だけを許すものを待ち行列と呼ぶ.待ち行列は,先頭と末尾の位置を管理することによって,配列により能率よく表現できる.

6.9 列のうち,先頭(あるいは末尾)からの取出しと追加だけを許すものをスタックと呼ぶ.スタックも配列でうまく表現でき,入れ子構造のデータを処理するのによく使用される.

6.10 配列の中のデータの位置自体をデータとしたものをポインタと呼ぶ.配列とポインタより,自由なつなぎ構造が表現できる.列を表現したものを線形リストと呼ぶ.

キーワード

配列　添字　配列要素　エラトステネスのふるい　文字列
多次元配列　Gauss 法　探索　番兵　キー　計算の手間
見出し表　逆引き表　整列　昇順　降順　2分探索法　逆順是正法
泡整列　バブルソート　最大値選択法　反復挿入法　併合整列法
交換分割整列法　クイックソート
文字列照合　テキスト　パターン　パターンマッチング　列
先入れ先出し記憶　FIFO 記憶　待ち行列　リングバッファ
双端待ち行列
後入れ先出し記憶　LIFO 記憶　スタック　押込み　跳上げ　優先度
ポインタ　線形リスト　リスト構造

演習問題 6

6.1 生徒の体重データの列を読んで,平均体重と,5 kg きざみの体重分布を示す棒グラフを表示せよ.データ列は "0" で終るものとする.

6.2 2 のべき乗数 $(1, 2, 4, 8, 16, 32, \cdots)$ を小さい方から順に,結果が 10 進 50 桁になるまで表示せよ.50 桁の数の表現として次のデータ型を使うこと.

> **type** $unit = 0 . . 9$;
>
> $num50 = \textbf{array}[1 . . 50]$ **of** $unit$;

6.3 50 の階乗の値を求めよ.6.2 と同様の考え方で解け.なお 50 の階乗 $(1 \times 2 \times 3 \times \cdots \times 50)$ は約 10 進 66 桁の数である.

6.4 自然対数の底 e の値は次の無限級数で求められる.

$$e = 1 + \frac{1}{1!} + \frac{1}{2!} + \frac{1}{3!} + \frac{1}{4!} + \cdots$$

ただし $k!$ は k の階乗である.この e を小数点以下 100 桁求めよ.

6.5 例6.4の暗号化問題に対する解6.4では，進ませる数を1から25まで試してみることによって，簡単に解読されてしまう．これを防ぐために，次のような改良を行なえ．

(1) 進ませる数を，左端を0とする文字の位置に依存させる．

(2) 進ませる数を文字ごとに変える．

6.6 解6.6を本文で示された方針(1)～(3)に沿って改良せよ．次に，改良前と改良後の計算の手間(四則演算の実行回数でよい)を比較せよ．

6.7 逆順是正法による整列のプログラムで，値の交換が1回も起こらないのは，もとのデータがどのように並んでいる場合か．また，交換が常に起こるのはどのような場合か．

6.8 最大値選択法による整列のプログラムを，最大値の位置(添字の値)を求めるように変更し，能率の比較を行なえ．

6.9 6.1と同じ体重のデータ列を読んで，その中央値(整列したとき中央に位置する値)を求めよ．

6.10 ある会社では，セールスマン各人の売上げ成績を月ごとに集計してデータとしている．データ型は次のとおり．

> **type** *month* = (*jan, feb, mar, apr, may, jun, jly, aug, sep, oct, nov, dec*);
>
> *sales* = **record**
>
> > *s* : **array**[*month*] **of** *integer*;
> >
> > *b* : *integer*
> >
> > **end**;
>
> **var** *list* : **array**[1..*n*] **of** *sales*;

変数 *list* が全員の成績の表である．さてこの会社ではボーナスの額を次のように計算する．

　1月から11月までの各月ごとに，成績が1番の人に50万円，2番の人に20万円，3番の人に10万円，4番の人に8万円，残りの人には5万円を，それぞれ支給する．たとえば1月から10月まで1番で11月は4番だった人には，50×10+8=508万円が支給される．

　この計算を行ない，*list*[*i*].*b* (*i*=1, 2, …, *n*)に書き込むプログラムを作れ．簡単のために，各月の中で成績が同じ人はいないものとする．

6.11 文字列照合のアルゴリズム(解6.10)では，添字の走りぬけ防止を値の比較によって行なっている．これを番兵を使って行なうように変更せよ．

6.12 英小文字3文字と整数値二つとを読んで，3文字を月の名前，最初の整数値を日付，次の値を日数と解釈して，その日付の日数だけ後の日付を出力せよ．たとえば入力 'jan 20 30' は"1月20日の30日後"となり，出力は 'feb 19' とする．

　月名は 6.10 の *month* 型の定数名を使うこと．また，うるう年はないものと
してよい．

7

■ ■ ■ ■

ファイル

　第6章において，配列を使った列データの表現と処理につい
て調べた．列に対する基本操作は，その両端要素の追加や削除
である．列の中間に位置する要素に対する処理は，直接にでは
なく，両端に対する基本操作を何回も実行することによって実
現される．

　実際のプログラムでは，非常に長い列や，長さが可変でその
上限が不明であるような列を扱わなければならないことがある．
プログラムに入力する大量のデータや，プログラムが出力する
数値列などがその例である．本章では，このようなデータを扱
う枠組みであるファイルについて調べる．

7.1 ファイルの構成

実際の計算機システムで用いられるファイルには，さまざまな構成のものがある．順ファイルと直接アクセスファイルは，その代表例である．ここでは，まずその概念について調べよう．

(a) 直接アクセスファイル

配列の要素に対しては，それが配列の中のどこに位置していても，直接に，すなわち一定の手間によって読み書きすることができる．たとえば，変数 a が

$$\text{var } a: \text{array}[1..1000] \text{ of } integer ;$$

と宣言されているとき，

$$a[1] := 10, \quad a[500] := 10, \quad a[1000] := 10$$

という3個の代入文は，同じ手間(処理時間と思ってよい)で実行される．$a[1]$ や $a[1000]$ が配列の両端にあるからといって，とくに簡単に読み書きできるということはない．配列のこの性質を持ち，しかも大量のデータを蓄えることができるデータ型が，**直接アクセスファイル**(direct access file)である．

$$\text{var } da: \text{file}[1..300000] \text{ of } integer ;$$

直接アクセスファイルでは，要素を指定するための添字値の上下限を指定する．上例での添字値の上限は 300000 である．下限が1と決まっていて，指定を省略するシステムもある．

直接アクセスファイルが配列と異なる点は，要素の読み書き時間が非常に長いことである．通常は 1000 倍から 100000 倍ほどの時間がかかる．これは，要素の実体が高速な主記憶ではなく，低速な補助記憶に置かれていることに起因している．したがって，

$$\text{for } i := 1 \text{ to } 300000 \text{ do } da[i] := 0$$

といった処理には，途方もない時間がかかるのがふつうである．しかしながら，処理時間の点を除けば，直接アクセスファイルの概念は配列のそれとほぼ同じである．実際，主記憶に余裕がある場合には，ファイルの実体を主記

憶内に置くことがよく行なわれる．そのときには，直接アクセスファイルと配列とは，ほとんど同等に扱ってかまわない．語記号 **file** は，処理が非常に遅い(かもしれない)ことを表わしているだけになる．

(b) 順ファイル

配列の持つ"直接参照性"を持つ直接アクセスファイルを実現するには，システムごとにいろいろな工夫が必要である．それに加えて，通信線やキーボード，あるいは磁気テープに対する入出力の場合のように，頭から順番に読んだり書いたりすることだけが実際に可能な処理形態であることもある．そこで，直接参照性をあきらめ，順番に読み書きすることだけができるデータ型も重要となる．これを**順編成ファイル**，または**順ファイル**(sequential file)という．

$$\textbf{var } sa: \textbf{file of } integer;$$

順ファイルからのデータの読出しは，先頭から順に行なわれる．読出し操作を繰り返すことによって，次々と連続的にデータを読み出すことができる．順ファイルへの書込みは，すでにでき上っているデータ列への追加という形で行なわれる(図7.1)．読出しと書込みの操作は混在できないのがふつうで，読むときは読む専門，書くときは書くだけ，ということになる．

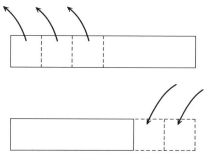

図7.1　順ファイルの操作

直接アクセスファイルに対しても，順ファイルに対するのと同様の操作，すなわち逐次読み書きの機能が用意されていることもある．この場合は，読出しと書込みは混在可能である．

(c) ファイルの初期化とバッファ変数

これまでに見たように，ファイルとしての特性がより強いのは順ファイルである．Pascal においても，順ファイルのみが提供されている．

ファイル型は，同一のデータ型の値が並んだものとして定義される．

> **type** *intseq* = **file of** *integer* ;
> *int*10*seq* = **file of array**[1..10] **of** *integer* ;
> *xyseq* = **file of record** *x, y* : *real* **end** ;

これらの型の個々の値がファイルとなるが，他のデータ型とは異なり，値全体を丸ごと扱うことはできない．たとえば，ファイル変数が

> **var** *is*1, *is*2 : *intseq* ;

と宣言されていたとしても，代入文

> *is*2 := *is*1

は指定できない．同じ理由で，手続きや関数でファイルを引数とする場合には，値引数ではなく変数引数としなければならない．

頭から順番に読み書きするためには，まず最初に，先頭の要素に着目する必要がある．Pascal では，次の標準手続きによってこれを行なう．

reset (*f*)　　　変数 *f* のファイルの読取りの初期化

rewrite (*f*)　　変数 *f* のファイルの書出しの初期化

これらの手続きを呼ぶと，変数 *f* のファイルが読出し状態あるいは書込み状態となる．また，読むべき要素がまだあるかないかを示すために，関数 *eof* (End-of-File)が用意されている．この関数値は，初期化によって次のようになる(図7.2)．

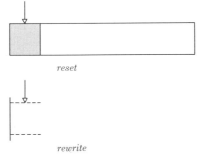

reset

rewrite

図7.2 入出力の準備

reset (*f*) の直後. 変数 *f* のファイルがもともと空であれば

$$eof(f) = true, \text{そうでなければ } false.$$

rewrite (*f*) の直後. 常に *eof* (*f*) = *true*.

要素の読み書きは,ファイルの実体に対して直接行なう方式もあるが,Pascal では**バッファ変数**(buffer variable)というものを通じて行なう. バッファ変数は,ファイル変数 *f* に対応して一つずつ用意され,*f*↑で示される(図7.3). データ型は,*f* の要素の型である. たとえば

> **var** *is*3 : *intseq* ;
> *card* : *int*10*seq* ;
> *plist* : *xyseq* ;

という宣言のもとでは,

> *is*3↑   が *integer* 型
> *card*↑   が **array**[1..10] **of** *integer* 型
> *plist*↑   が **record** *x*, *y* : *real* **end** 型

の,それぞれバッファ変数となる. これらはふつうの変数と同じように扱える. たとえば

> *is*3↑ := 10 ; *write* (*is*3↑ : 7) ;
> *card*↑[3] := *card*↑[7] + *is*3↑ ;
> **with** *plist*↑ **do**
>   **begin** *x* := 3.14 ; *y* := *x* * *x* **end**

といった処理が可能である.

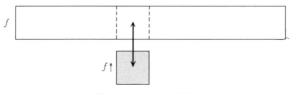

図7.3 バッファ変数

(d) ファイルの読み書き

ファイル操作を簡単な例によって示そう. 前項で,ファイル変数の代入文

> *is*2 := *is*1

ができないことを見た．この代入文自体は，ファイル(列)の複写を意図した
ものである．これを実際に行なうやり方を示そう．念のため，型の定義から
示しておく．

> **type** *intseq* = **file of** *integer* ;
> **var** *is*1, *is*2 : *intseq* ;

まず初期化を行なう．

> *reset*(*is*1) ; *rewrite*(*is*2) ;

*is*2 に対する *rewrite* によって，もともと *is*2 が持っていたファイルの内容
は失われる．すなわち，ファイル *is*2 は新規巻き直しとなる．

　実際の複写操作は，要素ごとの書移しとなる．この操作は，読出し側のフ
ァイル *is*1 の要素が尽きるまで行なう．

> **while not** *eof*(*is*1) **do**

手続き *reset* は，ファイルがもともと空でなければ，最初の要素の内容を読
み出してバッファ変数に書き込む．したがって，書移し操作の核心は代入文
となる．

> **begin** *is*2↑ := *is*1↑ ;

次に，実際の書込み操作

> *put*(*is*2) ;

と次の要素の読出し操作

> *get*(*is*1) **end** ;

とを行なう．まとめて示そう．

> *reset*(*is*1) ; *rewrite*(*is*2) ;
> **while not** *eof*(*is*1) **do**
> 　**begin** *is*2↑ := *is*1↑ ;
> 　　　　*put*(*is*2) ; *get*(*is*1)
> 　**end**

　この例では，ファイルからの読出しと(別のファイルへの)書込みを両方扱
った．読出しだけの場合には，一般的な形式は次のようになる．

> *reset*(*is*1) ;
> **while not** *eof*(*is*1) **do**
> 　**begin** *v* := *is*1↑ ; *get*(*is*1) ;
> 　　　"*v* の値を使う処理"

　　　　　end

ただし *v* は *is*1↑ と同じ型の変数である．この形式はもっともよく現われるので，プログラマにバッファ変数を意識させない手続き *read* が用意されている．すなわち

　　　read(*is*1, *v*)　は　**begin** *v* := *is*1↑; *get*(*is*1) **end**　と同じ

同様な手続きが，書出し側にもある．

　　　write(*is*2, *v*)　は　**begin** *is*2↑ := *v*; *put*(*is*2) **end**　と同じ

また，複数の値を一度に読み書きするために，次のような書き方も許されている．

　　　read(*is*1, *v*1, *v*2, ⋯, *vN*)

これは

　　　begin *v*1 := *is*1↑; *get*(*is*1); *v*2 := *is*1↑; *get*(*is*1);
　　　　　　⋯ *vN* := *is*1↑; *get*(*is*1)

　　　end

と同じである．また

　　　write(*is*2, *v*1, *v*2, ⋯, *vN*)

についても同様である．

(e) 外部ファイルと内部ファイル

　ふつうのコンピュータシステムでは，ファイルという形でデータやプログラムが蓄えられている．そのようなファイルにプログラムから読み書きするには，特別な指定が必要となる．これらのファイルを，プログラムの外に存在するという意味で，**外部ファイル**(external file)と呼ぶ．

　外部ファイルの指定は，プログラム全体の頭部である**プログラム頭部**で行なう．具体的には，プログラム名に続けて，ファイル変数名を指定する．ファイル変数の宣言は，これとは別に必要である．例で示そう．

　　　program *fileprocess*(*input*, *output*, *is*1, *is*2);
　　　type *intseq* = **file of** *integer*;
　　　var *is*1, *is*2, *is*3: *intseq*;
　　　⋯⋯

変数 *is*1, *is*2, *is*3 のファイルは，みな同じ型(整数列)であるが，*is*1 と *is*2 は

プログラム頭部に指定されているので，このプログラムの外で用意される外部ファイルとなる．これに対して *is*3 はこのプログラム専用で，内部だけで使用される**内部ファイル**(internal file)である(図7.4)．

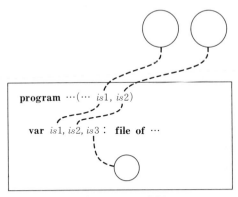

図7.4 外部ファイルと内部ファイル

　プログラム頭部でこれまでにも指定してきた二つの名前 *input* と *output* は，実は標準的に用意されている入出力用のファイル名である．*input* が**標準入力**，*output* が**標準出力**である．対話型の環境では，この二つはいずれも端末に割り当てられることが多い．また，この二つの標準ファイルについては，*reset*，*rewrite* が許されないほかに，"行"の概念が組み込まれており，一般のファイルとは区別して扱う必要がある．これらについては，7.4節で述べる．

7.2　ファイルの整列

　順ファイルの最大の特徴は，端からしか読めないことである．そこで，読まれる順番に一定の性質を保つようにしておくと，種々の処理の能率を上げることができる．もっともよく利用される"性質"は，要素値が順に大きくなる(または小さくなる)という整列条件である．ここでは，ファイル処理に関して基本的に重要な，ファイルの整列について調べる．

(a) 併合法の原理
　第6章において，反復併合による配列の整列のアルゴリズムを調べた．併

合法では，すでに整列されている二つの部分配列が"頭から順に"調べられ，結果も別の配列の"頭から順に"書き込まれる．したがってこの方法は，順ファイルにそのまま適用可能である．ただし配列の場合とは異なり，ファイルの一部分だけを使うことはできないので，少し工夫が必要となる．まず，6.3節(d)で構成した手続き *mergesort* の動きを，例を使って調べてみよう．

この手続きでは，配列 a の範囲 *low* から *high* までを入力とし，結果を配列 b の同じ範囲のところへ書き込んでいる．また，必要があれば，局所配列 c を用いている．全体が再帰的に起動されるので，起動される順に

$$ms1, ms2, \cdots, msk, \cdots \qquad (ms \text{ は } mergesort \text{ の略})$$

と表わし，対応する変数にも同じ数をつけるものとする．たとえば，$ms3$ の入力配列は $a3$，出力配列は $b3$，局所配列は $c3$ と表わす．また，*low* と *high* で指定される範囲を，[と] で囲んで示すことにする．

$a1$	[5 2 8 1 6 3 4 7]		
$a2$	[5 2 8 1]		
$a3$	[5 2]		
$a4$	[5]		
$b4 = c3$	[5]		
$a5$	[2]		
$b5 = c3$	[2]		
$b3 = c2$	[2 5]	二つの $c3$ を併合	
$a6$	[8 1]		
$a7$	[8]		
$b7 = c6$	[8]		
$a8$	[1]		
$b8 = c6$	[1]		
$b6 = c2$	[1 8]	二つの $c6$ を併合	
$b2 = c1$	[1 2 5 8]	二つの $c2$ を併合	
$a9$	[6 3 4 7]		
$a10$	[6 3]		
$b11 = c10$	[6]	（途中略）	
$b12 = c10$	[3]		
$b10 = c9$	[3 6]	二つの $c10$ を併合	
$a13$	[4 7]		

$$b14 = c13 \qquad\qquad [4]$$
$$b15 = c13 \qquad\qquad [7]$$
$$b13 = c9 \qquad\qquad [4\ 7] \qquad 二つの\ c13\ を併合$$
$$b9 = c1 \qquad [3\ 4\ 6\ 7] \qquad 二つの\ c9\ を併合$$
$$b1 \qquad [1\ 2\ 3\ 4\ 5\ 6\ 7\ 8] \qquad 二つの\ c1\ を併合$$

この様子を図7.5に示す．この図から，この方法は次のような操作の集まりであることがわかる．

[1] 入力列を分解して長さ1の列の集まりとする．

[2] 長さ1の列二つを併合して，長さ2の列を作る．

[3] 長さ2の列二つを併合して，長さ4の列を作る．

[4] 長さ4の列二つを併合して，長さ8の列を作る．

実際には，これらの操作の各部分が必要の都度行なわれるので，実行の順

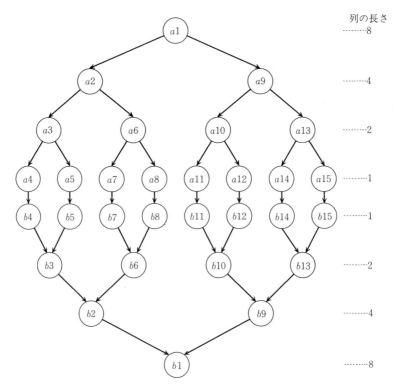

図7.5 併合プログラムの動作

序は入り組んでいる．この[1]から[4]までの操作を，ファイルによって実現
してみよう．

　もとのファイルを F，長さ n のファイルを Fn と書くことにする．

[1′]　$F \longrightarrow F1_0, F1_1, F1_2, F1_3, F1_4, F1_5, F1_6, F1_7$

[2′]　$(F1_0, F1_1) \longrightarrow F2_0$　　併合

　　　$(F1_2, F1_3) \longrightarrow F2_1$

　　　$(F1_4, F1_5) \longrightarrow F2_2$

　　　$(F1_6, F1_7) \longrightarrow F2_3$

[3′]　$(F2_0, F2_1) \longrightarrow F4_0$

　　　$(F2_2, F2_3) \longrightarrow F4_1$

[4′]　$(F4_0, F4_1) \longrightarrow F8_0$　　最終結果

　原理的には，これでファイルの整列が実行できる．しかしながら，ここで
使ったファイルを全部別々に用意するとなると，もとのファイルの要素数の
約 2 倍だけ必要となり，とても実用には使えない．そこで，必要なファイル
の数を減らすことを考えよう．

　まず，上に示した段階で[2′]を見てみよう．併合の操作は順に行なわれる
ので，たとえば $F1_0$ と $F1_1$ を併合している間は，他の長さ 1 のファイル $F1_2$
〜$F1_7$ は操作されない．この併合が終ると，次は $F1_2$ と $F1_3$ が操作される．
他も同様である．このように，操作が順々にしか行なわれないのであれば，
たとえば

　　　$F1_0, F1_2, F1_4, F1_6$

は列として構成できる．いいかえれば，一つのファイルに順番に書いておけ
ばよいことになる．他の列

　　　$F1_1, F1_3, F1_5, F1_7$

についても同様である．

　まったく同様にして，長さ 2 のファイルについても，

　　　$F2_0, F2_2$

と

　　　$F2_1, F2_3$

とはまとめることができる．すなわち，それぞれの長さ $(1, 2, 4)$ について，フ
ァイルは二つずつ用意すればよい（図 7.6）．これを FnA と FnB と書くと，

新しい手順は次のようになる.

　[1″]　$F \longrightarrow F1A$ と $F1B$ に交互に一つずつ書き移す.

　[2″]　$(F1A, F1B) \longrightarrow F2A$（先頭の一つずつを併合）

　　　　$(F1A, F1B) \longrightarrow F2B$（先頭の一つずつを併合）

　　　　$(F1A, F1B) \longrightarrow F2A$（先頭の一つずつを併合）

　　　　$(F1A, F1B) \longrightarrow F2B$（先頭の一つずつを併合）

　　注：同じファイルへの2回目以降の書出しは，末尾への追加とする.

　[3″]　$(F2A, F2B) \longrightarrow F4A$（先頭の二つずつを併合）

　　　　$(F2A, F2B) \longrightarrow F4B$（先頭の二つずつを併合）

　[4″]　$(F4A, F4B) \longrightarrow F8$

これで，もとのファイルの要素数を N とするとき,

$$2 \cdot \log_2 N$$

だけのファイルですむことになった.

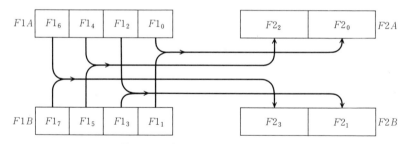

図7.6　併合におけるファイルの共用

　作業用のファイルの数は，もっと減らすことができる．上記[2″]の操作が終ると，ファイル $F1A$ と $F1B$ はもう使われない．そこで，これらを $F4A$, $F4B$ として再利用することができる．$F2A$, $F2B$ も同様な再利用が可能である．以上をまとめると，必要なファイルは

　　　長さ $1, 4, 16, 64, 256, \cdots$ の"サブファイル"用に二つ

　　　長さ $2, 8, 32, 128, \cdots$ の"サブファイル"用に二つ

の合計四つとなる．この方法を，**4ファイル併合**，あるいは**4テープ併合**（4 tape merge）と呼ぶ.

(b) 単純な併合のプログラム

実際の併合処理では，入力ファイルの要素数が 2 のべき乗であるとは限らない．そうすると，併合の各段階で中途半端な部分が残ってしまい，その処理が必要となる．ここではまず，要素数が 2 のべき乗である場合から考えよう．入力，出力および作業用のファイルを次のように宣言しておく．

```
type tape = file of integer ;
     side = 0..1 ;
var fin, fout : tape ;
    fa, fb : array[side] of tape ;
    leng,              "入力ファイルの長さの半分"
    size : integer ;   "各段階の区分併合の長さ"
    from : side ;      "読出し側のファイルを指定(0 または 1)"
```

まず，最初は一つずつ要素を振り分ける手続きである．

```
function distribute (var f, g0, g1 : tape) : integer ;
    var n : integer ;
  begin n := 0 ;
    reset (f) ; rewrite (g0) ; rewrite (g1) ;
    while not eof (f) do
      begin copy (f, g0) ; copy (f, g1) ; n := n+1 end ;
    distribute := n
  end ;
```

ただし手続き copy は，要素を一つだけ書き移す手続きである．

```
procedure copy (var f, g : tape) ;
  begin g↑ := f↑ ; put (g) ; get (f) end ;
```

次に，併合処理の中核である区分併合の手続きに移ろう．入力ファイルは fa[from] と fb[from] とし，出力ファイルは g とする．部分ファイルの長さも引数として与えておく．

```
procedure unitmerge (from : side ; var g : tape ;
                     size : integer) ;
    var sa, sb : integer ;
    procedure p (var f : tape ; var s : integer) ;
      begin copy (f, g) ; s := s+1 end ;
  begin
```

```
            sa := 0 ; sb := 0 ;
            while (sa < size) and (sb < size) do
              if fa[from]↑ < fb[from]↑
                then  p(fa[from], sa)
                else  p(fb[from], sb) ;
              while sa < size do p(fa[from], sa) ;
              while sb < size do p(fb[from], sb)
            end ;
```

変数 sa と sb とは，部分ファイルを扱うために使われている．一組のファイルを区分的に併合して他の一組のファイルへ書き出す手続きは次のとおり．

```
            procedure singlemerge(from : side ; size : integer) ;
              begin reset(fa[from]) ; reset(fb[from]) ;
              rewrite(fa[1−from]) ; rewrite(fb[1−from]) ;
              while not eof(fa[from]) do
                begin unitmerge(from, fa[1−from], size) ;
                      unitmerge(from, fb[1−from], size)
                end
              end ;
```

これで各部分品がそろったので，主プログラムが構成できる．念のため，全体の形式を示しておく．

```
            program merge(fin, fout) ;
            type tape = file of integer ;    要素は任意
                 side = 0..1 ;
            var fin, fout : tape ;
                fa, fb : array[side] of tape ;
                leng, size : integer ;
                from : side ;
            procedure copy(···) ; ···
            procedure unitmerge(···) ; ···
            procedure singlemerge(···) ; ···
            function distribute(···) : integer ; ···
            begin
              leng := distribute(fin, fa[0], fb[0]) ;    1 要素ずつの振り分け
              size := 1 ; from := 0 ;
```

```
        while size < leng do
          begin singlemerge(from, size);        区分併合
            size := size * 2; from := 1 - from
          end;
        reset(fa[from]); reset(fb[from]);        最終併合
        rewrite(fout);
        unitmerge(from, fout, leng)
      end.
```

(c) 一般の併合法

前項で示した "2 べき" の併合処理を基本として，これを一般化することを考えよう．まず扱うべき項目は，入力ファイルの長さが 2 のべき乗でない場合である．

手続き unitmerge では，区分的な併合を行なう場合，部分ファイルの終りを知るために変数 (sa, sb) を用いた．この変数は 0 に初期化され，あらかじめ決められている部分ファイルの長さ size と比較された．たとえば，ふつうは

while not eof(fa) **do** …

と書くところを

while sa < size **do begin** sa := sa+1; … **end**

としたわけである．この場合，size の値が 2 のべき乗であるという条件は，とくに用いてはいない．要するに，部分ファイルの末尾がわかればよいのである．これには，次のような方法が考えられる．

(1) 部分ファイルを固定長にする．これが前項の方法である．
(2) 部分ファイルの先頭にその長さを書いておく．このためには，その部分ファイルを書き出す前に，その長さを知らなければならない．したがって，(1)の固定長の方法と似たようなことになる．
(3) 部分ファイルの末尾に，どの要素値よりも大きな値の要素を書いておく．この値を endmark で表わすと，

while fa↑ < endmark **do** …

という具合にして処理を行なうことができる．これは番兵の一種である．

(4) 部分ファイルは整列されているので，ある要素値が直前のものより小
さければ，それは次の部分ファイルの先頭であることがわかる．

最後(4)の方法は，(3)のように特別な値を扱わないので，より一般的な方法
であるといえる．ここでは，この方法の概略を示そう．

あるファイルの中で，要素の値が増加している部分で極大長のものを，**連**
(run)と呼ぶ．たとえば，以下の数列の中には，)で区切りを示された5個の
連がある．

$$3 \ 7) \ 2 \ 5 \ 6 \ 9) \ 8) \ 1 \ 3 \ 4) \ 2 \ 8)$$

併合法では，整列している二つの列を順に合わせていくので，もともと整列
している部分(連)はそのまま利用できる．単純なやり方のように，機械的に
一つずつに分解してしまうと，この連の性質を捨ててしまうことになる．こ
の，連を利用するやり方を，**自然併合**(natural merge)と呼ぶ．

連を単位として扱うには，次のような部品手続きを使うとよい．

```
function morerun(var f : tape; var last : integer) :
                                               Boolean ;
    begin if not eof(f) then last := f↑;
          morerun := not eof(f)
    end ;
```

これは，あるファイル f にまだ連が残っているかどうかを調べる関数であ
る．残っていれば，結果として *true* を返すと同時に，変数引数 *last* にその
連の先頭要素を代入する．

```
function more(var f : tape; last : integer) : Boolean ;
    begin if eof(f) then more := false else
          if f↑ < last then more := false else
          more := true
    end ;
```

これはある連がまだ続いているかどうかを調べる関数である．一つ前の要素
値を引数(*last*)として与えておき，値が小さくなったら連の終りを通知する．

```
function copyelem(var f, g : tape) : integer ;
    begin copyelem := f↑;
          g↑ := f↑; put(g); get(f)
    end ;
```

これは，前項の *copy* とほぼ同じだが，書き出した値を結果として返す．この値は，次回の *more* の検査に使用される．

　以上の関数を使って，*distribute, unitmerge, singlemerge* を書き直してみよう．

```
function distribute(var f, g0, g1 : tape) : integer ;
    var n : integer ;
    procedure copyrun(var f, g : tape) ;
        var last : integer ;
        begin if morerun(f, last) then
                while more(f, last) do last := copyelem(f, g)
        end ;
    begin n := 0 ;
      reset(f) ; rewrite(g0) ; rewrite(g1) ;
      while not eof(f) do
        begin copyrun(f, g0) ; copyrun(f, g1) ;
          n := n+1
        end ;
      distribute := n
    end ;
```

この手続きの本体は，*copy* が *copyrun* に変ったほかは，以前とまったく同じである．

```
procedure unitmerge(from : side ; var g : tape) ;
    var lasta, lastb : integer ;
  begin
    if morerun(fa[from], lasta) or morerun(fb[from], lastb)
    then
      begin
        while more(fa[from], lasta) and more(fb[from], lastb)
        do
          if fa[from]↑ < fb[from]↑
            then lasta := copyelem(fa[from], g)
            else lastb := copyelem(fb[from], g) ;
        while more(fa[from], lasta) do
          lasta := copyelem(fa[from], g) ;
```

```
            while more (fb[from], lastb) do
                lastb := copyelem (fb[from], g)
            end
        end ;
    function singlemerge (k : side) : integer ;
        var n : integer ;
        begin n := 0 ; reset (fa[k]) ; reset (fb[k]) ;
            rewrite (fa[1−k]) ; rewrite (fb[1−k]) ;
        while not eof (fa[k]) or not eof (fb[k]) do
            begin unitmerge (k, fa[1−k]) ;
                unitmerge (k, fb[1−k]) ;
                n := n+1
            end ;
        singlemerge := n
        end ;
```

主プログラムは以下のとおり.

```
        begin leng := distribute (fin, fa[0], fb[0]) ;
            from := 0 ;
            while leng > 1 do
                begin leng := singlemerge (from) ;
                    from := 1−from
                end ;
            reset (fa[from]) ; reset (fb[from]) ; rewrite (fout) ;
            unitmerge (from, fout)
        end.
```

以下に処理の例を示す.

fin	3	14)	2	12)	9)	4	7	16)			
	5)	1	13)	8)	6	11)	10	15)		連の数=9
fa[0]	3	14)	9)	5,	8,	10	15)				3
fb[0]	2	12)	4	7	16)	1	13)	6	11)		4
fa[1]	2	3	12	14)	1	5	8	10	13	15)	2
fb[1]	4	7	9	16)	6	11)					2
fa[0]	2	3	4	7	9	12	14	16)			1
fb[1]	1	5	6	8	10	11	13	15)			1

fout	1	2	3	4	5	6	7	8		
	9	10	11	12	13	14	15	16)		1

上の例では，最初に *fin* 中の連を *fa*[0] と *fb*[0] に振り分けた段階で，もとの連が自然に連結されている（コンマで示した）．自然併合の方法では，このような"得をする"現象がときどき起こる．その反面，上の例でもわかるように，併合すべき2本のファイルの長さがアンバランスになりがちである．これがあまりひどくなると能率が低下するので，併合の出力を交互にではなく，なるべく長さがそろうように調節する方法もある．

実用的な併合の処理では，3個以上のファイルを同時に併合したり，作業ファイルを完全に分離しないで，（たとえば3個の）ファイルのそれぞれに順に併合結果を出力してゆくような，複雑なアルゴリズムが用いられる．

7.3 ファイル処理

ファイルの処理は，大量のデータを扱う場合に必ず必要になる．そしてその場合，各ファイルが整列されていることは必須の条件といってもよい．ここでは，いくつかのファイル処理の方法を調べる．

(a) 集計処理

ファイルの要素の値を全体として，あるいは部分ごとに集計する処理は，実際の場面でもよく使用される．この集計の処理について，いくつかの例を示そう．

［例7.1］ ある中学校における生徒の成績が，ファイルで与えられている．これを読んで，総人数と平均点とを出力する．ただしファイルの型は以下のとおりとする．

```
type markdata = record
        year : 1..3 ;      {1nen..3nen}
        class : char ;     {'A'..'D'}
        stno : integer ;   {student no.}
        mark : real        {average mark}
    end ;
```

$$tape = \textbf{file of } markdata;$$

　成績ファイルのような場合には，点数だけではなく，各生徒の所属などを表わすデータもひとまとまりのレコードとして記憶される．また，ファイルは整列されているものとしてよいが，この例題に限れば，整列は仮定しなくてもよい．

　［解 7.1］

```
        var f : tape ;
            count : integer ;
            sum : real ;
    begin
      reset (f) ; count := 0 ; sum := 0.0 ;
      while not eof (f) do
        begin count := count +1 ;
          sum := sum + f↑ . mark ;
          get (f)
        end ;
      writeln(count, 'students,  av =', sum/count)
    end.
```

　次に整列が必要な場合を考えよう．

　［例 7.2］　成績ファイルが学年値の昇順に整列されている．これを読んで，学年ごと，および全体の，人数と平均点とを出力する．□

　ファイルの要素が構造型であるとき，整列に利用する要素を整列の**キー**(key)と呼ぶ．この例題におけるキーは *year* である．ファイル全体の構造は次のようになる．

　　　　　ファイル全体 ＝ "学年" の連なり

　　　　　"学年"　　　 ＝ "生徒" の連なり

求められている集計は，これらの連なりの一つ一つについて行なう．したがってこの処理には，併合整列処理の項で用いた連の考え方が利用できる．自然併合における連の末尾は，"その次" の値が減少することで検出した．ここでの連の末尾は，"その次" の学年値がそれまでとは異なることで検出すればよい．たとえば学年の値の列を

　　　　　1 1 1 1 2 2 3 3 3 3 EOF

とすると，"1" の連の終了は最初の 2 を読んだ時点である．"2" の連も同じ
である．"3" の連の終りは EOF で判定する．

　［解 7.2］

```
     var f : tape ;
         last : markdata ;  {last elem. current is in f↑}
         count, ycount : integer ;
         sum, ysum : real ;
     function morestudent : Boolean ;
       begin if eof (f)  then  morestudent := false
                         else   morestudent := f↑ . year = last . year
       end ;
     begin
       reset (f) ;  count := 0 ;  sum := 0.0 ;         全体集計の初期化
       while not eof (f) do
         begin ycount := 0 ;  ysum := 0.0 ;  last := f↑ ;
                                        学年別集計の初期化
           while morestudent do
             begin ycount := ycount +1 ;           学年別累計
                   ysum := ysum + f↑ . mark ;
                   get (f)
             end ;
           writeln('year =', last . year, ' ',
                   ycount, 'students,  av =', ysum / ycount)
           count := count + ycount ;              全体の累計
           sum := sum + ysum
         end ;
       writeln('total', count, 'students,  av =', sum / count)
     end.
```

　さて最後に，複合的な整列の例を考えよう．ここでの例では，同じ学年の
中でも，クラス値の大小がある．同学年同クラスでも，出席番号で順序がつ
けられる．すなわち，ファイル全体をある一つのキーで昇順（または降順）に
整列しただけでは決まらない個々の要素の順序を，第 2，第 3 のキーを使っ
てさらに整列することが考えられる．この複数回の整列は，複数のキーをま
とめて考える次のような大小関係を使うことによって，ただ 1 回の整列処理

で行なうことができる. 比較すべきキーの値を $(a1, b1, c1)$ と $(a2, b2, c2)$ とするとき

$a1 > a2$ または

$a1 = a2$　かつ　$b1 > b2$　　または

$a1 = a2$　かつ　$b1 = b2$　かつ　$c1 > c2$

であれば

$(a1, b1, c1) > (a2, b2, c2)$

とする.

$(a1, b1, c1) < (a2, b2, c2)$

も同様.

$a1 = a2$　かつ　$b1 = b2$　かつ　$c1 = c2$

であれば

$(a1, b1, c1) = (a2, b2, c2)$

とする. この決め方は, 通常の 10 進数の比較を上の桁から行なっていくのに対応している. たとえば

$742 > 596$　　(7>5)

$742 > 738$　　(7=7 かつ 4>3)

$742 > 741$　　(7=7 かつ 4=4 かつ 2>1)

となる. このように決められる順序のことを, **辞書式順序**(lexicographic order)と呼ぶ.

　[例 7.3]　成績ファイルが学年, クラス, 出席番号の辞書式順序で昇順に整列されている. これを読んで, 学年ごと, クラスごと, および全体の, 人数と平均点とを出力する.□

　このプログラムは, 解 7.2 をさらに階層化したものになる.

　[解 7.3]

```
var f : tape ;
    last : markdata ; {last elem. current is in f↑}
    count, ycount, ccount : integer ;
    sum, ysum, csum : real ;
function moreclass : Boolean ;
  begin if eof (f) then moreclass := false
```

```
              else   moreclass := f ↑ .year = last .year
     end ;
function morestudent : Boolean ;
   begin if eof (f ) then morestudent := false
             else morestudent := (f ↑ .year = last .year ) and
                                   (f ↑ .class = last .class )
   end ;
procedure show (c : integer ; s : real ) ;
   begin
     writeln (' ', c, 'students,  ave =', s /c )
   end ;
begin
   reset (f ) ; count := 0 ; sum := 0.0 ;            全体集計の初期化
   while not eof (f ) do
     begin ycount := 0 ; ysum := 0.0 ; last := f ↑ ;
                                           学年別集計の初期化
        while moreclass do
          begin ccount := 0 ; csum := 0.0 ; last := f ↑ ;
                                             クラス別集計の初期化
             while morestudent do
               begin ccount := ccount +1 ;      クラス別累計
                     csum := csum +f ↑ .mark ;
                     last := f ↑ ; get (f )
               end ;
             write ('y =', last .year , 'c =', last .class ) ;
             show (ccount, csum ) ;
             ycount := ycount + ccount ;           学年別累計
             ysum := ysum + csum
          end ;
        write (' total ') ; show (ycount, ysum ) ; writeln ;
        count := count + ycount ;                 全体の累計
        sum := sum + ysum ;
     end ;
   write (' TOTAL ') ; show (count, sum )
end.
```

```
no. y c st  mark        y=1 c=A  4 students, ave=  52.50
 1: 1 A  1  80.00       y=1 c=B  1 students, ave=  59.00
 2: 1 A  4   8.00       y=1 c=C  3 students, ave=  35.67
 3: 1 A 10  52.00       y=1 c=D  2 students, ave=  46.50
 4: 1 A 22  70.00        total  10 students, ave=  46.90
 5: 1 B  8  59.00
 6: 1 C  3   4.00       y=2 c=A  2 students, ave=  73.00
 7: 1 C 15  32.00       y=2 c=C  4 students, ave=  53.00
 8: 1 C 23  71.00       y=2 c=D  1 students, ave=  45.00
 9: 1 D  6  64.00        total   7 students, ave=  57.57
10: 1 D  9  29.00
11: 2 A 11  56.00       y=3 c=B  4 students, ave=  64.75
12: 2 A 12  90.00       y=3 c=C  2 students, ave=  42.00
13: 2 C  2  58.00       y=3 c=D  3 students, ave=  67.67
14: 2 C  5 100.00        total   9 students, ave=  60.67
15: 2 C 20   7.00
16: 2 C 21  47.00       TOTAL  26 students, ave=  54.54
17: 2 D 14  45.00
18: 3 B  2  35.00           (b) 処理結果
19: 3 B  7  86.00
20: 3 B 18  38.00
21: 3 B 24 100.00
22: 3 C  1  12.00
23: 3 C  9  72.00
24: 3 D 11  69.00
25: 3 D 18  54.00
26: 3 D 19  80.00
```

(a) 入力データ

図7.7 集計処理. 解7.3の入力データと実行結果

入力データの例と，その解7.3による処理出力とを図7.7に示す．

(b) つき合わせ

集計処理では，ただ一つのファイルに対する処理を行なった．これに対して，共通なキーを持つ複数個のファイルを，そのキーを手掛りとして操作し，新しい結果を得る種類の処理がある．これを一般に**つき合わせ**(matching)または**結合**(join)の処理と呼ぶ．ここでは2種類のつき合わせの例題を調べる．

［例7.4］ ある鉄道では，各駅ごとに，その駅に停車する列車のデータを，次の形式で記憶している．

type *time* = **record** *h*: 0..23; *m*: 0..59 **end**;
　　　train0 = **record** *tid*: *integer*;
　　　　　　　　t: *time*
　　　　　end;
　　tr0file = **file of** *train0*;

ただし *train*0 型の *tid* 要素は列車番号を，*t* 要素は発着の時刻をそれぞれ表わす．ここで簡単のために停車時間は 0 分とし，列車はすべて各駅停車するものとする．また *tr*0*file* のデータは，時刻要素 *t* をキーとして昇順に整列されている．二つの駅（A, B とする）の列車データから，両駅どちらにも停まる列車とその時刻データとを求める．□

データの例を示しておこう．*train*0 型の値の例を示す．

　　A 駅用

　　　　(11 0605)　(13 0820)　(10 0945)　(12 1035)　(17 1250)

　　　　(14 1320)　(19 1450)　(16 1520)　(21 1655)　(20 1730)

　　　　(25 1915)　(22 1948)　(27 2050)　(26 2300)

　　B 駅用

　　　　(12 0800)　(11 0835)　(13 1050)　(15 1145)　(16 1240)

　　　　(18 1330)　(20 1445)　(17 1520)　(19 1715)　(22 1720)

　　　　(23 1850)　(24 1930)　(26 2020)　(25 2145)

これを列車ダイヤとして図にすると，図 7.8 のようになる．この図で両駅ともに停まる線を選び出せばよい．

この例題における共通のキーは，列車番号 *tid* である．そこで，二つの入力ファイルを *tid* をキーとして整列し，それらを一種の併合処理によって結

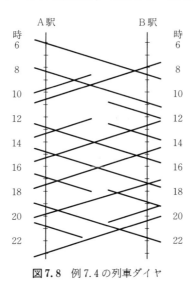

図 7.8 例 7.4 の列車ダイヤ

合すればよい. 結果のデータとそのファイルを次のように定義しておく.

```
     type train2 = record  tid : integer ;
                           t1, t2 : time
              end ;
     tr2file = file of train2 ;
```

［解7.4］

```
     var fa, fb : tr0file ;
         g : tr2file ;
begin
     "fa を tid をキーとして昇順に整列" ;
     "fb を tid をキーとして昇順に整列" ;
     reset (fa) ;  reset (fb) ;  rewrite (g) ;
     while not eof (fa) and not eof (fb) do
     if fa↑ . tid < fb↑ . tid then get (fa) else
     if fa↑ . tid > fb↑ . tid then get (fb) else
       with g↑ do
         begin tid := fa↑ . tid ; t1 := fa↑ . t ; t2 := fb↑ . t ;
               put (g) ; get (fa) ; get (fb)
         end ;
end.                                                      ▌
```

この処理は, 要素 tid だけに着目したとすると, 二つの**集合の共通部分**を求める演算ということができる. 結果となったファイル g は, tid をキーとして整列されている. 例に示したデータを処理した結果は次のようになる. 各要素は train2 型のデータである.

(11 0605 0835)	(12 1035 0800)	(13 0820 1050)
(16 1520 1240)	(17 1250 1520)	(19 1450 1715)
(20 1730 1445)	(22 1948 1720)	(25 1915 2145)
(26 2300 2020)		

この結果の中では, 進む向きが入り混じっていることに注意しよう.

　［例7.5］　例7.4 と同じ状況で考える. ある駅 A から列車1本で別の駅 B へ行き, そこで一定時間過したのち, 再び A 駅へ列車1本で帰りたい. これが可能であるための行きおよび帰りの列車と, それらの発着時刻のデータを求める. ただし帰る場合は, 間に合うもっとも早い列車に乗るものとす

る．☐

　この例題における共通のキーは何だろうか．行きと帰りの列車は異なるか
ら，*tid* ではあり得ない．関係づけられているのは，（行きの）B 駅への到着
時刻と，（帰りの）B 駅からの出発時刻である．したがって，まず行き用(A
から B)と帰り用(B から A)の二つのデータ(*tr2file* 型)を作り，それぞれ B
駅における時刻に相当する要素をキーとして整列した後，それをキーとした
つき合わせを行なえばよい．結果の型を次のように定義しておく．

      type *train4* = **record** *trf*, *trb* : *train2* **end** ;
           tr4file = **file of** *train4* ;

〔解 7.5〕

  var *fa*, *fb* : *tr0file* ;
    gdata : *train2* ;
    gf, *gb* : *tr2file* ;
    g : *tr4file* ;
    elapse, *backtime* : *time* ;
  function *lesseq*(**var** *x*, *y* : *time*) : *Boolean* ;
    begin *lesseq* := $x.h*60+x.m <= y.h*60+y.m$ **end** ;
  procedure *addtime*(**var** *x*, *y*, *z* : *time*) ;
    begin
      if $x.m+y.m < 60$
        then begin $z.m := x.m+y.m$; $z.h := x.h+y.h$ **end**
        else begin $z.m := x.m+y.m-60$; $z.h := x.h+y.h+1$
             end
    end ;
  begin
    "滞在時間を *elapse* へセット" ;
    "*fa* を *tid* をキーとして昇順に整列" ;
    "*fb* を *tid* をキーとして昇順に整列" ;
  reset(*fa*) ; *reset*(*fb*) ; *rewrite*(*gf*) ; *rewrite*(*gb*) ;
  while not *eof*(*fa*) **and not** *eof*(*fb*) **do**
    if *fa*↑.*tid* < *fb*↑.*tid* **then** *get*(*fa*) **else**
    if *fa*↑.*tid* > *fb*↑.*tid* **then** *get*(*fb*) **else**
      with *gdata* **do**
        begin *tid* := *fa*↑.*tid* ; *t1* := *fa*↑.*t* ; *t2* := *fb*↑.*t* ;

```
              if lesseq(t1, t2) then write(gf, gdata)      行きデータ
                              else  write(gb, gdata);      帰りデータ
            get(fa); get(fb)
          end;
        "gf を t2 をキーとして昇順に整列";
        "gb を t2 をキーとして昇順に整列";
      reset(gf); reset(gb); rewrite(g);
      while not eof(gf) and not eof(gb) do
        begin addtime(gf↑.t2, elapse, backtime);
          if not lesseq(backtime, gb↑.t2)
            then get(gb)
            else begin g↑.trf := gf↑; g↑.trb := gb↑;
                   put(g); get(gf)
                 end
        end
    end.                                                     ∎
```

　行きの列車が異なっても帰りの列車は同じであることもある．したがって，一つの組合せをファイル g に書いたあとでは，行き用のファイル(gf)だけを進めている．

　例としているデータで，結果を見てみよう．まず gf と gb とが，次のように求められる．これは，解7.4の結果を，行き(A から B)用と帰り用に分けたものとなっている．

```
    gf:    (11 0605 0835)  (13 0820 1050)  (17 1250 1520)
           (19 1450 1715)  (25 1915 2145)
    gb:    (12 1035 0800)  (16 1520 1240)  (20 1730 1445)
           (22 1948 1720)  (26 2300 2020)
```

次にこの二つのファイルが，t2(3番目の値)をキーとして整列される．この例では，たまたま始めから整列しているので変化しない．

　最終的な結果は，elapse の値に依存する．いくつかの例を示す．右端にはB駅の着発時刻を示す．

　(1)　elapse＝0 時間

```
    g:    ((11 0605 0835)  (16 1520 1240))      0835-1240
```

  ((13 0820 1050) (16 1520 1240))   1050-1240
  ((17 1250 1520) (22 1948 1720))   1520-1720
  ((19 1450 1715) (22 1948 1720))   1715-1720

(2) *elapse*＝2時間
  g: ((11 0605 0835) (16 1520 1240))   0835-1240
      ((13 0820 1050) (20 1730 1445))   1050-1445
      ((17 1250 1520) (22 1948 1720))   1520-1720
      ((19 1450 1715) (26 2300 2020))   1715-2020

(3) *elapse*＝6時間
  g: ((11 0605 0835) (20 1730 1445))   0835-1445
      ((13 0820 1050) (22 1948 1720))   1050-1720

これらの解を図7.9に示す.

　以上二つの例でみたように, 一般のつき合わせ処理は, 双方のキー(の集ま
り)の値に関する条件で表わされる.

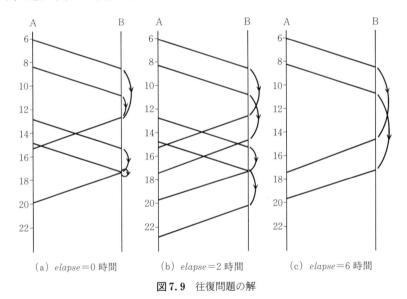

(a) *elapse*＝0時間　　　(b) *elapse*＝2時間　　　(c) *elapse*＝6時間

図7.9 往復問題の解

(c) 更新処理

集計処理に用いたようなファイルは, 段階的に作られたり修正されたりす

るのがふつうである．たとえば，試験期間より前の時点では *markdata* ファ
イルは空であろう．そして第1日目の試験が終った時点(採点も同時に終る
とする)で，その結果が書き込まれる．もし選択科目が多ければ，第1日目で
は成績のでない学生もあり得る．第2日目の試験終了時には，次のような処
理を行なうことになる．

　[1] 第1日目の課目をとらなかった生徒のデータを，新たに追加する．

　[2] 第1日目の課目をとった生徒のデータを変更する．

こうして成績データが順々に蓄積されていく．また，不正受験の発覚などに
より，成績データを削除することも考えられる．

　このように，データの現在値を集めたファイルと，その変化を表わすファ
イルとから，新しい"現在値"のファイルを作り出す処理を，**更新**(updat-
ing)処理と呼ぶ．現在値のファイルと変化データのファイルは，それぞれ**マ
スターファイル**(master file)と**トランザクションファイル**(transaction file)
と呼ばれる(図7.10)．

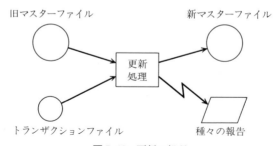

図7.10　更新の処理

　[例7.6] 例7.1で使った成績ファイルの更新を行なう．ただし処理項目
は以下のとおりとする．

　(1) **追加**　マスターファイルにはない生徒の成績を新たに作成する．

　(2) **削除**　マスターファイルにある生徒の成績を削除する．

　(3) **変更**　マスターファイルにある生徒の成績を変更する．□

　この例題において，仮に追加だけを行なうものとすると，単純な併合の処
理を行なえばよいことがわかる．削除と変更は，その付加的な処理と考えれ
ばよい．すべてのファイルが，学生，クラス，出席番号の辞書式順序で整列
されているものとすると，キーの大小に応じて，以下に示すような処理を行

なう．マスターファイル側のキーの値を K_M，トランザクション側のキーの
値を K_T とする．

[1]　$K_M < K_T$

　　マスターファイルの要素を出力ファイルへ書いて，マスターファイル
　を一つ読む．

[2]　$K_M = K_T$

　　"変更"であればトランザクションファイルの要素を出力する．"削
　除"であれば何も出力しない．いずれの場合も，マスターファイル，ト
　ランザクションファイルともに一つ読む．変更と削除の区別は，成績の
　値が非負か負かで行なうことにしよう．

[3]　$K_M > K_T$

　　"追加"であり，トランザクションファイルの要素を出力し，トランザ
　クションファイルを一つ読む．

[解 7.6]

```
program update(output, fin, fout, tra);
type markdata = record
                    year : 1..3;
                    class : char;
                    stno : integer;
                    mark : real
                end;
     markfile = file of markdata;
var fin, fout, tra : markfile;
    changed, deleted, added, unchanged : integer;
procedure copy(var f : markfile; var n : integer);
  begin fout↑ := f↑; put(fout); get(f); n := n+1 end;
function less(var f, g : markfile) : Boolean;
  begin less :=
    (f↑.year < g↑.year) or
    (f↑.year = g↑.year) and (f↑.class < g↑.class) or
    (f↑.year = g↑.year) and (f↑.class = g↑.class)
                          and (f↑.stno < g↑.stno)
  end;
```

```
begin
  reset (fin) ;  reset (tra) ;  rewrite (fout) ;
  changed := 0 ;  deleted := 0 ;  added := 0 ;  unchanged := 0 ;
  while not  eof (fin) and not  eof (tra)  do
    if  less (fin, tra)  then  copy (fin, unchanged)  else
    if  less (tra, fin)  then  copy (tra, added)  else
      begin if  tra ↑ . mark >= 0
              then  copy (tra, changed)
              else begin  get (tra) ;  deleted := deleted + 1 end ;
            get (fin)
      end ;
  while not  eof (fin)  do  copy (fin, unchanged) ;
  while not  eof (tra)  do  copy (tra, added) ;
  writeln ('Updating end') ;
  writeln (' unchanged =', unchanged) ;      更新の報告
  writeln ('   changed =', changed) ;
  writeln ('     added =', added) ;
  writeln ('   deleted =', deleted) ;
  writeln (' new total =', unchanged + changed + added)
end .
```

7.4　テキストファイル

　これまでの例題で扱ったファイルは，その要素が Pascal で許される一般
の型であった．その特別な場合として，文字型のファイルが考えられる．本
節では，文字型のファイルに追加機能を加えた，テキストファイルについて
調べる．

(a)　文字ファイルとテキストファイル

　要素型として文字を指定したファイルは，たとえば

　　　type *stream* = **file of** *char* ;

という具合に宣言できる．しかしこれは，1次元的につらなった文字の列で
あり，我々が通常見ているような2次元的なものを表わしているわけではな

い．文書のように，行という概念が入っている文字型のファイルを，一般に
テキストファイル(text file)と呼ぶ．Pascal では，*text* という型名でテキス
トファイルを宣言する．

　テキストファイルを構成するやり方には，1 行の文字数を一定とする**固定
長**と，とくに定めない**可変長**とがある．固定長のテキストは，処理は簡単に
なるが，不必要な行末の空白の分だけファイル量が増大するという欠点を持
っている．Pascal のテキストファイルは可変長である．

　可変長のテキストファイルの中でも，行の概念の表現方法はさまざまであ
る．その中でも，行の長さを問い合わせる関数を用意するものと，"行末"を
表わす特殊な文字を使用するものとが代表的である．Pascal では後者の方
式を採用している．

　Pascal のテキストファイルは，したがって，ほぼ文字の列と考えてよい．
たとえば，

```
A    c a t
h a s    4    l e g s
u s u a l l y .
```

という 3 行の文書は，文字の列として

```
A    c a t    h a s    4    l e g s    u s u a l l y .
* * * * * ! * * * * * * * * * * * ! * * * * * * * * !
```

と表わされる．ただし第 2 行目に示したのは要素の性質で，＊の上は通常の
文字，！の上は**行末文字**である．この行末文字は，*get* または *read* で読んだ
場合は空白と同一視される．したがって，*get* のみで文字の列として読んで
いる限り，行を意識せずに処理を行なうことができる．

　行末をきちんと扱うために，読まれた空白が真の空白(＊)か行末(！)かを
示す関数 *eoln*(end of line)が用意されている．この関数は，テキスト型の
変数 *f* について

$$eoln(f)$$

と用い，*f*↑に行末が"化けた"空白が入っている場合には *true*，そうでない
場合には *false* を返す．この関数を用いて，"次の行の先頭"まで読みとばす
には，次のようにする(図 7.11)．

$$\textbf{while not } eoln(f) \textbf{ do } get(f)\,;$$

$$get(f)$$

第1の WHILE 文の終了直後には，$f\uparrow$ には行末相当の空白が入っている．第2の *get* で，次行の先頭文字が $f\uparrow$ に入る．この読みとばしの操作はよく実行されるので，これをまとめて行なう標準手続き

$$readln(f)\qquad\{read\ line\}$$

が用意されている．

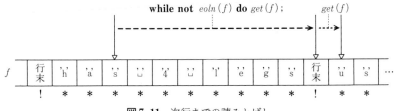

図7.11　次行までの読みとばし

行末文字は，本来の *char* 型の文字ではないので，*put* によって書き出すことはできない．この文字は，専用の出力手続き

$$writeln(f)\qquad\{write\ line\}$$

によって書かれる．この手続きを呼ぶと，それまで書いていたものを1行としてまとめ，次の行を書く準備に移る．

　行の処理はまとめて行なうことが多いので，次のような記法も許されている．

$$read(f,x,y,\cdots,z)\ ;\ readln(f)\ \text{のかわりに}\ readln(f,x,y,\cdots,z)$$

$$write(f,x,y,\cdots,z)\ ;\ writeln(f)\ \text{のかわりに}\ writeln(f,x,y,\cdots,z)$$

　入出力は，プログラムでは必ずといってよいほど行なわれる．しかもそれは，標準入出力装置に対して実行するのがほとんどである．そこで，ファイル変数を指定しないと，この標準入(出)力に対して処理を行なうようになっている．標準入力は *input*，標準出力は *output* であり，次のように扱われる．

(1)　*input*，*output* はテキスト型のファイルである．

(2)　ファイル変数の宣言は不要であり，やってはいけない．

(3)　プログラム頭部で *input*(*output*)を指定すると，プログラム実行直前に *reset*(*input*)(または *rewrite*(*output*))が(システム側で)行なわれるので，これらの操作は(プログラム中では)不要であり，かつやっては

いけない.

このようになっているので, たとえば, 標準入力から入力した文字をそのまま標準出力へ出力するプログラムは, 次のようになる.

```
program inout (input, output);
   var c : char;
begin
   while not eof do
      begin
         while not eoln do
            begin read (c); write (c) end;
         readln;
         writeln
      end
end.
```

関数 *eof* や *eoln* からも, 引数 *input* が省かれていることに注意しよう. 手続き *readln* や *writeln* についても同様である.

(b) 出力変換

一般のファイルでは, ファイルに書き出す値は, プログラムの実行中に用いられる形式そのものである. この形式自体は実際の処理系によってさまざまである. したがって, ある Pascal 処理系が出力したファイルを, 別の Pascal 処理系が入力できるとは限らない. それで, 一般のファイルは, 同一の処理系における外部長期記録として利用されることがほとんどである.

異なる処理系の間でファイルを介してデータのやりとりをしたい場合は, 共通の記録形式を用いる必要がある. その形式としてもっともよく使われるのは, 各処理系が必ず知っていなければならない形式, すなわち人間とのやりとりに使われる**文字列形式**である. 実行中に用いられる形式から文字列への変換のことを, **出力変換**と呼ぶ. Pascal では, テキスト型のファイルへの出力を行なうと, この出力変換が自動的に施される. 標準出力 *output* もテキスト型だったので, ただ単に

```
write (3)
```

と書くだけで, "人間が読める形式" の 3 が出力される.

Pascal における出力変換は，手続き *write* または *writeln* を使って，次の 5 種類のデータを出力するときに実行される．変換の結果は文字の列であり，その文字数を**出力幅**と呼ぶ．各データごとに，出力幅を指定することができる．

(1) 整数型

$$write(f, i : w)$$

ここで f はテキスト型のファイル変数（省略すると *output* となる．以下同様），i は整数値を与える式，w も整数の式である．i の値（負なら負号つき）が出力される．w は出力幅を指定する．変換は，"右詰め"で行なわれ，左の方が余れば空白が補われる．

$$write(f, 1988 : 7) \longrightarrow \quad ' \quad\quad 1988' \quad\quad (3 \text{ 個の空白})$$
$$write(f, -5 : 9) \longrightarrow \quad ' \quad\quad\quad -5' \quad\quad (7 \text{ 個の空白})$$

指定出力幅 w が "足りない" 場合は，左から切りとることはせず，必要最小限の文字列が作られる．

$$write(f, 1988 : 3) \longrightarrow \quad '1988'$$
$$write(f, -5 : 1) \longrightarrow \quad '-5'$$

出力幅指定は省略することができる．この場合は標準値が使われるが，*maxint* が出力できる幅であるのがふつうである．

(2) 実数型

$$write(f, r : w) \quad\quad\quad \text{浮動小数点形式}$$
$$write(f, r : w : d) \quad\quad\quad \text{固定小数点形式}$$

r が実数値を与える式である場合で，w は出力幅を表わす．浮動小数点形式では，小数点以上が 1 桁で，指数部の符号を必ず入れる形で出力される．指数部の桁数はシステムごとに決まった固定値である．

$$write(f, 365.2422 : 12) \longrightarrow \quad ' 3.65242e+02'$$
$$write(f, 365.2422 : 10) \longrightarrow \quad ' 3.652e+02'$$
$$write(f, 365.2422 : 8) \longrightarrow \quad ' 3.7e+02'$$

先頭の符号（正なら空白）は必ず出力される．また，末尾桁の次で四捨五入される．w の指定は省略できる．

固定小数点形式では，指数部を用いない形式で出力される．d は小数点以下の桁数（1 以上）を示す．

$$write\,(f, 365.2422 : 12 : 3) \longrightarrow\quad '\quad\quad 365.242'$$
$$write\,(f, 365.2422 : 12 : 1) \longrightarrow\quad '\quad\quad\quad 365.2'$$
$$write\,(f, 365.2422 : 8 : 2) \longrightarrow\quad '\,365.24'$$

(3) 文字型

$$write\,(f, c : w)$$

文字 c を出力幅 w の中に右詰めで出力する. w の省略時標準値は 1 である.

$$write\,(f, 'x' : 3) \longrightarrow\quad '\quad x'$$
$$write\,(f, 'x') \quad\longrightarrow\quad 'x'$$

(4) 文字列

$$write\,(f, s : w)$$

文字列 s の長さを n とするとき,

$\quad w \geqq n$　であれば　s を幅 w の中に右詰めで出力する

$\quad w < n$　であれば　s の先頭 w 文字を出力する

w を省略すると, $w = n$ であるとみなされる.

$$write\,(f, 'iwanami' : 10) \longrightarrow\quad '\quad\ iwanami'$$
$$write\,(f, 'iwanami') \quad\longrightarrow\quad 'iwanami'$$
$$write\,(f, 'iwanami' : 4) \longrightarrow\quad 'iwan'$$

(5) 論理値

$$write\,(f, b : w)$$

論理値 b の値によって, 文字列 'False' か 'True' が出力される. ただし綴りはシステムによって異なることもある. w の意味は文字列の場合と同じである.

［例 7.7］　例 7.1 で定義した *markdata* 型の値を表示する手続きを作る. □

型の定義を示しておく.

```
type markdata = record
            year : 1..3 ;
            class : char ;
            stno : integer ;
            mark : real
```

end;

このような値を表示する場合，一つ一つの要素値に標題をつけるやり方と，値だけを素気なく並べるやり方とがある．前者の方が個々の表示はわかりやすいが，大量に表示する場合には後者の方がよいことが多い．

［解 7.7a］（標題あり）

```
procedure printmark1(var x : markdata);
  begin with x do
    begin write('year =', year : 1, ' ');
          write('class =', class, ' ');
          write('student no. =', stno : 3, ' ');
          write('mark =', mark : 6 : 2)
    end
  end;
```

出力例

```
year=2  class=C  student no.= 27  mark= 73.08
```

［解 7.7b］（標題なし）

```
procedure printmark2(var x : markdata);
  begin with x do
    write('(', year : 1, class : 2, stno : 3, mark : 7 : 2, ')')
  end;
```

出力例

```
(2  C  27  73.08)
```

(c) 入力変換

出力変換と逆の操作として，テキストファイルからの**入力変換**がある．理想的には，出力変換の結果を入力変換するともとに戻ることが望ましい．しかし前項でも述べたとおり，処理系が異なるとこれはむずかしい．ふつうは，実用上さしつかえない範囲で，元の値が復元される．

Pascal では，同じ処理系からの出力を入力する場合，文字，整数，実数の3種については，きちんと元へ戻すようにしている．ただし実数については，出力時に指定した精度の範囲内という条件がつく．文字列に対する入力の機能はなく，文字の入力を反復して行なう．またこれと関連して，論理値入力

も用意されていない．これは，Pascal の入力では，"入力幅"を指定しない
ことに起因している．

(1)　整数型

　　　　$read(f, i)$　　　i は整数変数

現在 $f\uparrow$ に入っている文字から始めて，空白および行末の連続が（もし
あれば）まず読みとばされる．これは，出力変換が"右詰め"であったの
と対応している．それから，（もしあれば）符号と，それに続く数字列が
読み込まれ，実行中の形式に変換されてから，その値が i に代入される．
以上の処理ができる文字列がファイル上になければエラーとなる．読込
みは，数字でない文字が $f\uparrow$ に入った時点で終る．その文字は，次の入
力変換の先頭文字となる（図 7.12）．

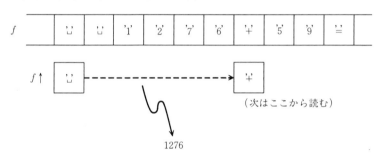

図 7.12　整数値の入力変換

(2)　実数型

　　　　$read(f, r)$　　　r は実数変数

ほぼ整数型の場合と同じであるが，文字列としては，実数値の表現のほ
かに，整数値の表現であってもよい．後者の場合は，実数へ変換ののち，
変数 r へ代入される．

(3)　文字型

　　　　$read(f, c)$　　　c は文字変数

この場合は，一般のファイルと同じ処理を行なう．すなわち

　　　　$c := f\uparrow;\ get(f)$

と同じである．$eoln(f) = true$ の場合には，$f\uparrow$ には行末文字が"化け
た"空白が入っていて，それが c へ代入される．

　整数と実数の入力に際しては，空白と行末の読みとばしに注意しなけ

ればならないことがある．それは，もはや空白（と行末）しか残っていないファイルに対して入力を行なう場合で

$$eof(f) = false \quad （まだファイルは残っている）$$

にもかかわらず，読むべき値はもうない．したがって，

while not $eof(f)$ **do**
   begin $read(f, i)$; ⋯ **end**

という形式では都合が悪いことが起こる（図7.13）．これを避けるためには，*eof* の判定を行なう前に，空白と行末の連なりを読みとばしておく必要がある．たとえば次のような関数を用意しておいて，*eof* の替りにこれを呼ぶようにする．

function $actualeof(\mathbf{var}\ f : text) : Boolean$;
   var $more : Boolean$;
  begin $more := \mathbf{not}\ eof(f)$;
   while $more$ **do**
     if $f\uparrow <> {'}\ {'}$
      then $more := false$
      else begin $get(f)$; $more := \mathbf{not}\ eof(f)$ **end** ;
   $actualeof := eof(f)$
  end ;

f	␣	行末	␣	′2′	′4′	␣	␣	␣	␣	␣	␣	␣	行末

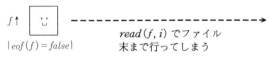

$f\uparrow$ ␣ $\{eof(f)=false\}$ $read(f, i)$ でファイル末まで行ってしまう

図7.13 数値入力とファイルの末尾

［例7.8］ 例7.7の解7.7b（標題なし）で出力した内容を読み込む手続きを作る．▯

［解7.8］

procedure $readmark(\mathbf{var}\ f : markfile$; $\mathbf{var}\ x : markdata)$;
begin
  if $actualeof(f)$

```
        then "入力エラー"
      else
        if f↑ < > '('
          then "入力エラー"
        else
          begin get(f); read(f, x.year); get(f);
                read(f, x.class, x.stno, x.mark);
                if f↑ < > ')' then "入力形式不正"
                              else  get(f)
              end
    end;                                            ▌
```

第 7 章のまとめ

7.1 ファイル型は，大量であったり可変長であったりするデータ列を表現する
データ型で，実際の計算機システムにおけるファイルと対応する．

7.2 直接アクセスファイルでは，ファイルの中の任意の要素を直接に指定した
読み書きができる．これに対して順ファイルでは，先頭から順々に読み出すこ
とと，末尾へ追加していくことだけができる．

7.3 Pascal のファイルは順ファイルであり，読取り・書出しの初期化（*reset/
rewrite*）と末尾判定（*eof*）の操作が用意される．実際の読み書きは，バッファ
変数を通じて行なう．

7.4 外部ファイルはプログラムとは独立して存在するファイルで，プログラム
頭部で指定する．それ以外のファイルは，そのプログラムだけで使用する内部
ファイルである．

7.5 ファイルを処理するには，それを整列しておくことが重要である．ファイ
ルの整列には主に併合法が使われ，単純な 2 べきの併合，自然併合などのやり
方がある．

7.6 複数のファイルを操作して，共通のキーの値についての関係を用いること
によって新しいファイルを造り出す処理を，つき合わせ，あるいは結合と呼ぶ．

7.7 ファイルの更新処理では，もとのデータを表わすマスターファイルと，変
更データを表わすトランザクションファイルとから，新しいデータ列を作り出
す．

7.8 行の概念を入れた文字列ファイルをテキストファイルと呼ぶ．Pascal のテ
キストファイル（*text* 型）は可変長で，行末文字で行を区切る．

7.9 標準出力 *output* と標準入力 *input* はテキスト型である．

7. 10 テキスト型のファイルに対しては，いくつかの基本的なデータ型の値に対して，実行中の形式と文字列の形式との間の変換が用意されている．文字列への変換を出力変換，逆を入力変換と呼ぶ．

キーワード

ファイル　　直接アクセスファイル　　順ファイル　　バッファ変数
外部ファイル　　内部ファイル　　標準入力　　標準出力　　4 ファイル併合
4 テープ併合　　自然併合　　連　　辞書式順序　　つき合わせ　　結合
更新　　マスターファイル　　トランザクションファイル　　テキストファイル
固定長　　可変長　　行末文字　　出力幅　　出力変換　　入力変換

演習問題 7

7.1 長さ 80 の文字列を要素とするファイルがある．要素の型は次のとおり．
$$\textbf{type } char80 = \textbf{array}[1..80] \textbf{ of } char;$$
このファイルを読んで，1 から始まる要素番号とともに印刷せよ．もし途中に先頭が 'END' で後がすべて空白である要素があれば，処理をそこで打ち切れ．

7.2 6 個の作業ファイルを 3 個ずつ交互に使う併合整列のプログラムを書け．もとのファイルの要素数は 3 のべき乗 $(3, 9, 27, 81, \cdots)$ であるとしてよい．

7.3 3 個の作業ファイルを使う併合整列のやり方として，フィボナッチ数を基礎とする次のような方法が有名である．これをプログラムとして書け．

[1] 要素数はフィボナッチ数 f_n とし，作業ファイルを $fw1$, $fw2$, $fw3$ とする．また，あるファイルに長さ k の区分的に整列された部分が m 個書かれている状態を，$m(k)$ で表わすことにする．

[2] まずもとのファイルから $fw1$ と $fw2$ に要素を書き移して，次の状態とする．空ファイルは 0 で示す．
$$fw1 = f_{n-1}(1), \quad fw2 = f_{n-2}(1), \quad fw3 = 0 \quad (f_n = f_{n-1} + f_{n-2})$$

[3] $fw1$ の一部と $fw2$ を区分的に併合する．
$$fw1 = f_{n-3}(1), \quad fw2 = 0, \quad fw3 = f_{n-2}(2) \quad (f_{n-1} - f_{n-2} = f_{n-3})$$

[4] $fw3$ の一部と $fw1$ を区分的に併合する．
$$fw1 = 0, \quad fw2 = f_{n-3}(3), \quad fw3 = f_{n-4}(2)$$

[5] 以下次のように繰り返す．

$fw1$	$fw2$	$fw3$
$f_{n-4}(5)$	$f_{n-5}(3)$	0
$f_{n-6}(5)$	0	$f_{n-5}(8)$
0	$f_{n-6}(13)$	$f_{n-7}(8)$
$f_{n-7}(21)$	$f_{n-8}(13)$	0

区分ファイルの長さもフィボナッチ数(昇順)になる.

　　[6]　最後に $f_1(f_{n-2})$ と $f_2(f_{n-1})$ とを併合する($f_1=f_2=1$).

7.4　集計問題の例7.2では,学年の連の終りの判定が,"1"と"2"の場合と"3"の場合とで異なる.このため関数 *morestudent* が複雑になっている.ファイルの最後に仮想的な4学年のデータを付け加えて,これを簡単化せよ.同じ手法を例7.3にも適用せよ.

7.5　ある観光地の貸自転車屋の自転車管理を考える.この店は本部といくつかの取扱い所とからなる.お客は自転車を本部と取扱い所のどこから借りてもよいし,借りたところに限らずどこへ返してもよい.ただし返却はその日のうちに行なう.すべての自転車は,毎日営業終了後,本部に集められる.本部と各取扱い所では,それぞれ次の形式で記録をとる.

　　　　　（自転車番号　処理　時刻）

ただし処理の種類は,お客への貸出し,お客からの返却,本部への返送,取扱い所からの集積,の四つである.これらのデータが本部と取扱い所ごとにファイルとして記録されているものとして,次の処理を行なうプログラムを書け.

　(1)　すべてのファイルから,以下の形式の要素の列である日報ファイルを作る.

　　　　　（自転車番号　貸出し所　貸出し時刻　返却所　返却時刻）

ファイルは自転車番号と貸出し時刻の辞書式順序で整列する.同じ自転車が1日に何回も借りられることがあることに注意すること.

　(2)　日報ファイルから,自転車ごとの貸出し延時間を求め表示する.

　(3)　自転車ごとの前日までの総使用時間を記録したマスターファイルがあるものとする.このファイルを,日報ファイルをトランザクションファイルとして用いて更新する.その際,一定時間以上使用した自転車の番号を,点検車番号として出力する.

7.6　数え上げ型の入出力用手続きを作れ.出力は,プログラム中で用いた定数名と同じ文字列で行なう.

7.7　Pascalの入力変換では桁数の指定を行なわない.したがって,たとえば *write*$(65,536:3)$ の出力 '65536' を読むと,65536としか読めない.桁数を指定する以下の入力変換の手続きを作れ.

　　　　　readint(i,w)　　　*readreal*1(r,w)　　　*readreal*2(r,w,d)

8

■　■　■　■

ポインタとデータ構造

　現実のプログラムでは，構造を持つデータを扱うことが非常
に多い．これは，それらのプログラムが扱っている現実の問題
自身に，構造の概念が含まれているからにほかならない．構造
を持つデータを扱う一手法として，第6章では配列を使うやり
方を示した．実際，構造化手段として配列だけが与えられてい
るプログラム言語では，これが唯一の構造データ処理の方法で
ある．

　ここでは，構造を持つデータを扱うための機能であるポイン
タについて調べる．ポインタは，扱いが少しむずかしいが，任
意の複雑さを持つ構造データを表現し処理する手段として，な
くてはならないものである．

8.1　データ構造の表現

　これまでに学んだデータ構造化手法は，レコード構造と配列構造である．レコード構造では，何種類かのデータ型の値をひとまとめにして，複合的なデータを定義した．また，レコード可変部の機能により，複数のデータ型を"切り換えて"使うことも可能であった．配列構造はこれと異なり，ある一つの型の値を決められた数だけ並べて，ひとまとまりとした．

　この2種類の構造化手法は非常に強力かつ一般的なものであるが，これだけでは表わしにくい構造もたくさんある．そのいくつかの例を通じて，表現の方法を調べよう．

（a）データの値とその構造

　第6章で扱った列についてもう一度考えてみよう．列は（ある型の）データが並んだものであり，要素データを一般的に d で表わすことにすると，その値は

$$d,\ d,\ d,\ d,\ \cdots\cdots,\ d,\ d$$

という形，すなわち並びの構造となっている．それで，配列による表現が素直なものとして導出される．ところが，列に対する操作として一般的なものは，列の値をこのような均質なものとしてではなく，先頭や末尾を特別なものとして扱っている．たとえば，先頭要素の取出しの操作は

$$x,\ d,\ d,\ \cdots,\ d \longrightarrow x:\ d,\ d,\ \cdots,\ d$$

と表わされるが，明らかに，元の列を先頭要素と2番目以降（これも列となる）とに分けて扱っている．列全体を括弧で囲んで表わすとすれば

$$(x, d, d, \cdots, d)$$

を

$$(x, (d, d, \cdots, d))$$

とみなしているわけである．このように，定義されている操作に従って，データの値に新たな構造を考えることができる．末尾要素の取出しに対応する構造は

$$((d, d, \cdots, d), x)$$

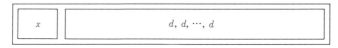

図8.1 構造の導入

となる(図8.1).

　構造導入の別の例として,算術式を取り上げよう.算術式

　　　　$a*b+c*d-e$

は,このままでは単なる9文字の並び,すなわち列である.ところがこれを解析すると,まず

　　　　$a*b$　と　$+$　と　$c*d-e$

に分解され,さらに$c*d-e$が

　　　　$c*d$　と　$-$　と　e

とに分解される.この分解を要素が1文字になるまで実行し,結果を括弧を使って表わすと

　　　　$((a,*,b),+,((c,*,d),-,e))$

となる.この解析の基本構造は

　　　　(x,y,z)

で,yが演算子,xとzが被演算数を表わしている.また,xとzは,さらに分解されることもある(図8.2).

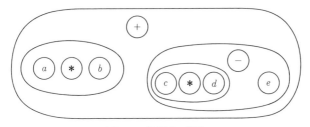

図8.2 算術式の構造

　この第2の例では,データの値に対する操作というよりは,データの形に対する意味規則が,データ値に構造を与えている.

　以上二つの例では,でき上った構造を簡単に表わせたが,そうでない場合も多い.たとえば,式

　　　　$a*b+a*b*c$

を単純に解析すると，結果は

$$((a, *, b), +, ((a, *, b), *, c))$$

となるが，このデータを計算の手順を示したものとみなし，二つの $a*b$ の計算を1回ですますことを考えてみよう．もとの構造の中で別の場所にあるものを同一視するには，名前をつけてそれを参照すればよい．すなわち，基本構造を

$$(n, x, y, z) \qquad n \text{ はこの部分式の名前}$$

と拡張すれば，

$$(A, (B, a, *, b), +, (C, (B, a, *, b), *, c))$$

となる．A, B, C が名前である．同じ名前のものは同じものを表わすので，データの内容自体は1回書くだけでよいことにすれば，

$$(A, (B, a, *, b), +, (C, B, *, c))$$

となる（図8.3）．

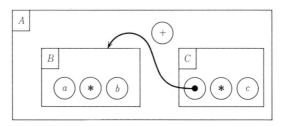

図8.3　名前づけによる構造の共有

（b）構造を持つデータの型

　データの値に導入された構造は，どのように扱ったらよいであろうか．列の場合を例にとると，列のデータの長さはさまざまであり，0以上いくら大きくなるかわからない．したがって，決まった長さの列を表わすデータ型を長さの種類だけ用意する方法は，非現実的であると同時に非常に使いづらい．そのときどきの列の長さに応じて処理を変えなければならないからである．どうしても，"不定長の列"を表わすデータ型が使える必要がある．

　不定長の列を表わすデータ構造化手法として，次のように表わされるものを考えよう．

　　　type *seq* = **sequence of** *T* ;

T は要素の型である．これは，前項で見た素直な並び構造を表現している．
これに対して，先頭要素の取出しの操作によって導入された構造は，レコー
ド構造を使えば

> **type** *seq*1 = **record** $x : T$;
> $y :$ **sequence of** T
> **end** ;

と表わせる．ここで，y 自身も不定長の列であり，*seq*1 と同じ形であるべき
なので

> **type** *seq*1 = **record** $x : T$;
> $y :$ **record** $yx : T$;
> $yy :$ **sequence of** T
> **end**
> **end** ;

となるが，今度は yy の展開が必要となる．これではいつまでたっても終ら
ない．そこで，型の定義の中で，定義しようとしている型自身を使うことを
許すことにしよう．

> **type** *seq*2 = **record** $x : T$;
> $y : seq2$
> **end** ;

このような型のことを，**再帰的な型**(recursive type)と呼ぶ．

　再帰的な型 *seq*2 の定義は，無限に展開されてしまうという点で，最初の
型 *seq*1 と同じ問題をもっている．この問題は，展開をある時点で打ち切る
か，展開を処理の各時点で必要な最小限に押さえることによって解決される．
後者のやり方は無限長の列を扱う場合に用いられるが，ここでは触れないこ
とにする．

　展開をある時点で打ち切るには，**可変レコード型**の機能を使えばよい．

> **type** *seq*3 = **record**
> **case** *final* : *Boolean* **of**
> *true* : ( ) ;
> *false* : ($x : T$;
> $y : seq3$)
> **end** ;

切換え用のタグ *final* の値が *true* のときは，データはもう先がなくなる．たとえば長さ 3 の列では，最初の 3 回の展開では *final* が *false* で，4 回目に *true* となって終了する(図 8.4)．

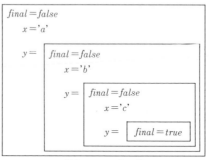

列 (*'a'*, *'b'*, *'c'*) の値

図 8.4　再帰的な型の値

(c)　再帰的データとポインタ

　大きさが前もっては決められないデータを表わす方法として，再帰的データ型が必要であることがわかった．次に，その実現方法について考えてみよう．前出の列を表わす型 *seq*3 を例にとる．

　　　　　　var p, q, r : *seq*3 ;

いま，要素型 T が整数型であるとして，変数の値が次のようになっているものとする．

$$p = (2, 3), \quad q = (1, 5, 6, 7), \quad r = (\ )$$

これらについては，たとえば

removehead(q)	先頭の削除．$q = (5, 6, 7)$ となる
appendhead($0, p$)	先頭へ追加．$p = (0, 2, 3)$ となる
concatenate(p, q, r)	列の連結．$r = (0, 2, 3, 5, 6, 7)$ となる

というような処理を行ないたいわけである．

　プログラマの方はこれでもよいが，処理系を構成する側としては，ある変数のために使用する領域の大きさが大きく変動するのはきわめて都合が悪い．小さな領域しか用意しないとすぐにあふれるし，大きな領域を最初から用意すると，未使用の部分の割合が大きくなって無駄が多いからである．処理系

側のもう一つの問題は，数式の計算の例でも現われた部分構造の共有である．全体の構造の中では別々の部分に存在するべきものが，本来同一のものである場合には，単純な領域割当ての方法ではうまくいかない．

　これらの表現上の不都合は，**名前づけ**の手法によって解決することができる．ただし名前といっても，出現する（かもしれない）すべての部分構造に，あらかじめ文字列の名前をつけておくことは不可能である．そこで，データとしてだけ使う“名前”の概念が導入された．その名前さえわかっていれば，対応する実体がすぐ参照できる．この“名前データ”のことを**ポインタ**（pointer）と呼ぶ．第6章で，配列の中のデータの所在を示すデータ（添字値）のことをポインタと呼んだ．ここで導入するポインタは，配列用のポインタをさらに一般化したものである．

　ポインタに関する操作には次のようなものがある．

　(1)　指定されたデータの名前，すなわちポインタを生成する．

　(2)　ポインタ値から対応する実体を得る．

　(3)　ポインタ値を（ポインタ）変数に代入する．

　(4)　ポインタ値相互間の等・不等を判定する．

　ポインタ自体のデータ型は，それが指す値のデータ型を使って表わされる．たとえば，整数値用のポインタ型は

$$\uparrow integer$$

と書かれる．再帰的データ型に応用してみよう．

$$\textbf{type } seq4 = \textbf{record}$$
$$\textbf{case } final : Boolean \textbf{ of}$$
$$true : (\ ) ;$$
$$false : (x : T ;$$
$$y : \uparrow seq4)$$
$$\textbf{end} ;$$

ポインタ値から実体を得る方法も必要である．たとえば

$$\textbf{var } u : \uparrow seq4 ;$$

とするとき，変数 u に代入されているポインタが示す実体は，

$$u \uparrow$$

で表わす．たとえば，u が指している列の先頭要素は

$$u\!\uparrow.final = \begin{cases} true & \text{なら} \quad \text{存在しない} \\ false & \text{なら} \quad u\!\uparrow.x \end{cases}$$

となる．また，u が長さ 2 以上の列を指している場合，先頭から 2 番目の要素は

$$u\!\uparrow.y\!\uparrow.x$$

となる．図 8.4 の構造をポインタを使って表現した例を図 8.5 に示す．

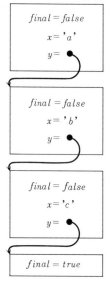

図 8.5 再帰的な型のポインタによる表現

(d) NIL ポインタ

再帰的なデータ型によって表わされたデータでは，その値のすべての部分に，再帰を打ち切るかどうかの印（論理値 *final*）が必要である．実際 *seq*4 型では，列の末尾以外の要素データの要素 3 個（*final, x, y*）のうち，一つがこの印に割り当てられている（図 8.5 参照）．これは，確保する領域の量という面から見て，あまり好ましいことではない．そこで，再帰の打切りを，指されるデータではなく，それを指すポインタで検出する方法が採用されている．この特別なポインタ値を **NIL** と呼ぶ．

具体的には，ポインタ変数 u について，

$$u\!\uparrow.final = true$$

であることを

$$u = \mathbf{nil}$$

で表現する．この場合，指されるデータは存在しなくてもよい．すなわち，**nil** の値は，**何も指していないポインタ値**とみなすことができる．こう考えたとすると，**nil** の値はすべてのポインタ型で共通に使えることがわかる．この方式を使った再帰的な型の表現は次のような簡潔なものになる．

> **type** *seq*5 = **record**
> 　　　*x* : *T* ;
> 　　　*y* : ↑ *seq*5
> 　　**end** ;

この型による表現を図 8.6 に示す．

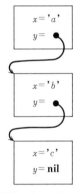

図 8.6　NIL ポインタによる表現

　再帰的な型を定義する場合には，再帰的手続きの場合と同じように，まだ定義が完了していない型を使う必要がある．これは，上例のようにポインタ変数によって指される形式に限って許されている．たとえば *seq*5 型のような再帰的な型については，ポインタと実体とを別々に定義するのがふつうである．

> **type** *seq* = ↑ *seqbody* ;
> 　　*seqbody* = **record**
> 　　　　　*x* : *T* ;
> 　　　　　*y* : *seq*
> 　　　　**end** ;

型 *seq* の定義に，その時点ではまだ定義されていない型 *seqbody* が使われていることに注意しよう．

8.2　データ構造の扱い

再帰的データ型を使う場合は，そのときどきのデータの形や構造がいろいろに変わるために，プログラミング上注意を要する事項が多い．ここでは，いくつかの代表的な構造を例にとって，注意すべき点を示すことにする．

(a)　線形リスト

線形リストは，配列の章でも示したとおり，ポインタを使った構造のうちもっとも単純なものである．

　［例8.1］　スタックを線形リストを使って表現する．□

　スタックの主な操作は，列の先頭への要素の追加と，先頭からの取り除きであった．この操作は，線形リストによって，効率よく実行できる．

　［解8.1］

```
type  list = ↑ listel ;
      listel = record
                  d : integer ;
                  t : list
               end ;
procedure push(var st : list ; v : integer) ;
   var x : list ;
   begin  new(x) ;
      with x↑ do begin  d := v ; t := st  end ;
      st := x
   end ;
function pop(var st : list) : integer ;
   var x : list ;
   begin
      if st = nil
         then "スタック空エラー"
         else
```

$$\textbf{begin}\ pop := st\uparrow.d\ ;\ x := st\ ;\ st := st\uparrow.t\ ;$$
$$dispose(x)$$
$$\textbf{end}$$
$$\textbf{end}\ ;$$

手続き *new* は，引数(ここでは *x*)のデータ型(ここでは *list*)が指す型 (*listel*)のデータを一つ作り，そこへのポインタを引数へ代入する．手続き *dispose* はその逆で，引数が指しているデータを消去する．*push* と *pop* の操作を図 8.7 に示す．

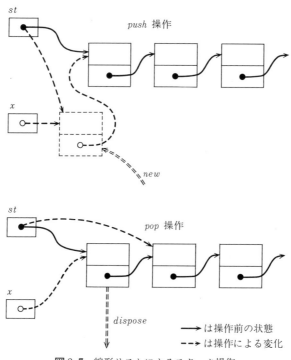

図 8.7　線形リストによるスタック操作

空，すなわち長さが 0 のスタックを用意するには，スタック用のポインタ変数に **nil** を代入すればよい．

　［例 8.2］　待ち行列を線形リストを使って表現する．▯

　今度は，先頭への追加と末尾からの取り除きが必要となる．先頭への追加はスタックの場合とまったく同じである．末尾に関してはスタックの場合は

（必要がないので）直接に指しているポインタはない．そこでまず，先頭から順にたどって，末尾を見つける手続きを作ってみよう．この手続きは，末尾を見つけて，その一つ前のデータの内容を書き換えなければならない．

［解 8.2a］

```
function get (var qu : list) : integer ;
  var x : list
  begin
    if qu = nil
      then "待ち行列空エラー"
      else
    if qu↑.t = nil
      then
        begin get := qu↑.d ; dispose (qu) ; qu := nil end
      else
        begin x := qu ;
          while x↑.t↑.t <> nil do x := x↑.t ;
          get := x↑.t↑.d ; dispose (x↑.t) ; x↑.t := nil
        end
  end ;
```

この手続きでは，

$qu = $ nil	待ち行列が空
$qu↑.t = $ nil	待ち行列の要素が 1 個だけ
$qu↑.t <> $ nil	待ち行列の要素が 2 個以上

の 3 通りの場合分けが必要である（図 8.8）．この理由は，取り除くデータの一つ前のデータまで考えに入れなければならないからである．これを改良するには，"一つ前のデータ"が常に存在するようにすればよい．すなわち，待ち行列が空の場合でも，$qu=$nil ではなく，余分な要素を一つ用意する（図 8.9）．

$$new (qu) ; qu↑.t = nil ;$$

こうしておけば，*get* の手続きは次のようになる．

［解 8.2b］

```
function get (var qu : list) : integer ;
```

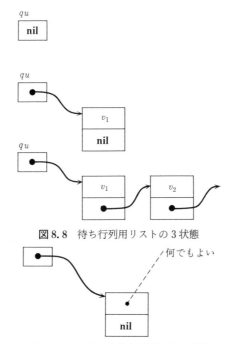

図8.8 待ち行列用リストの3状態

図8.9 改良された待ち行列の空の状態

```
var x : list ;
begin
   if qu↑.t = nil
      then "待ち行列が空エラー"
      else
        begin x := qu ;
           while x↑.t↑.t <> nil do x := x↑.t ;
           get := x↑.t↑.d ; dispose(x↑.t) ; x↑.t := nil
        end
end ;                                                   ▮
```

(b) 双方向リスト

待ち行列を線形リストで表わした例8.2では，末尾からの要素の取り除き
に手間がかかった．先頭から順にたどっていたからである．そこで，末尾要

素を直接指すポインタを使うことが考えられるが，そのままではうまくいかない．前項でも見たとおり，取り除く要素の一つ前の要素を指しておく必要がある．そして，一つ取り除いた際に，それまで指していた要素の，さらに一つ前の要素(へのポインタ)を知る方法がないのである．

　この問題を解決するには，要素の並びを後ろの方からも分解・合成できるようにすればよい．ポインタの概念を使わないとすると，次のようなデータ型を新たに考えることになる．

$$\textbf{type}\ \ \textit{dlist} = \textbf{record}$$

$$\textbf{case}\ \textit{final} : \textit{Boolean}\ \textbf{of}$$

$$\textit{true} : (\ )\ ;$$

$$\textit{false} : (b : \textit{dlist}\ ;$$

$$d : \textit{integer})$$

$$\textbf{end}\ ;$$

前のデータ型とは，要素の並び方が異なることに注意しよう．このデータ型と，前のデータ型とを，合わせて考えることになる．

　ポインタを使用すると，この"二つのデータ型を両方同時に表現する"ことが可能となる．すなわち，ある要素を，それ以降に続く並びの先頭であると同時に，それ以前に続く並びの末尾であるとすればよい(図 8.10)．

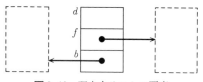

図 8.10　双方向リストの要素

$$\textbf{type}\ \ \textit{dlist} = \uparrow \textit{dlistel}\ ;$$

$$\textit{dlistel} = \textbf{record}$$

$$d : \textit{integer}\ ;$$

$$f : \textit{dlist}\ ;$$

$$b : \textit{dlist}$$

$$\textbf{end}\ ;$$

この型のデータが，前後のデータを順々に指すようにして並んでいるデータ構造を，**双方向リスト**と呼ぶ．

　［例 8.3］　待ち行列を双方向リストによって表現する．□

　このように型を定義した場合でも，余分な要素を用意しておくことによって，処理手続きを簡単にすることができる．まず，待ち行列を表現するレコード型を定義しておこう．

> **type** *queue* = **record**
> 　　　　　*top, tail* : *dlist* ;
> 　　　　　*leng* : *integer*
> 　　　**end** ;

待ち行列の宣言は，この型の変数の宣言となる．

> **var** *q, qq* : *queue* ;

［解 8.3］

> **procedure** *qinit* (**var** *x* : *queue*) ;
> 　**begin**
> 　　**with** *x* **do**
> 　　　**begin** *leng* := 0 ;
> 　　　　*new* (*top*) ; *new* (*tail*) ;
> 　　　　*top* ↑ . *f* := *tail* ; *top* ↑ . *b* := **nil** ;
> 　　　　*tail* ↑ . *f* := **nil** ; *tail* ↑ . *b* := *top*
> 　　　**end**
> 　**end** ;
> **procedure** *qput* (**var** *x* : *queue* ; *v* : *integer*) ;
> 　　**var** *w* : *dlist* ;
> 　**begin** *new* (*w*) ;
> 　　*w* ↑ . *d* := *v* ; *w* ↑ . *f* := *x* . *top* ↑ . *f* ; *w* ↑ . *b* := *x* . *top* ;
> 　　*x* . *top* ↑ . *f* ↑ . *b* := *w* ;
> 　　*x* . *top* ↑ . *f* := *w* ;
> 　　*x* . *leng* := *x* . *leng* +1
> 　**end** ;
> **function** *qget* (**var** *x* : *queue*) : *integer* ;
> 　　**var** *w* : *dlist* ;
> 　**begin**
> 　　**if** *x* . *leng* = 0
> 　　　**then** "待ち行列空エラー"
> 　　　**else**
> 　　　　**with** *x* . *tail* ↑ **do**

begin

$qget := b\uparrow.d$;

$b := b\uparrow.b$;

$dispose(b\uparrow.f)$;

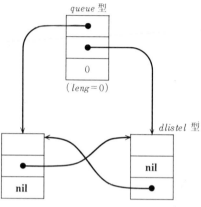

図 8. 11 空の待ち行列

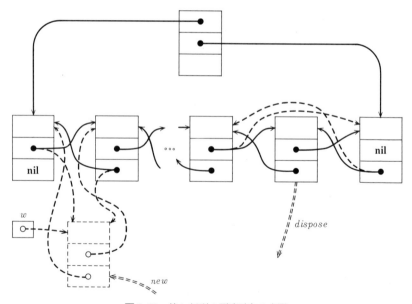

図 8. 12 待ち行列の要素追加と削除

$$b \uparrow .f := x . tail \,;$$
$$x . leng := x . leng - 1$$

end

　　　　　　end ;　　　　　　　　　　　　　　　　　　　　　■

空の待ち行列を図 8.11 に，挿入と削除の様子を図 8.12 に，それぞれ示す．

(c)　リスト構造の更新

　スタックや待ち行列などの "列" に対する操作は，先頭や末尾の要素に対するものであった．そして，それに対応するデータ型として，再帰的データ構造が導入された．ここでは，先頭や末尾以外の要素に対する操作について考えよう．その種の代表例は，中間要素の挿入・削除と，列全体の分割・連結である．

　［例 8.4］　優先度つき待ち行列を表現する．

　優先度つき待ち行列(priority queue)は，単純な待ち行列に，次のような変更を加えたものである．

　(1)　各要素は，**優先度**(priority)と呼ばれる付加的な値を持っている．

　(2)　新しい要素をつけ加える場合は，その優先度より小さい優先度を持つ
　　　　要素より前に挿入する．

第 6 章の例 6.11 で，銀行の窓口にできる行列のシミュレーションを行なった．この例題に "お年寄り優先" という条件を追加すると，プログラムで扱うデータは優先度つき待ち行列となる．実例で示そう．いま，到着する要素の名前と優先度が

$$(a, 5),\ (b, 1),\ (c, 4),\ (d, 3),\ (e, 6),\ (f, 4)$$

であったとしよう．取出しが行なわれないとすると，待ち行列の内容は次のように変化する．星印は新しく追加された要素を示す．

$$*(a, 5)$$
$$(a, 5) *(b, 1)$$
$$(a, 5) *(c, 4)\ \ (b, 1)$$
$$(a, 5)\ \ (c, 4) *(d, 3)\ \ (b, 1)$$
$$*(e, 6)\ \ (a, 5)\ \ (c, 4)\ \ (d, 3)\ \ (b, 1)$$
$$(e, 6)\ \ (a, 5)\ \ (c, 4) *(f, 4)\ \ (d, 3)\ \ (b, 1)$$

すなわち，同じ優先度の要素(上例では c と f)は先着順に並ぶが，全体とし

ては優先度の高い順に整列された列となる.

[解 8.4]

```
type dlist = ↑ dlistel ;
     dlistel = record
                 d : integer ;              データ
                 p : real ;                 優先度
                 f, b : dlist
               end ;
     queue = record
                 top, tail : dlist ;
                 leng : integer
             end ;
var q : queue ;
procedure qinit (var x : queue);              前と同じ
procedure qget (var x : queue ; var e : dlistel) ;   前と同じ
procedure qput (var x : queue ; v : integer ; pr : real) ;
    var w, u : dlist ;
  begin
    x.top↑.p := pr ; w := x.tail↑.b ;          番兵つき探索
    while w↑.p < pr do w := w↑.b ;
    new (u) ;
    with u↑ do
      begin d := v ; p := pr ; f := w↑.f ; b := w end ;
    w↑.f↑.b := u ;
    w↑.f := u ;
    x.leng := x.leng+1
  end ;
```

挿入する場所を見つけるための線形探索用に, x.top が指している仮先頭の
中に番兵を書き込んでいる.

[例 8.5] 二つの待ち行列を連結する. □

待ち行列二つを引数としてとり, 第 1 の待ち行列の後へ第 2 の待ち行列を
つなげる手続きを示す. 第 2 の待ち行列は空にしておく.

[解 8.5]

```
procedure concatq (var x, y : queue) ;
```

begin

$x.tail\uparrow.b\uparrow.f := y.top\uparrow.f;$　　　　f 方向のつなぎかえ

$y.tail\uparrow.b\uparrow.f := x.tail;$

$y.top\uparrow.f\uparrow.b := x.tail\uparrow.b;$　　　b 方向のつなぎかえ

$x.tail\uparrow.b := y.tail\uparrow.b;$

$y.top\uparrow f := y.tail;$　　　　　　　　y を空にする

$y.tail\uparrow.b := y.top;$

end ;　　　　　　　　　　　　　　　　　■

(d) 木構造

双方向リストに現われていた2種類のポインタは，一つのリストを両方向にたどれるように，いいかえると，一つの列を2通りに分解できるように設けられていたものである．こんどは，2通りにではなく，二つに分解するようなデータ構造を考えよう．

　［例 8.6］　与えられた整数が素数であるかどうかを，高速に判定するデータを作る．　□

　素数の判定で一番単純なものは，その数（x とする）未満のすべての数で割ってみる方法である．実際には，x の平方根以下の奇数だけを扱えばよいので，たとえば $x=10007$ の判定には $(99-3)/2+1=49$ 回の除算が必要である．ところが，素数の判定を頻繁に行なう場合には，前もって素数の表を作っておき，その中にあるかどうかを調べる方が能率がよい．この表を配列に入れておき，2分探索によって探すやり方は第6章で調べた．ここでは，データの構造を使うことにしよう．

　例として，1000以上1100以下の範囲の素数について考えよう．この範囲内にある素数は次のとおりである．

　　　　(1009　1013　1019　1021　1031　1033　1039　1049

　　　　　1051　1061　1063　1069　1087　1091　1093　1097)

ここでは，この16個のデータからなる列を考える．そしてこれを，

$$1050 = \frac{1000+1100}{2}$$

より大きいものと小さいものとに分割する．

　　　　((1009　1013　1019　1021　1031　1033　1039　1049)

$$(1051 \quad 1061 \quad 1063 \quad 1069 \quad 1087 \quad 1091 \quad 1093 \quad 1097))$$

第1の部分には1000〜1049のものが，第2の部分には1050〜1099のものが，それぞれ入っている．さらにこの二つの部分を，それぞれの範囲の**中央値**(1025と1075)で分割してみよう．

$$(((1009 \quad 1013 \quad 1019 \quad 1021)$$
$$(1031 \quad 1033 \quad 1039 \quad 1049))$$
$$((1051 \quad 1061 \quad 1063 \quad 1069)$$
$$(1087 \quad 1091 \quad 1093 \quad 1097)))$$

もう1回分割すると次のようになる．分割のための中央値は，それぞれ

$$1012.5 \quad 1037.5 \quad 1062.5 \quad 1087.5$$

である．

$$((((1009) \quad (1013 \quad 1019 \quad 1021))$$
$$((1031 \quad 1033) \quad (1039 \quad 1049)))$$
$$(((1051 \quad 1061) \quad (1063 \quad 1069))$$
$$((1087) \quad (1091 \quad 1093 \quad 1097))))$$

これを続けて，すべての部分列の要素数が1以下になるようにした結果を示そう

$$(((((1009) \quad ((1013) \quad (((1019) \quad (1021)) \quad ()))))$$
$$(((1031) \quad (1033)) \quad ((1039) \quad (1049))))$$
$$((((1051) \quad (1061)) \quad ((1063) \quad (1069)))$$
$$((1087) \quad ((() \quad ((1091) \quad (1093))) \quad (1097)))))$$

このままではよくわからないので，図にしてみよう．図8.13で，一つの丸は一つの列を表わす．そして，その列の要素が一つの数であればそれをすぐ下に書き，そうでなければ，二つの部分列を表わす二つの丸を斜め下に配置して，2本の線で結ぶ．こうしてでき上った全体図は，根が上にあるような**木**(tree)の形をしている．そこで，このように再帰的に分割可能なデータの構造を**木構造**(tree structure)と呼ぶ．また，この例のように分割が2分ずつ行なわれている木を，**2分木**(binary tree)と呼ぶ．同様にして，3分木や4分木，一般に **n 分木**を考えることができる．

この2分木を表現するデータ型を作ろう．

type *tree* $= \uparrow$ *tnode* ;

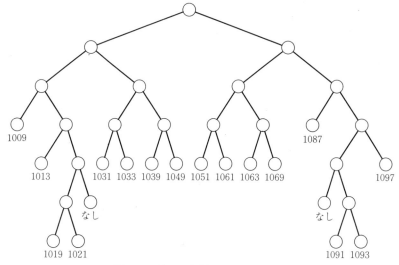

図 8.13 範囲 2 分割によるデータ構成

$$tnode = \mathbf{record}$$

$$\qquad val : integer\,; \qquad データ$$

$$\qquad min, max : real\,; \qquad データ値の範囲$$

$$\qquad lt, gt : tree$$

$$\qquad \mathbf{end}\,;$$

要素が一つだけの列は

$$val = ``値", \qquad min と max = ``範囲", \qquad lt = gt = \mathbf{nil}$$

で表わす．そうでない場合，すなわち二つの部分列 $a1$ と $a2$ からなる列は

$$val = 0, \qquad min と max = ``範囲", \qquad lt = a1, \qquad gt = a2$$

と表わす．

　このデータ構造がすでにでき上っているものとして，素数判定をする関数を作ろう．このデータ構造の根($root$)と判定すべき値とが引数となる．

[解 8.6a-1]

```
    function isprime(root : tree ; v : integer) : Boolean ;
      begin
        if  root = nil
          then  isprirme := false                存在しない
          else
```

```
          with  root↑ do
            if  val > 0
              then  isprime := (val = v)          その要素と比較
              else
                if  v < (min+max)/2
                  then  isprime := isprime(lt, v)    下半分で探す
                  else  isprime := isprime(gt, v)    上半分で探す
        end ;
```

データ構造の再帰性が，関数呼出しの再帰性に反映している．

　つぎに，判定用のデータ構造を作る手続きに移ろう．この手続きは，すで
に部分的にでき上っている木構造の根と，新たに登録すべき値とを引数とす
る．

［解 8.6a-2］

```
      procedure putprime(var root : tree ; v : integer ;
                              mi, ma : real) ;

        var med : real ;
        procedure put(v0 : integer) ;
          begin
            if  v0 < med  then  putprime(root↑ . lt, v0, mi, med)
                          else  putprime(root↑ . gt, v0, med, ma)
          end
        begin
          if  root = nil
            then  begin  new(root) ;      新規登録
                    with  root↑ do
                      begin  val := v ;
                        min := mi ; max := ma ; lt := nil ; gt := nil
                      end
                  end
            else  begin  med := (mi+ma)/2 ;
                    with  root↑ do
                      if  val > 0  then  begin  put(val) ; val := 0  end ;
                      put(v)
                  end
```

end ;

この手続きでは，与えられた(部分)木構造が **nil** であれば，新しく要素を作ってそこへ登録する．そうでない場合には，与えられた値と，もしその根にデータが登録されていれば($root\uparrow.val > 0$)その値とを，さらに下の部分木に登録する．

　この木構造を使った探索の能率は，データの分布が一様であると仮定すれば，配列の2分探索と同じであり，データの個数を n とするとき

$$\log n$$

に比例する手間となる．調べるべきデータの個数が半分半分になっていくからである．

　ところが，登録する場合の手間は，配列とポインタによる木構造とでは異なる．配列の場合は，整列している要素群の中に新しい要素を一つ挿入することになり，ずらしの操作が必要となる．これには n に比例する手間がかかる．これに対して木構造の場合の登録は，探索とほぼ同じ処理であり，$\log n$ に比例する手間となる．

8.3　2分探索木

　木構造は，データの集合を再帰的に分割して管理する場合によく用いられるデータ構造である．分割数は目的とする処理によっていろいろに選ばれる．たとえば，英単語の辞書を表現する場合には，26分割('a' から 'z' まで)されることもある．この場合のデータ型には，2分木の場合の

$$lt, gt : tree ;$$

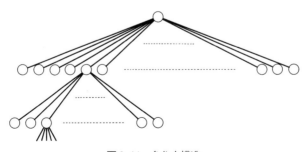

図8.14　多分木構造

のかわりに，ポインタの配列

$$next : \textbf{array}[0..25] \textbf{ of } tree ;$$

が含まれることになる（図 8.14）．

　いろいろな木構造の中でも，2 分木はもっとも基本的なものであり，よく使用される．たとえば上例の 26 分木は，各データを 5 段の 2 分木（$2^5 = 32 > 26$）によって表現することができる．もちろん，処理の能率は低くなることが多いが，処理自体は単純になる．

　木構造内に蓄積してあるデータは，解 8.6 でみられるとおり，能率よく探索することができる．それで，探索を目的とする 2 分木のことを **2 分探索木**（binary search tree）と呼ぶこともある．ここでは解 8.6 を基本として，2 分探索木について考える．

（a）範囲データの扱い

解 8.6 で使用したデータ型は次のようなものであった．

$$\textbf{type } tree = \uparrow tnode ;$$
$$tnode = \textbf{record}$$
$$val : integer ;$$
$$min, max : real ;$$
$$lt, gt : tree$$
$$\textbf{end} ;$$

この要素のうち，min と max は値の範囲を示すために使われている．したがって，木全体ではなく，途中の部分木だけを与えられても，探索や登録のための値の範囲を知ることができる．これに対して，処理が必ず木全体に対して行なわれ，かつ個々の部分木のための値の範囲が一定の規則で算出できる場合には，この min と max という要素は不要である．解 8.6 のように，範囲が常に 2 分される場合がその例である．範囲の上下限の値は，手続きに対する引数として扱われる．

　［解 8.6b］

$$\textbf{function } isprime\,(root : tree ; v : integer ;$$
$$mi, ma : real) : Boolean ;$$
$$\textbf{var } med : real ;$$
$$\textbf{begin}$$

```
            if root = nil
              then isprime := false
              else
                with root↑ do
                  if val > 0
                    then isprime := (val = v)
                    else
                      begin med := (mi+ma)/2 ;
                        if v < med
                          then isprime := isprime(lt, v, mi, med)
                          else  isprime := isprime(gt, v, med, ma)
                      end
      end ;
```

手続き *putprime* については，もともと引数 *mi* と *ma* を使用しているので，*min* と *max* への代入文を取り除くだけでよい．

(b) 分割方法の変更

次に，*tree* 型の要素 *val* について考えよう．この要素には，長さ1の列を表現する場合にはその要素の値が入るが，さらに列が2分される場合には，0すなわち不当な値を入れている．手続き *putprime* では，列が2分される場合は，*val* の値をさらに下の部分木へ登録しなおしている．これをやめて，一度登録したらその後はやりなおさないことはできないだろうか．このようにした方が，データ量と処理の手間の両面でよいように思われる．実際，2分探索木の多くは，このように使われている．ただし，こうした場合には，木構造の意味を次のように変えたことになる．

これまでの分割

　　　　　　(………)　を　((…) (…))

変更した分割

　　　　　　(………)　を　((…) *v* (…))

ただし *v* は，ある一つの要素である．

素数表(1000〜1100)についてこの二つの方法を比べてみると，次のようになる(図 8.15)．

	旧版	新版
データ個数	33	16(*tnode* 型の要素数)
木の深さ	7	5

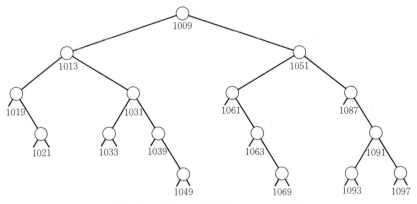

図8.15　変更した分割法によるデータ構成

　これをもともとのやり方と比べると，必要な記憶量が約 3.5 分の 1 に減少
したことがわかる.

(c)　データ値による範囲指定

　これまでの議論では，分割範囲は順に 2 分されていた. この方法によると，
入力データの値の分布がほぼ一様であれば，木構造全体はいびつにならず，
どの部分木もほぼ 2 等分される形になる. その場合，木全体の高さ，すなわ
ち根から末端までたどる長さの最大値が，いびつな場合と比べて小さくなり，
探索や登録の効率がよくなる. 入力データ値の分布が一様でなくても，それ
があらかじめわかっている場合には，各分木がほぼ 2 等分されるような分割
値を計算することができ，木全体がいびつにならないようにすることができ
る. ただしこの場合には，データ型(*tnode*)の中に，その分割値を表わす要
素を含ませておくことが必要となる.

　2 分探索木の構成法のうちでもっとも簡略化されたやり方は，分割のため
の値として，8.3 節(b)で導入した新しいデータ分割方法における v をその
まま使う方法である. この方法では，範囲あるいは分割値を別に扱う必要が

ない．したがって，処理そのものはもっとも簡単なものとなる．しかしながらその代償として，でき上る木構造がいびつなものになりやすく，しかもデータの登録順序に依存してしまうという欠点を持っている．例で示そう．データの登録を

(a)　　1, 2, 3, 4, 5, 6, 7

(b)　　7, 6, 5, 4, 3, 2, 1

(c)　　2, 4, 6, 1, 3, 5, 7

(d)　　4, 2, 6, 1, 3, 5, 7

という4通りの順で行なった結果できる木の形を図8.16に示す．順序(a)や(b)では，結果は線形リストと同じ形になってしまい，探索や登録の効率は悪い．もっともよいのは(d)の順序である．素数の表を2分木として表現する場合は，素数が(ふつうは)小さい順に登録されるので，まさに(a)や(b)のような木ができ上ってしまう．

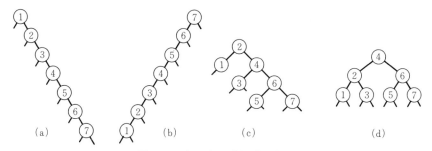

図8.16　木の形の登録順序依存性

現実には，要素を登録するどの順序も等しい確率で起こると仮定すると，平均的な木の高さは最適な木((d)に相当)の高さの約1.4倍となることが計算される．したがって，(平均的には)約4割の"非能率さ"を覚悟の上で，この簡略方法を使用することが多い．多くの書物では，この簡略方法が2分探索木の方法と記されているが，以上のような事情が存在することを忘れてはならない．簡略法のプログラムを示しておく．

［解 8.6c］

```
type  tree = ↑ tnode ;
      tnode = record
              val : integer ;
```

```
                        lt, gt : tree
                    end ;
        function isprime (root : tree ; v : integer) : Boolean ;
            begin
              if root = nil
                then isprime := false
                else
                  with root ↑ do
                    if v = val then isprime := true else
                    if v < val then isprime := isprime (lt, v)
                                else   isprime := isprime (gt, v)
            end ;
        procedure putprime (var root : tree ; v : integer) ;
            begin
              if root = nil
                then begin new (root) ;
                          root ↑ . val := v ;
                          root ↑ . lt := nil ;  root ↑ . gt := nil
                    end
                else if v < root ↑ . val
                        then putprime (root ↑ . lt, v)
                        else putprime (root ↑ . gt, v)
            end ;
```

第8章のまとめ

8.1 データの値に対する処理の種類や，意味規則などによって，データに構造が導入される．

8.2 導入された構造では，一般にその長さや深さが可変となる．これを表現するのが再帰的データ型である．

8.3 再帰的データ型の値のための領域管理や，共有データを表現するために，データの名前であるポインタが使われる．NIL ポインタは，何も指していないポインタ値である．

8.4 線形リストは，列を前の方から分解していくためのデータ構造である．

8.5 双方向リストは，列を両端どちらからも分解していくためのデータ構造で，

主に待ち行列の表現に使われる.

8.6 木構造は,列をおおまかに分け,そのそれぞれをさらに分けていくための
データ構造である.分割が二つずつであるものを2分木と呼ぶ.一般に n 分
木が構成できる.

8.7 データの探索のための2分木を,2分探索木と呼ぶ.2分探索木では,探索
範囲を示すやり方によって,いくつかの構成方法がある.

キーワード

不定長の列　　　再帰的な型　　　可変レコード型　　　ポインタ　　　NIL
線形リスト　　　双方向リスト　　　優先度つき待ち行列　　　木構造　　　2分探索木

演習問題8

8.1 2分木を表わすデータ型を,ポインタを使用せずに表現せよ.型 *seq*3 を参
照のこと.次に,そのデータ値の例を図示せよ.

8.2 手続き *new* と *dispose* を持たないプログラム言語では,配列によってデー
タ構造を表現する.この場合の手続き *new* と *dispose*,およびポインタ参照
(↑)のやり方を示せ.*new* と *dispose* を作るにあたっては,使用されていない
(配列中の)場所の管理が重要である.次の二つの方法について考えよ.
(1) *new* がもともと未使用な部分をどんどん消費し,すぐに尽きてしまう方
法(簡便法).
(2) *dispose* で返された場所を *new* が再利用する方法(廃品回収法).

8.3 英単語の列を読み込んで,それらの1文字目,2文字目,3文字目,などで
整列したデータを作る.たとえば入力データを

　　　　　the cat at in he big pot me

とするとき,以下の列を結果とする.

　　　　　　　1文字目　　　at big cat he in me pot the
　　　　　　　2文字目　　　cat he me the big in pot at
　　　　　　　3文字目　　　the big cat pot

8.4 多角形を表現するデータ構造について考える.以下に示す各水準について,
最適と思われるデータ構造を決め,処理を行なうプログラム(手続き,関数)を
作れ.
(1) 水準0　三角形しか扱わない.面積を求める.
(2) 水準1　頂点数の最大値がわかっている.面積を求める.
(3) 水準2　頂点数の最大値はわからない(可変).面積を求める.
(4) 水準3　頂点数は可変.任意の頂点を抜いたり,新しい頂点を追加したり
する.面積も求める.

(5) 水準4 頂点数は可変. 二つの多角形の共通部分(0個以上の多角形となる)を求める. 面積も求める.

8.5 数あてゲームを行なうプログラムを作る. 数あてゲームとは, 2者がそれぞれ n 桁の10進数を相手にはわからないように用意し, 交互に質問をして先に相手の数をあてるゲームである. ただし10進数は同じ数字を2個以上含んではいけない. たとえば1987はよいが1988はいけない($n=4$の場合). 質問は, 適当な n 桁の数による. 答える方は, 以下の規則で決まる二つの数 s と h とを教える.

s(*strike*):   同じ桁に同じ数字がある数

h(*hit*):   異なる桁に同じ数字がある数

たとえば数1987に対する質問と解答の例は以下のとおり

質問	0123	6789	7890	1967
答(s, h)	0,1	1,2	0,3	3,0

質問は, "残っている解の候補をなるべく均等に分割"するように選ぶとよい.

9

■ ■ ■ ■

プログラミングの方法

第1章から第8章までによって，プログラミングの概要を学んだ．例題としていろいろな種類のものを選んだので，広い範囲の問題に適応できるプログラミングが可能になったと思う．しかしながら，実際の場面でプログラムによって解かなければならない問題は，その種類，性質，複雑さなどすべての面において，本書で学習した内容をはるかに越えたものである．このような巨大さと複雑さに対抗する唯一の手段は，できるだけ数少ない強力な指導原理を身につけておくことである．

本章では，プログラミングにおいて一般的な指導原理のいくつかを示す．これらは，これまでの部分でもたびたび示してきたが，指導原理として明確に把握しておく必要があるものばかりである．また，プログラミングの"やり方"を示すことが主な目的なので，例題としては比較的小規模な数論的なものを取り上げる．

9.1　問題の把握と条件式

　プログラミングの問題では，"次のプログラムを実行してみよ"といった類のものは，よほどの入門部分でなければ出てこない．これこれの解を求めよとか，あれそれの処理を行なえとか，ともかく，"プログラムを作る"ことが要求される．プログラムを作るということは，なにがしかのモデルをコンピュータの中に作り上げることであり，そのためには何よりも，"問題をきちんと把握する"ことが前提となる．本節ではこの把握と，そのための道具の一つである条件式の利用について調べる．

(a)　問題の表現

　問題を表現する方法に関して，例題を用いて考えてみよう．
　[例 9.1]　2数 x と y の最大値を m に求める．□
　少しでもプログラムを作ったことのある人であれば，この問題を見たらただちに，次の解を書くことであろう．

$$\textbf{if } x > y \textbf{ then } m := x \textbf{ else } m := y$$

ところがこれでは，問題を正確に表現するという段階を無意識的に省略してしまっている．この正確な表現を試してみよう．キーワードは"最大値"である．m が x と y の最大値に等しいことは，次の式で表わされる．

$$(m = x) \textbf{ and } (m \geqq y) \textbf{ or } (m = y) \textbf{ and } (m \geqq x) \qquad (9.1)$$

単に

$$(m \geqq x) \textbf{ and } (m \geqq y)$$

としたのでは，m に充分大きな値を入れておけばよいことになってしまうことに注意しよう．
　さて，例 9.1 の問題の正確な表現は
　　実行直後に式(9.1)が成り立つようなプログラムを作れ

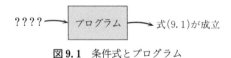

$????\longrightarrow$ プログラム $\longrightarrow$ 式(9.1)が成立

図 9.1　条件式とプログラム

ということになる(図9.1).

第1章において,変数の値によって規定される"状態"の考え方を学んだ.プログラムの各部分が実行されるにつれて,この状態が次々と変わっていく.ところが,状態を構成する変数にも,最終的な結果に直接にはかかわらないものがある.各種の作業用の変数がそれである.また,最終的に求めるものが,特定の値ではなく,ほかの値とある関係にある値であることもある.上例がその種の例の一つで,m に求めたい値は x と y の値に依存している.

プログラムの"状態"について考えるとき,状態を構成する一つ一つの値が問題なのではなくて,実は**その状態で成立する条件式**が問題なのである.たとえば最大値の例のより正確な表現は,

　　　式(9.1)が成立する状態を実現するプログラムを作れ

となる.

例9.1の問題の表現は,もうこれで完全であろうか.実はもう少し注意が必要である.この問題ではわれわれは x と y の値は変化しないものと決めてかかっている.この仮定が成り立たないとすると,たとえば

$$m := 0; \ x := 0; \ y := 0$$

という3個の代入文によっても,式(9.1)を成立させる状態が実現される.これは明らかに,ここで求められている解ではない.これを排除するには,大文字で定数を表わすことにすると,

　　[1] 実行前の状態では

$$(x = X) \ \textbf{and} \ (y = Y) \tag{9.2}$$

　　　が成立している.

　　[2] 実行後の状態では

$$(x = X) \ \textbf{and} \ (y = Y) \ \textbf{and}$$
$$((m = X) \ \textbf{and} \ (X \geqq Y) \ \textbf{or} \ (m = Y) \ \textbf{and} \ (Y \geqq X))$$
$$\tag{9.3}$$

　　　が成立するようにする,

となる.

簡単な問題でも,正確に表現しようとすると意外に複雑になることがわかった.別の例を見てみよう.

　　[例9.2] n 個の数 $x_1, x_2, \cdots, x_n$ の最大値を m に求める. □

x_1 から x_n までの値は変化しないものとすると，(9.1)と同じような式ができる．すなわち成立させるべき式は，

$(m = x_1)$ **and** $(m \geqq x_2)$ **and** $(m \geqq x_3)$ **and** $\cdots$ **and** $(m \geqq x_n)$
or
$(m = x_2)$ **and** $(m \geqq x_1)$ **and** $(m \geqq x_3)$ **and** $\cdots$ **and** $(m \geqq x_n)$
or
$\cdots$
or
$(m = x_n)$ **and** $(m \geqq x_1)$ **and** $(m \geqq x_2)$ **and** $\cdots$ **and** $(m \geqq x_{n-1})$

$$(9.4)$$

この巨大な式は，このまま扱うにはあまりに大きい．それで，次のような再帰的な式がよく使われる．

$m = max(x_1, x_2, \cdots, x_n)$ は以下の条件式と等しい．
$(m = max(x_2, \cdots, x_n))$ **and** $(m \geqq x_1)$ **or**
$(m = x_1)$ **and** $(m \geqq max(x_2, \cdots, x_n))$ $\qquad (9.5)$
および
$(m = x_1)$ **and** $(n = 1)$

式(9.5)は(9.1)の x と y をそれぞれ $max(x_2, \cdots, x_n)$ と x_1 に置きかえたものである（図9.2）．

図9.2 不定個数の最大値

例9.2を式(9.5)のようにきちんと表現すると，それだけでだいたいの解法が導き出せる．式(9.5)は，$x_1, \cdots, x_n$ の最大値を次の再帰的関数で求めればよいことを示している．

```
function max(x₁, x₂, ⋯, xₙ : integer) : integer ;
    var m : integer ;     {注 : これは Pascal ではない}
  begin if n = 1 then max := x₁ else
        begin m := max(x₂, x₃, ⋯, xₙ) ;
```

$$\textbf{if } m > x_1 \textbf{ then } max := m$$
$$\textbf{else } \quad max := x_1$$
$$\textbf{end}$$
$$\textbf{end};$$

(b) 条件式の利用

最大値の例題では，問題をきちんと条件式の形で表わした場合，それが計算手順(アルゴリズム)と対応することが示された．前出の関数を実行する様式を順に並べると，次のような IF 文の列となる．

$$m := x_n;$$
$$\textbf{if } x_{n-1} > m \textbf{ then } m := x_{n-1};$$
$$\textbf{if } x_{n-2} > m \textbf{ then } m := x_{n-2};$$
$$\cdots\cdots$$
$$\textbf{if } x_1 > m \textbf{ then } m := x_1$$

$$m = max(x_n)$$
$$m = max(x_{n-1}, x_n)$$
$$m = max(x_{n-2}, x_{n-1}, x_n)$$

$$m = max(x_1, x_2, \cdots, x_n)$$

ここで右に書いてあるのは，それぞれの代入文の実行直後において成り立っている条件である．条件が次第にきつくなっていき，最後に問題で要求されている条件が実現されていることがよくわかる(図 9.3)．

いま x_i が配列に入っているとすると，この IF 文の列は反復文にまとめる

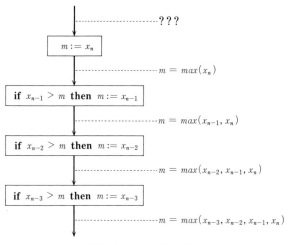

図 9.3 成立条件の変化

ことができる.

$$m := x[n]\,;\ i := n-1\,;$$
while $i > 0$ **do**
   begin if $x[i] > m$ **then** $m := x[i]\,;$
     $i := i-1$
   end

このようにすると, さきほどは右に書いていた条件の列も次のようにまとめられる(図 9.4).

   (各回の反復の直前において)

$$m = max\,(x_{i+1},\, x_{i+2},\, \cdots,\, x_n) \tag{9.6}$$

式(9.6)において $i=0$ とすると, もともと要求されていた条件となる.

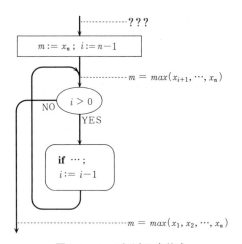

図 9.4 ループ不変な条件式

  式(9.6)のように, 反復実行の一定の場所で常に成り立っている条件のことを, **ループ不変条件**(loop invariant condition)または**ループ不変量**(loop invariant)と呼ぶ. ループ不変量は, 次の 2 通りの意味で重要である.

(1) 反復実行の毎回ごとに異なる条件が成り立つのでは, とても複雑でプログラミングできない. そこで, 成り立つべきループ不変量を先に考え, それを頼りに反復文を書かざるを得ない. 多くのプログラマは, 無意識に類似のことを行なっている.

(2) 多くのループ不変量は，問題をきちんと表現した段階で，おのずと現われてくる(式(9.5)参照)．すなわちそれは，問題と解法の橋渡しの役目を持っている．

この2点は，もちろん密接に関係し合っている．

無意識的にできるのなら考えなくてもよいのではないか，という考え違いをしないようにするために，ループ不変量の有用性を示す例を一つ示そう．

［例9.3］ 配列の2分探索はどうなって終了するか． □

2分探索法のプログラム(解6.9)を再び示しておく．

$$i := 1 \,;\; j := n \,;$$
$$\textbf{while} \ \ i <= j \ \textbf{do}$$
$$\quad \textbf{begin} \ \ p := (i+j) \ \textbf{div} \ 2 \,;$$
$$\quad\quad \textbf{if} \ \ a[p] <= key$$
$$\quad\quad\quad \textbf{then} \ \ i := p+1$$
$$\quad\quad\quad \textbf{else} \ \ j := p-1$$
$$\quad \textbf{end}$$

ただし配列 $a[1..n]$ の中での探索とした．このプログラムの動き方は，図6.11 に示されている．しかし，値 key が配列中にある場合とない場合，とくに $key < a[1]$ または $a[n] < key$ の場合に，どうなってこの WHILE 文が終了するのかは定かではない．また，もともとの説明では，$a[i]$ から $a[j]$ までの範囲を探すことになっているのに，

$$a[p] = key \quad \text{のときでも} \quad i := p+1$$

としてしまってよいのであろうか．

これらの疑問に答えるには，ループ不変量を使うのがもっとも適切である．各回の反復の直前でのループ不変量の例を示す．

$$Q_i \quad\quad \cdots, a[i-3], a[i-2], a[i-1] \leq key$$
$$Q_j \quad\quad \cdots, a[j+3], a[j+2], a[j+1] > key$$
$$\text{ループ不変量 } Q = Q_i \ \textbf{and} \ Q_j \quad\quad\quad\quad\quad (9.7)$$

ただし $a[0] = -$無限大，$a[n+1] = +$無限大とする．Q_i と Q_j の意味を図9.5に示す．

まず Q がループ不変量であることを確かめよう．初期化($i := 1 \,;\, j := n$)によって

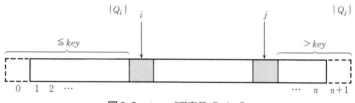

図9.5 ループ不変量 Q_i と Q_j

$$Q_i = a[0] \leqq key,$$
$$Q_j = a[n+1] > key$$

となるので，$Q = Q_i$ **and** Q_j は成立している．次に IF 文の **then** 部分の実行直前では，

$$\cdots \leqq a[p-1] \leqq a[p] \leqq key$$

となっているので，代入文 $i := p+1$ により，

$$\cdots \leqq a[i-2] \leqq a[i-1] \leqq key$$

となり，再び Q_i が成立する．変数 j は変らないので Q_j は成立したままである．**else** 部分も同じで，

$$\cdots \geqq a[p+1] \geqq a[p] > key$$

のときに代入文 $j := p-1$ を行なえば，

$$\cdots \geqq a[j+2] \geqq a[j+1] > key$$

すなわち Q_j が成立する．Q_i は成立したままである．したがっていずれの場合でも，Q は再び成立する．すなわち Q はループ不変量である．

　さて問題に答えよう．Q が成立したまま $j-i$ がどんどん小さくなっていき，$i > j$ となった時点で反復が終了する．一方，Q_i と Q_j が同時に成立していることから

$$a[i-1] \leqq key < a[j+1]$$

となるが，配列 a が整列していることから，添字値の間に

$$i-1 < j+1$$

という関係があることがわかる．結局，まとめると

$$j < i < j+2$$

すなわち

$$i = j+1$$

となって反復が終了することが示された．最終的な key に関する関係は

$$a[j] \leq key < a[j+1]$$

または

$$a[i-1] \leq key < a[i] \tag{9.8}$$

となる(図9.6).

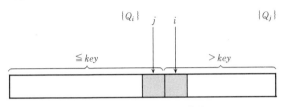

図9.6 2分探索の終了状態

　2分探索法のプログラムから直接に条件(9.8)を導くのはそう簡単なことではない.それが,ループ不変条件(9.7)を利用することによって,機械的に導出できるのである.

　ループ不変条件は,プログラムの証明などにも用いられるが,ここでも示したように,プログラミングに際しても非常に重要な概念となっている.

(c) 複合条件と部分条件

　実際のプログラムにおいては,問題の表現はかなり複雑である.しかしながら,いろいろな条件を組み合わせたり,一つの条件をよりゆるい条件に分割したりすることによって,やはりきちんと表現することができる.

　[例9.4] 個人番号と生年月日からなるレコードの配列がある.1970年から1979年までの10月生まれの人の数を求める.配列は,生年月日の辞書式順序で整列されている. □

　型と配列を用意しておこう.

$$
\begin{aligned}
&\textbf{type } pdate = \textbf{record } personid : 1..1000; \\
&\qquad\qquad\qquad\quad year : 1800..2100; \\
&\qquad\qquad\qquad\quad month : 1..12; \\
&\qquad\qquad\qquad\quad day : 1..31 \\
&\qquad\qquad\quad \textbf{end}; \\
&\textbf{var } a : \textbf{array}[1..n] \textbf{ of } pdate;
\end{aligned}
$$

まず,整列しているということから,次のような仮想的な条件が考えられる.

$$Q_p = \cdots, a[p-2], a[p-1] < \text{``1970 年 10 月''} \leqq a[p] \qquad (9.9)$$

$$Q_q = a[q] \leqq \text{``1979 年 10 月''} < a[q+1], a[q+2], \cdots \qquad (9.10)$$

これは，$a[p], \cdots, a[q]$ だけを調べようという意図の現われである（図 9.7）．
次に，求める答を x とすると，当然

$$x = [(p \leqq i \leqq q) \text{ and } (a[i]. month = \text{``10 月''})] \text{ を満たす } i \text{ の数}$$
$$(9.11)$$

となる．ここで，この条件をゆるめて，たとえば

$$R_r = x = [(p \leqq i \leqq r) \text{ and } (a[i]. month = \text{``10 月''})]$$
$$\text{を満たす } i \text{ の数} \qquad (9.12)$$

としてみよう．R_q となればでき上りである（図 9.8）．また R_{p-1} とすると $p \leqq i \leqq p-1$ を満たす i はないから，$x=0$ としておけば R_{p-1} は成り立っていることになる．

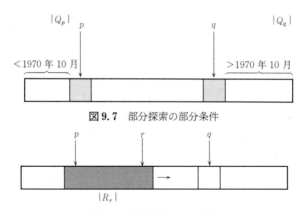

図 9.7   部分探索の部分条件

図 9.8   部分条件とその変化

　以上をまとめると，この問題の表現として，

$$Q_p \text{ and } Q_q \text{ and } R_q \qquad (9.13)$$

または

$$Q_p \text{ and } Q_q \text{ and } R_r \text{ and } (r = q) \qquad (9.14)$$

が得られる．全体として複合的な条件を形成している．また，(9.13) の R_q が (9.14) の R_r と $(r=q)$ とに分解されているが，それぞれ（R_q の）部分条件となる．

　条件式 (9.13) から実際のアルゴリズムを得るのは直接的に可能である．す

なわち

Q_p を実現するための探索(2分探索がよい)

Q_q を実現するための探索(2分探索あるいは線形探索)

R_r **and** $(r = q)$ を実現するための処理

をこの順で並べればよい. 3番目の処理は

R_r **and** $(r = p-1)$ ($x := 0$ とすればよい)

から始めて, r を一つずつ増やしてゆけばよい.

以上で示したような条件式を利用するやり方は, 積極的に取り入れる方がよい. これまでにも, バブルソート(6.3節(c))やクイックソート(6.3節(e))のアルゴリズムのヒントを得る際に, 部分条件式を利用している. また, プログラムで用いる条件式をすべて数学に則したやり方で書くと, 非常に長く, したがって読みにくくなるのがふつうである. 目的はあくまでプログラミングなので, 条件式も不正確にならない範囲で適当に短く書くのがよい. 式(9.9)や(9.11)を参照のこと.

(d) プログラムの実行と条件式

プログラムをきちんと作り上げるためには条件式の利用が有効であることがわかった. 実際の利用にあたっては, 条件式と文の実行との関係を整理しておく必要がある. あるプログラム言語(たとえば Pascal)に関して, その文の実行の振舞やデータ構造の成り立ちを, 条件式を用いてきちんと表わす方法が知られている. これを, プログラム言語の**公理的定義法**(axiomatic definition)と呼ぶ. その中でも, ホーア(C. A. R. Hoare)が与えた Pascal の定義が有名である. ここではその"さわり"だけを示す.

まず代入文を取り上げよう. いま, 代入文の前に条件 Q (たとえば $x+y=z$)が成り立っているものとしよう. ここで代入文

$x := x+1$

を実行する. その後で成り立つ条件を Q' とする(図9.9). $Q=[x+y=z]$ であれば, 明らかに $Q'=[(x-1)+y=z]$ である. 符号が逆になっていることに注意しよう. ここでの状況を簡単に書くために, 次の記法を導入する.

$\{Q\}\ S\ \{Q'\}$ (9.15)

これは, 文 S の実行直前に条件 Q が成り立っているならば, 実行直後には

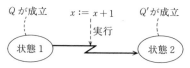

図 9.9　代入による成立条件の変化

Q' が成り立つことを示す．いまの例では

$$\{x+y = z\}\ x := x+1\ \{(x-1) + y = z\}$$

となる．同じようにして

$$\{x+y = z\}\ x := x/2\ \{x*2 + y = z\}$$

$$\{x+y = z\}\ x := x*2\ \{x/2 + y = z\}$$

などとなる．それでは

$$\{x+y = z\}\ x := 0\ \{Q'\}$$

の Q' は何になるであろうか．代入前の x の値は失われてしまっているので，x, y, z 間の関係は何もわからなくなっているのである．

　このように，一般に代入は情報が減る方向にあるので，前向きの条件の変化を求めるのは適当ではない．しかし逆向きの変化はきちんと求められる．式で書くと

$$\{Q_e^x\}\ x := e\ \{Q\} \tag{9.16}$$

となる．ここで Q_e^x は，条件式 Q の中に現われる x を値 e で置き換えたものを示す．上の各例は次のようになる．

$$\{(x+1) + y = z\}\ x := x+1\ \{x+y = z\}$$

$$\{(x/2) + y = z\}\ x := x/2\ \{x+y = z\}$$

$$\{(x*2) + y = z\}\ x := x*2\ \{x+y = z\}$$

$$\{\ 0 + y = z\}\ x := 0\ \{x+y = z\}$$

最後の例もきちんと成り立つことに注意しよう．

　逆向きにしか使えないのは不便のように思われるが，プログラムを作るもともとの目的が，最後の状態における条件の成立であったことを考えると，むしろ本筋に沿ったものであるといえる．少し複雑な例を示そう．

　［例 9.5］　次の式の R を求める．

$$\{R\}\ z := z+y\,;\ y := y+2\,;\ x := x+1$$

$$\{Q = (z = x^2)\ \textbf{and}\ (y = 2x+1)\}$$ □

これを求めるには，式 Q を"代入文を逆にたどって"変形すればよい．すなわち

$\{R_1\}\ x := x+1\ \{Q\}$ とすれば
$$R_1 = (z = (x+1)^2)\ \textbf{and}\ (y = 2(x+1)+1)$$
$$= (z = (x+1)^2)\ \textbf{and}\ (y = 2x+3)$$

$\{R_2\}\ y := y+2\ \{R_1\}$ とすれば
$$R_2 = (z = (x+1)^2)\ \textbf{and}\ (y+2 = 2x+3)$$
$$= (z = (x+1)^2)\ \textbf{and}\ (y = 2x+1)$$

$\{R\}\ z := z+y\ \{R_2\}$ とすれば
$$R = (z+(2x+1) = (x+1)^2)\ \textbf{and}\ (y = 2x+1)$$
$$= (z = x^2)\ \textbf{and}\ (y = 2x+1)$$
$$= Q$$

となり，$R=Q$ が示された．すなわち，Q が成立しているときにこの 3 個の代入文を続けて実行すると，ふたたび Q が成立する．Q が"保存される"わけである．そこでこの Q をループ不変量とした n^2 の計算を示そう．

$z := 0\,;\ y := 1\,;\ x := 0\,;$
while $x <> n$ **do**
　　begin $z := z+y\,;\ y := y+2\,;\ x := x+1$ **end**;

このプログラムは，反復文 WHILE の扱い方を示している．すなわち，各反復の開始時において Q が成立しており，反復文の終了時には反復条件 B の否定(**not** $(x \neq n)$)が成り立つので，結局最後には，

$$(z = x^2)\ \textbf{and}\ (y = 2x+1)\ \textbf{and}\ (x = n)$$
$$= (z = n^2)\ \textbf{and}\ (y = 2n+1)\ \textbf{and}\ (x = n)$$

が成立し，z に n^2 が計算できることが証明できる．これをまとめると次のようになる．

$$\{Q\}\ \textbf{while}\ B\ \textbf{do}\ S\ \{\textbf{not}\ B\ \textbf{and}\ Q\} \qquad (9.17)$$

ただし

$$\{Q\ \textbf{and}\ B\}\ S\ \{Q\} \qquad (9.18)$$

が条件である．

最大値を求める例 9.2 を，以上の話の流れでとらえなおしてみよう．

[1] まず最終目標を作る
$$m = max(x_1, x_2, x_3, \cdots, x_n)$$

［2］　次にそれを分割する

$$(m = max(x_{i+1}, x_{i+2}, \cdots, x_n)) \ \textbf{and} \ (i = 0)$$

［3］　WHILE 文の形にする

$$\{m = max(x_{i+1}, x_{i+2}, \cdots, x_n)\}$$

　　　$\textbf{while} \ B \ \textbf{do} \ S$

$$\{\textbf{not} \ (i \neq 0) \ \textbf{and} \ (m = max(x_{i+1}, x_{i+2}, \cdots, x_n))\}$$

ここで $B = (i \neq 0)$ が決まった．次に式(9.5)を頼りとして，

$$\{(i \neq 0) \ \textbf{and} \ (m = max(x_{i+1}, \cdots, x_n))\}$$

　　　　$S \ \{m = max(x_{i+1}, \cdots, x_n)\}$

となる S を作る．

［4］　式(9.5)より，S で扱う m の値は

(a)　　$max(x_{i+2}, x_{i+3}, \cdots, x_n)$

(b)　　x_{i+1}

のいずれかであることがわかる．

［5］　ここで IF 文の性質に関する式が登場する．いま二つの式

$$\{P \ \textbf{and} \ C\} \ S_1 \ \{Q\}$$

$$\{P \ \textbf{and} \ \textbf{not} \ C\} \ S_2 \ \{Q\} \tag{9.19}$$

が成り立つとすると，

$$\{P\} \ \textbf{if} \ C \ \textbf{then} \ S_1 \ \textbf{else} \ S_2 \ \{Q\} \tag{9.20}$$

が成り立つ．これを用いて，

$$S_1 = m := max(x_{i+2}, \cdots, x_n)$$

$$S_2 = m := x_{i+1}$$

とすると，C の形が $x_{i+1} \leq max(x_{i+2}, \cdots, x_n)$ と決まる．またここでは

$$P = ((i \neq 0) \ \textbf{and} \ (m = max(x_{i+1}, \cdots, x_n)))$$

であるので，結局 WHILE 文の中味は

$$S = \text{``}\textbf{if} \ x_i \leq m \ \textbf{then} \ m := m \ \textbf{else} \ m = x_i ;$$

$$\qquad i := i-1\text{''}$$

となる．これを整理すれば，9.1節(b)で示した反復解となる．

　式(9.15)のような，"プログラムの実行"も含めた条件式を使うやり方を**ホーア論理**(Hoare logic)と呼び，プログラミングやプログラムの証明などに広く用いられている．

9.2　逐次接近法

代表的なプログラミング技法として，逐次接近法が知られている．ここではその概念と，条件式との関係について調べる．

（a）逐次接近法の原理

一般にプログラミングの問題では，解を直接に計算する方法は与えられない（数値計算には例外も多い）．そのような場合に，近似的あるいは粗い解から始めて，真の解へだんだんと接近させていく方法が採られる．これを**逐次接近法**と呼ぶ．

［例 9.6］　2 の平方根を小数点以下 4 桁求める．□

この解としては能率のよいものが知られているが，何の知識もないものとすると，次のような逐次接近の方法が考えられよう．

［1］　$1 \times 1 = 1 < 2$ であるので，変数 x の値を 1 から 1 きざみで増やしていき，自乗が 2 より小さい最大の値を求める．

$$1^2 = 1 < 2 \quad (1+1)^2 = 4 > 2 \qquad \text{ここで } x = 1.0 \text{ となる}$$

［2］　x の値を今度は 0.1 きざみで増やしていき，同様な処理を行なう．

$$1.0^2 = 1.00 < 2 \quad （\text{これは}［1］\text{で計算済み}）$$
$$1.1^2 = 1.21 < 2$$
$$1.2^2 = 1.44 < 2$$
$$1.3^2 = 1.69 < 2$$
$$1.4^2 = 1.96 < 2$$
$$1.5^2 = 2.25 > 2 \qquad \text{ここで } x \text{ の次の値 } 1.4 \text{ が決まる．}$$

［3］　きざみを今度は 0.01 として同じ処理を行なう．

$$1.40^2 = 1.9600 < 2 \quad （\text{これは}［2］\text{で計算済み}）$$
$$1.41^2 = 1.9881 < 2$$
$$1.42^2 = 2.0164 > 2 \quad (x \leftarrow 1.41)$$

［4］　きざみを 0.001 とする

$$1.410^2 = 1.988100 < 2 \quad （\text{これは}［3］\text{で計算済み}）$$
$$1.411^2 = 1.990921 < 2$$

$$1.412^2 = 1.993744 < 2$$

$$1.413^2 = 1.996569 < 2$$

$$1.414^2 = 1.999396 < 2$$

$$1.415^2 = 2.002225 > 2 \qquad (x \leftarrow 1.414)$$

[5]　きざみを 0.0001 とする

$$1.4140^2 = 1.99939600 < 2 \qquad (これは[4]で計算済み)$$

$$1.4141^2 = 1.99967881 < 2$$

$$1.4142^2 = 1.99996164 < 2$$

$$1.4143^2 = 2.00024449 > 2 \qquad (x \leftarrow 1.4142)$$

これで，総計 17 回の自乗演算を使って，解が求まったことになる.

　この解の例では，真の解が存在する範囲を，

$$[1, 2] \rightarrow [1.4, 1.5] \rightarrow [1.41, 1.42] \rightarrow [1.414, 1.415]$$

と狭めていった(図 9.10). すなわち，解が存在する範囲を順々に絞ってい
く，あるいは，解が存在しないことがわかっている範囲を順々に拡げていく
という操作を繰り返したことになる.

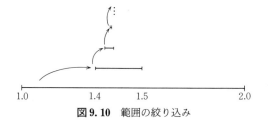

図 9.10　範囲の絞り込み

　この例を条件式で書いてみよう. 求める値を x とするとき，条件は

$$Q_x = (x^2 \leq 2) \ \textbf{and} \ ((x+0.0001)^2 > 2) \qquad (9.21)$$

と書ける. このような x が最初から計算できれば問題はないが，ここではそ
れを逐次接近の方法で求めている. まず，Q_x を分解する.

$$Q_x = R_{x,d} \ \textbf{and} \ (d = 0.0001) \qquad (9.22)$$

ここで

$$R_{x,d} = x^2 \leq 2 < (x+d)^2 \qquad (9.23)$$

である. 次に，逐次接近を行なうためのパラメータ i を導入する.

$$R_{x,d} = P_{y,i,d} = (y+i \cdot d)^2 \leq 2 < (y+i \cdot d+d)^2 \qquad (9.24)$$

P は，さらに小さい部分条件

$$S_{y,i,d} = (y+i\cdot d)^2 \leqq 2 \tag{9.25}$$

を用いると

$$P_{y,i,d} = S_{y,i,d} \text{ and not } S_{y,i+1,d} \tag{9.26}$$

と書ける．この式から，$S_{y,i,d}$ を満たす最大の i の値を求めれば，$y+i\cdot d$ すなわち x の値が求まることになる．

逐次接近法のもっとも単純な例は線形探索である．

$$i := 1;$$
$$\textbf{while } a[i] <> x \textbf{ do } i := i+1$$

配列 $a[1..n]$ の中に x が必ずあるものとすると，このプログラムでは $a[k] = x$ である k のうちの最小の値が i に求まる．対応する条件式は以下の通り．

$$Q_k = a[1], a[2], \cdots, a[k-1] \neq x, \ a[k] = x \tag{9.27}$$

例によってこれを分解する．

$$Q_k = R_i \text{ and } (a[i] = x) \text{ and } (i = k) \tag{9.28}$$

ここで

$$R_i = \cdots, a[i-2], a[i-1] \neq x \tag{9.29}$$

さらに書き直すと

$$Q_k = R_i \text{ and not } R_{i+1} \text{ and } (i = k) \tag{9.30}$$

となる．すなわち，前と同じく，R_i を満たす最大の i の値を求めればよい（図 9.11）

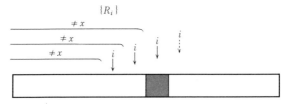

図9.11　線形探索と条件式の変化．陰をつけた要素まで含めると R_i が成立しない．すなわちその要素が x である．

以上の例は，範囲の大きさ，あるいは真の解からのずれが，**等差級数的**に小さくなるものである．この型の逐次接近法は，確実ではあるが能率はよくない．たとえば配列の探索では，配列の値の並び方に何の規則性もない場合には，確実な線形探索しか方法はない．並び方に規則性がある場合には，それを利用して能率を上げることができる．

（b）　逐次接近法の改良

　逐次接近によるアルゴリズムを改良するには，範囲の大きさや真の解からのずれを，等差級数的なものよりも速く小さくすればよい．

　［例 9.7］　整列配列の探索の高速化を行なう．□

　これはいうまでもなく，2 分探索の話となる．線形探索では，範囲の大きさが一ずつしか減らないが，2 分探索では半分半分になっていく．その結果として，探索の手間が n から $\log_2 n$ になることはすでに示した．

　条件式を使うと，2 分探索が能率がよい理由がはっきりする．配列が整列しているという条件は，

$$i < j \quad \text{ならば} \quad a[i] \leq a[j] \tag{9.31}$$

で表わされる．2 分探索の 1 段階で，たとえば

$$a[p] < key \tag{9.32}$$

であることがわかると，（9.31）と（9.32）とから

$$i \leq p \quad \text{ならば} \quad a[i] < key \tag{9.33}$$

であることがわかる．すなわち，線形探索では一つ一つ行なわなければならない比較が，整列という前処理のおかげで，一度にまとめて行なえるわけである（図 9.12）．

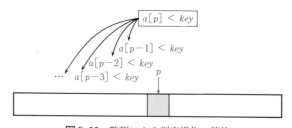

図 9.12　整列による判定操作の節約

　［例 9.8］　平方根の計算を高速化する．□

　例 9.6 では 2 の平方根（の近似値）を求めたが，これはいいかえると，関数

$$f(x) = x^2 - 2$$

の 0 点，すなわち $f(x)=0$ の根を求めたことになる．ここで $f(x)$ の性質を利用すると，さらに速い逐次接近が可能となる．

　まず $f(x)$ は，x が正の範囲で単調に増加する．すなわち

$$0 \leqq a < b \quad \text{ならば} \quad f(a) < f(b) \tag{9.34}$$

となる．これは配列の整列条件(9.31)と同じである．したがって2分探索が
可能である．つぎに，x の値が変化すると $f(x)$ の値もそれにつれて滑らか
に変化する．したがってたとえば

$$f(a) < 0, \ f(b) > 0, \ |f(a)| \ll |f(b)|$$

であれば，解は a に充分近いことが予測できる(図9.13)．すなわち，2分探
索ではなく，関数値の絶対値に応じた範囲せばめが可能である．

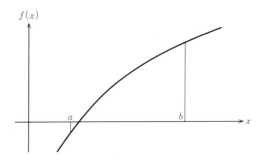

図9.13　滑らかな関数の根の推定

　さらに $f(x)$ が充分滑らかであることから，

$$f(x+d) = f(x) + f'(x) \cdot d + \cdots$$

と展開できる．ただし $f'(x)$ は $f(x)$ の導関数$(2x)$である．このことから，
ある値 a で計算した $f(a)$ と $f'(a)$ とから，

$$0 = f(a) + f'(a) \cdot d$$

を解いて d を求めれば，$f(a+d)$ がほぼ0となる．この $a+d$ を新しい a
として，この操作を繰り返せばよい．実際には，

$$\text{新しい } a := \text{古い } a - \frac{f(a)}{f'(a)} \left(= a - \frac{a^2-2}{2a} = \frac{1}{2}\left(a + \frac{2}{a}\right) \right)$$

とする．これは，図9.14のような操作を示している．この方法を**ニュート
ン法**と呼ぶ．

　ニュートン法での解への近づき方を調べてみよう．いま平方根を計算する
数を G，その平方根を g とし，ある段階での近似値を $a = g + e$ とする．e は
残っている誤差を表わす．次の a の値 a' は

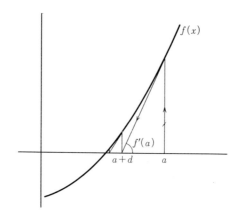

図9.14　ニュートン法の原理

$$a' = \frac{1}{2}\left(a+\frac{G}{a}\right) = \frac{g+e+G/(g+e)}{2} = \frac{g^2+2eg+e^2+G}{2(g+e)}$$
$$= \frac{g^2+eg+e^2/2}{g+e}$$

となり，その誤差は

$$a'-g = \frac{g^2+eg+e^2/2-g(g+e)}{g+e} = \frac{e^2}{2(g+e)}$$

となる．すなわち，誤差は自乗で(e から e^2 へ)小さくなる．2分探索での範囲の縮まり方は1乗(e から $e/2$ へ)であるから，それよりもずっと速く真の解に近づくことがわかる．

(c) 逐次接近法の効率

　一般に，高速化処置をまったく施さない逐次接近の方法は，解を探す範囲の大きさを，1回の反復で"縮まる"大きさで割っただけの計算の手間がかかる．たとえば線形探索では，平均すると配列の長さ n の半分だけ探索の手間がかかる．これを改善したのが，見出し表や逆引き表(6.3節(a)参照)，2分探索法(6.3節(b))などである．これらの方法を使う場合には，対応する前準備が必要である．たとえば2分探索のためには配列を整列する必要があるが，それには約 $n\times\log_2 n$ だけの手間がかかる．したがって，おおまかにいうと，探索を $\log_2 n$ 回以下しかやらない場合には，整列はせずに線形探索だけを使うのがよい．

例9.6でやった逐次接近の方法は，単純な2分探索ではない．このアルゴリズムの能率を求めてみよう．求められている解の有効桁数をr桁とすると，各桁で平均5.4回の計算と比較が必要であり，全体では平均

$$r \times 5.4$$

だけの手間がかかる．これを仮に2分探索でやったとすると，探すべき範囲の最初の大きさは10^rとなる．たとえば，2桁の精度で求める場合は，探すべき範囲は

$$0.00,\ 0.01,\ 0.02,\ 0.03,\ \cdots,\ 0.97,\ 0.98,\ 0.99$$

であり，全体で100個の値からなっている．したがってこの範囲の2分探索の手間は

$$\log_2(10^r) = r \times \log_2 10 = r \times 3.32\cdots$$

となり，例9.6のアルゴリズムより少ない．

一般に，探索範囲をk個に区切る方法では，単位精度あたり必要な計算量は$(k+2)(k-1)/(k \log k)$に比例し，$k=2$で最小である．例9.6のアルゴリズムは$k=10$の場合に相当する．このことから，アルゴリズム自体も非常に単純な2分探索法が使われるのである．

9.3 部分計算

プログラムで実行する計算の中で，無駄な部分を省くことができれば，それだけ能率が上ることになる．よく現われるのは，同じ計算を何回も繰り返す無駄である．このような計算を（理想的には）1回ですます方法の一つが**部分計算**（partial computation）である．ここでは，部分計算のいくつかの例を調べよう．

(a) 前計算

主に反復計算の中で，同じ計算を何回も行なうことがある．この計算を反復が始まる前に1回だけ行ない，反復中はその結果を利用するというやり方を，**前計算**（precomputation）という．例で示そう．

［例9.9］　直角を挟む2辺の長さがaとbである直角三角形が，長さaの辺と斜辺とが交わる頂点を中心として回転している．長さbの辺と斜辺と

が交わる頂点の xy 座標値の変化を出力する．□

［解 9.9a］

素直に考えると次のプログラムとなる（図 9.15）．

> **for** $i := 0$ **to** 360 **do**
> $writeln(i, sqrt(a*a+b*b)*cos(i/180*3.141592),$
> $sqrt(a*a+b*b)*sin(i/180*3.141592))\,;$ ▮

このプログラムの中で，反復中に値が変らない式は

> $sqrt(a*a+b*b)$ と $3.141592/180$

である．それでこれを"前計算"しよう．

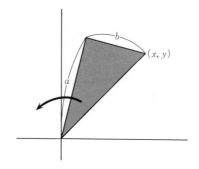

図 9.15　直角三角形の回転

［解 9.9b］

> $c := sqrt(a*a+b*b)\,;$
> $factor := 3.141592/180\,;$
> **for** $i := 0$ **to** 360 **do**
> $writeln(i, c*cos(i*factor), c*sin(i*factor))$ ▮

さらに，出力文の中の二つの三角関数の引数が同じであることに着目すると，次のような解が得られる．

［解 9.9c］

> $c := sqrt(a*a+b*b)\,;$
> $factor := 3.141592/180\,;$
> **for** $i := 0$ **to** 360 **do**
>   **begin** $x := i*factor\,;$
> $writeln(i, c*cos(x), c*sin(x))$
>   **end**\,;   ▮

最初の解と比べると，*sqrt*（…）の計算および 3.141592/180 の演算が 361×
2＝722 回から 1 回へ，*i*＊*factor* の計算が 361×2 回から 361 回へ，それぞれ
回数が激減している．それだけ能率が向上したわけである．

　この種の前計算はよく行なわれるが，解 9.9a と解 9.9c とを比べればわか
るとおり，前計算の結果を保持する**変数の導入**が必要となる．一般に，プロ
グラムの中の変数が多くなればなるほど，そのプログラムの理解がむずかし
くなるという事実がある．これは，変数の増加によりプログラムがとり得る
"状態"の数が爆発的に大きくなり，その把握がきわめてむずかしくなるから
である．解 9.9c においても，出力文中の変数 c のとり得る値は（本来は）無
数にあり，第 1 行目で c の値の前計算を行なっていることを知らなければ，
計算の意味が不明となってしまう．前計算を行なう場合には，値を保持する
変数の名前をくふうするなどして，間違いや勘違いをしないように注意しな
ければならない．

（b）増分計算

　第 1 章で，べき乗計算を順々に行なう方法を示した（例 1.1）．また第 3 章
でも，同種のやり方で能率を上げる例を取り上げた（解 3.8b）．すなわち，x^n
まで計算してある場合
$$x^{n+1} = x^n \times x$$
によって"次の値"である x^{n+1} を求める方法である．このように，それまで
に計算してある値（あるいは状態）を利用して，増分を計算するだけで次の値
（状態）を求めるやり方を，**増分計算**（incremental computation）と呼ぶ．

　もともと変数の役割は，それまでに計算した値を無駄にしないように保持
しておくことであり，それ自体増分計算のために導入されているということ
もできる．

　［例 9.10］　方程式 $x^4+x^3+x^2+x=3000$ の根のうち，正のものの整数部
分を求める．▯

　この問題では 2 分法も使えるが，x を $0, 1, \cdots$ と試していく方法でやって
みよう（図 9.16）．まず，問題の正確な表現をしよう．
$$f(x) = x^4+x^3+x^2+x$$
とするとき

$$f(a) \leqq 3000 < f(a+1) \tag{9.35}$$

である整数値 a を求める。いいかえると

$$Q_x = f(x) \leqq 3000 \tag{9.36}$$

とするとき

$$Q_a \text{ and not } Q_{a+1} \tag{9.37}$$

を成り立たせる a を求めることになる。いま明らかに

$$Q_0 = f(0) \leqq 3000 \tag{9.38}$$

であるから、$Q_0, Q_1, Q_2, \cdots$ と試していき、最後に成り立つ a の値を求めればよい。この手法は、明らかに逐次接近の方法である。

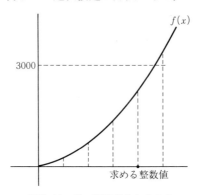

図 9.16 根の整数部分を求める

［解 9.10a］

$x := 0$；
while $x * x * x * x + x * x * x + x * x + x <= 3000$ **do** $x := x+1$；
"$x-1$ が答" ∎

答は 7 である。

さてこの多項式の計算に、増分計算を適用してみよう。x^2, x^3, x^4 をそれぞれ x_2, x_3, x_4 と表わすことにすると、

$$x_2 = x * x \qquad x_3 = x_2 * x \qquad x_4 = x_3 * x$$

であるから

$$\begin{aligned}
x^4 + x^3 + x^2 + x &= x_3 * x + x_2 * x + x * x + x \\
&= (x_3 + x_2 + x + 1) * x \\
&= (x_2 * x + x * x + x + 1) * x
\end{aligned}$$

$$= ((x_2 + x + 1) * x + 1) * x$$
$$= ((x * x + x + 1) * x + 1) * x$$
$$= (((x+1) * x + 1) * x + 1) * x \qquad (9.39)$$

となる．もとの計算方法では乗算が6回，加算が3回であったが，増分計算により乗算が3回，加算が3回ですむようになった．多項式にこのやり方を適用する方法を**ホーナーの方法**という．これは第5章の解5.12でも使った方法である．

［解9.10b］

$$x := 0 ;$$
while $(((x+1) * x + 1) * x + 1) * x <= 3000$ **do** $x := x + 1$；
“$x-1$ が答” ∎

　ホーナーの方法は多項式の各項，すなわちべき乗の計算に増分計算を適用したものである．これを拡張して，多項式全体の計算に増分計算を適用してみよう．多項式 $f(x)$ の増分は $f(x+1) - f(x)$ である．

$$f(x+1) - f(x)$$
$$= (x+1)^4 + (x+1)^3 + (x+1)^2 + (x+1) - (x^4 + x^3 + x^2 + x)$$
$$= 4x^3 + 9x^2 + 9x + 4 \qquad (9.40)$$

これは，3次式であり，4次式 $f(x+1)$ よりも必要な計算量は少ない．すなわち増分計算の効果があることになる．これをさらに続けよう．この3次式を $g(x)$ とおく．すなわち

$$f(x+1) = f(x) + g(x)$$

また

$$g(x+1) - g(x) = 4(x+1)^3 + 9(x+1)^2 + 9(x+1) + 4$$
$$- (4x^3 + 9x^2 + 9x + 4)$$
$$= 12x^2 + 30x + 22$$
$$= h(x) \qquad (9.41)$$
$$h(x+1) - h(x) = 12(x+1)^2 + 30(x+1) + 22 - (12x^2 + 30x + 22)$$
$$= 24x + 42$$
$$= k(x) \qquad (9.42)$$
$$k(x+1) - k(x) = 24 \qquad (9.43)$$

以上をまとめると，次のような関係となる．

$$f(x+1) = f(x) + g(x)$$
$$g(x+1) = g(x) + h(x)$$
$$h(x+1) = h(x) + k(x)$$
$$k(x+1) = k(x) + 24$$

そこでこの f, g, h, k を一組にして計算をすることによって，関数 f の増分計算ができる．

［解 9.10c］

$x := 0$; $f := 0$; $g := 4$; $h := 22$; $k := 42$;
　　$\{f(0) = 0,\ g(0) = 4,\ h(0) = 22,\ k(0) = 42\}$
while $f <= 3000$ **do**
　begin $f := f+g$; $g := g+h$; $h := h+k$; $k := k+24$;
　　　　$x := x+1$
　end ;
　　"$x-1$ が答" ∎

各回当り 4 回の加算ですんでおり，さらに能率が向上している．この方法は数値計算の分野では**差分**(difference)計算と呼ばれている．値の変化を見てみよう．条件判定の時点における，各変数の値を表に示す．

x	f	g	h	k	
0	0	4	22	42	
1	4	26	64	66	
2	30	90	130	90	
3	120	220	220	114	
4	340	440	334	138	
5	780	774	472	162	
6	1554	1246	634	186	
7	2800	1880	820	210	(2800<3000)
8	4680	2700	1030	234	(4680>3000)

　前計算の場合と同様に，能率の向上と引きかえに，扱うべき変数の数がふえている．ここでも，その取扱いには気をつけなければならない．たとえば，各変数を初期化する場合，もともとの変数(x)の初期値(0)に適合する値($f(0), g(0)$ など)を正しく代入しておかないと，あとの計算値はまったく無意味なものになってしまう．

(c) 表計算

　ある処理を行なう前に，その中で使いそうな値をあらかじめいくつか計算し，表の形で用意しておく方法を，**表計算**(tabular computation)という．前計算の一種ではあるが，配列すなわち添字つきの値としてあらかじめ計算しておくのが特徴である．

　［例 9.11］　文字列照合の処理を高速化する．□

　例 6.10 で採用した文字列照合のアルゴリズムは，だいたい次のようなものであった．

$$\textbf{var } t: \textbf{array}[1..n] \textbf{ of } char ;$$
$$p: \textbf{array}[1..m] \textbf{ of } char ;$$
$$i, j: integer ;$$
$$......$$
$$i := 1 ;$$
$$\textbf{while not } (t[i..i+m-1] = p[1..m]) \textbf{ do } i := i+1$$

走りぬけ防止の処置は省略した．このアルゴリズムの動き方を，例を使って調べてみよう．

$$t = \text{'the theme is there.'}$$
$$p = \text{'ther'}$$

まず $i=1$，すなわちパターン p を左端に合わせた状態で，照合が始まる．先頭の 3 文字まではうまくいくが，4 文字目(' ' と 'r')で不成功とわかる．次に $i=2$ となる．

$$t = \text{'the theme is there.'}$$
$$p = \text{'ther'}$$

これは先頭文字('h' と 't')ですぐ失敗する．$i=3,4$ も同様で，$i=5$ となる．

$$t = \text{'the theme is there.'}$$
$$p = \text{'ther'}$$

ここでも 3 文字目まではよいが，4 文字目('m' と 'r')で失敗する．以降は，t の要素が 't' でない部分では，全部 1 文字目で失敗し続ける($i=6,7,\cdots,13$)．最後に $i=14$ となる．

$$t = \text{'the theme is there.'}$$
$$p = \text{'ther'}$$

ここでめでたく 4 文字とも合致するので成功し，その位置 14 が答として報告される．

　以上の処理過程において，無駄な処理がないかどうかを調べよう．一般に，テキストの方がパターンよりもかなり長いので，パターンの文字の方が頻繁に何回も照合される．すなわち，パターンに関する前計算の可能性が存在する．そのヒントは，上の例における $i = 2, 3$ での照合失敗である．$i = 1$ で 3 文字目まで照合に成功した時点では，テキストの様子は次のようになっている．

$$t = \text{'the}*****\cdots\text{'}$$
$$p = \text{'ther'}$$

すなわち $t[i]$, $t[i+1]$, $t[i+2]$ はすでにわかっている．したがって，$i = 2$ として

$$t = \text{'the}*****\cdots\text{'}$$
$$p = \text{'ther'}$$

としても，パターンの 1 文字目で失敗することは，パターンの内容だけから知ることができる．この場合は，パターンの 4 文字目で失敗したら，次の照合位置を決める i の値を，これまでのような 1（すぐ右）ではなく 3 だけ増やすことができる．

$$t = \text{'the}*****\cdots\text{'}$$
$$p = \text{'ther'}$$

パターンの各文字位置ごとに，そこで失敗したら i をどれだけ増やせるかを計算して，配列 S に入れておくことにしよう．それには，パターンを自分自身と照合すればよい．以後見やすさのために，配列の添字をふつうの添字で示す（たとえば $S[3]$ のかわりに S_3）．

　まず明らかに

$$S_1 = S_2 = 1$$

である．次に S_3 については，次のずらし方のどちらができるかで値が決まる．

$$(S_3 = 1) \quad p_1 \ p_2 \ * \qquad (S_3 = 2) \quad p_1 \ p_2 \ * $$
$$\qquad\qquad\quad p_1 \ p_2 \ p_3 \qquad\qquad\qquad\quad p_1 \ p_2 \ p_3$$

左は明らかに $p_1 = p_2$ の場合である．したがって

$$(p_1 = p_2) \quad \text{なら} \quad S_3 = 1$$
$$\text{その他} \quad S_3 = 2 \tag{9.44}$$

S_4 についても同様である.

$$(S_4 = 1) \quad p_1 \ p_2 \ p_3 \ * \qquad (S_4 = 2) \quad p_1 \ p_2 \ p_3 \ *$$
$$p_1 \ p_2 \ p_3 \ p_4 \qquad\qquad\qquad p_1 \ p_2 \ p_3 \ p_4$$
$$(S_4 = 3) \quad p_1 \ p_2 \ p_3 \ *$$
$$p_1 \ p_2 \ p_3 \ p_4$$

これから次のように定まる.

$$(p_1 = p_2) \ \textbf{and} \ (p_2 = p_3) \quad \text{なら} \quad S_4 = 1$$
$$(p_1 = p_3) \quad \text{なら} \quad S_4 = 2$$
$$\text{その他} \quad S_4 = 3 \tag{9.45}$$

S_5 も示しておく.

$$(p_1 = p_2) \ \textbf{and} \ (p_2 = p_3) \ \textbf{and} \ (p_3 = p_4) \quad \text{なら} \quad S_5 = 1$$
$$(p_1 = p_3) \ \textbf{and} \ (p_2 = p_4) \quad \text{なら} \quad S_5 = 2$$
$$(p_1 = p_4) \quad \text{なら} \quad S_5 = 3$$
$$\text{その他} \quad S_5 = 4 \tag{9.46}$$

この S_5 については, その形の一部が S_4 用の式と同じであることから, 次のように書きかえることができる.

$$(S_4 = 1) \ \textbf{and} \ (p_3 = p_4) \quad \text{なら} \quad S_5 = 1$$
$$(S_4 = 2) \ \textbf{and} \ (p_2 = p_4) \quad \text{なら} \quad S_5 = 2$$
$$(S_4 = 3) \ \textbf{and} \ (p_1 = p_4) \quad \text{なら} \quad S_5 = 3$$
$$\text{その他} \quad S_5 = 4 \tag{9.47}$$

さらに, 最初の 3 行の規則性が利用できる.

$$p[4 - S_4] = p_4 \quad \text{なら} \quad S_5 = S_4$$
$$\text{その他} \quad S_5 = 4 \tag{9.48}$$

一般に

$$p[k-1-S_{k-1}] = p_{k-1} \quad \text{なら} \quad S_k = S_{k-1}$$
$$\text{その他} \quad S_k = k-1 \tag{9.49}$$

となるので, 配列 S の計算のプログラムは次のようになる.

$$S[1] := 1 ; \ S[2] := 1 ;$$
$$\textbf{for } k := 3 \textbf{ to } m \textbf{ do}$$
$$\quad \textbf{if } p[k-1-S[k-1]] = p[k-1]$$
$$\qquad \textbf{then } S[k] := S[k-1]$$
$$\qquad \textbf{else } \ S[k] := k-1$$

パターンと S の値との例を示しておく.

$$p = \text{'abcde'} \qquad p = \text{'aaba'} \qquad p = \text{'abacab'}$$
$$S = 11234 \qquad S = 1113 \qquad S = 112244$$

この"ずらし表"を計算しておくと, テキストの各文字は必ず前から順に調べればよく, 後戻りする必要がなくなる. それだけ能率が上ったわけである.

　この例は表計算の例であったが, S_5 の式の計算に S_4 の値を利用したやり方は, 増分計算の例にもなっている. さらに, それを式としてまとめた (9.49) により, S_n までの計算の手間は n に比例するだけですむ. 増分計算をしない式 (9.46) の方法では, 各 S_k の計算に $k^2/2$ 程度の手間がかかるので, 全体として S_n まで計算するには, 概略 n^3 に比例する計算量が必要である.

　ここで示した"ずらし表"の方法は, 実は詰めが少し"あまい". たとえば

$$t = \text{'} \ast\ast\ast \text{eeeX} \ast\ast\ast\ast\ast \text{'}$$
$$p = \text{'eeee'}$$

の状態で, パターンの 4 文字目 (e) とテキストの文字 (≠e, 仮に X としてある) が異なった場合, X は 'e' ではないので, パターンを一度に 4 だけ右へずらしてもよい. ところがここで示したアルゴリズムでは, X が 'e' ではないという情報を捨ててしまっているので, 右へ一つしかずらさない. この情報まで有効に活用した方法として, **KMP 法** (Knuth-Morris-Pratt 法) がよく知られている.

(d)　連想計算

　表計算の手法は, 使いそうな値をすべて前計算によって求めるやり方であった. これは, 求める値の数が小さいか, 大きくてもほとんどの値が必ず使われる場合に有効な手法である. したがって, 使われる可能性が少しでもあ

る値が多数あって，しかもどれが実際に使われるかが明らかでない場合には，別のやり方をする必要がある．

連想計算（associative computation）は，ある値の計算を初回はふつうにやり，それを保存しておいて，2回目からはその保存値を使うという方法である．表計算を，必要に応じて随時行なうやり方と思えばよい．

　［例 9.12］　組合せ数 $_nC_m$ を再帰的に求める計算に，連想計算を適用する．□

　n 個のものから m 個を選ぶ組合せの数である $_nC_m$ は，次のように再帰的に定義される．

$$_nC_m = \begin{cases} 1 & m = 0,\ n \\ _{n-1}C_{m-1} + _{n-1}C_m & \text{その他} \end{cases} \tag{9.50}$$

これは，いわゆる**パスカルの三角形**を作るのに使われる関係式である（図 9.17）．この式どおりに関数を作ってみよう．

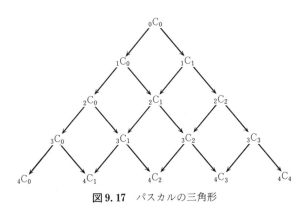

図 9.17 パスカルの三角形

　［解 9.12a］

```
function combi(n, m : integer) : integer ;
  begin
    if (m = 0) or (m = n)
      then combi := 1
      else combi := combi(n-1, m-1) + combi(n-1, m)
  end ;
```

この関数で $_nC_m$ を計算すると，結局は "$combi := 1$" という値を寄せ集める

ことになるので，*combi* 自身が $_nC_m$ 回（再帰的に）呼び出される．これは，n や m が大きくなると，非常に大きな数となる．たとえば $_{10}C_4$ は 210 である．この計算に，連想計算を導入しよう．

例として $_{10}C_4$ の計算を調べよう．定義式より

$$_{10}C_4 = {}_9C_3 + {}_9C_4$$

となるが，右辺の二つをそれぞれ展開すると

$$_{10}C_4 = ({}_8C_2 + {}_8C_3) + ({}_8C_3 + {}_8C_4)$$

となる．再帰的な関数呼出しだけを使った場合，$_9C_3$ の計算に使うために $_8C_3$ を計算したのをすっかり忘れて，$_9C_4$ の計算の中でふたたび $_8C_3$ を計算する．もしこれが 1 回ですませられれば，関数の呼出しのうち，少なくとも $_8C_3 = 56$ 回はやらなくてすむことになる．

この計算に連想計算を取り入れるには，値を保存しておく領域が必要である．その領域中の各場所には，まだ値の計算がすんでいないことを示す印（たとえば値 -1）か，実際の計算値が入る．計算を開始する前には，この未計算の印をすべての部分に書いておく必要がある．

［解 9.12b］

```
const max = 20; vyet = −1;
type index = 1..max;
var vcombi: array[index, index] of integer;
......

procedure combi0;
    var i, j: index;
  begin for i := 1 to max do
          for j := 1 to max do vcombi[i, j] := vyet
  end;
function combi(n, m: integer): integer;
  begin
    if (m = 0) or (m = n)
      then combi := 1
      else if vcombi[n, m] <> vyet
            then combi := vcombi[n, m]
            else begin
                vcombi[n, m] := combi(n−1, m−1)
```

$$+combi(n-1, m)\,;$$
$$combi := vcombi[n, m]$$

end

end ;　　　　　　　　　　　　　　　　　　　　　■

　このプログラムで $combi(10,4)$ を計算した場合，次のように再帰呼出しが行なわれる．

$combi(k,0),\ combi(k+3,4)$　　　　$k = 1, 2, \cdots, 6$

$combi(t,t),\ combi(6+t,t)$　　　　$t = 1, 2, 3$

　　以上は 1 回だけ呼ばれる

$combi(k+t,t)$　　　　　　　$k = 1, 2, \cdots, 5,\ \ t = 1, 2, 3$

　　以上は 2 回呼ばれる

これを合計すると 48 となり，もとのやり方の 1/4 以下となった．連想計算の効果である．

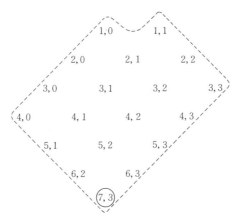

図 9.18　$_7C_3$ の計算に必要な範囲．
$_pC_q$ を p, q で表わしてある．

　この例題は，実は連想計算の適用例としてはあまり適切ではない．図 9.18 でもわかるとおり，必要な値を得るための引数（n と m）の値の範囲が，簡単に決められるからである．このような場合は，増分計算による表計算によって，引数値の小さい方から順に計算するのがよい．

　　［解 9.12c］

```
function combi(n, m : integer) : integer ;
    var i, j : index ;
        v1, v2 : integer ;
begin
  for i := 1 to n−m do
    for j := 1 to m do        combi(i+j, j) の計算
      begin
        if j = 1 then  v1 := 1
                 else  v1 := vcombi[i+j−1, j−1] ;
        if i = 1 then  v2 := 1
                 else  v2 := vcombi[i+j−1, j] ;
        vcombi[i+j, j] := v1+v2
      end ;
    if (m = 0) or (m = n)
      then combi := 1
      else  combi := vcombi[n, m]
end ;
```

このやり方であれば，表を端から順に計算するだけですむので，$(n−m)×$
m 回の計算を行なえばよい．$_{10}\mathrm{C}_4$ については 24 回である．

　組合せ数については

$$_n\mathrm{C}_m = \frac{n(n-1)(n-2)\cdots(n-m+1)}{1\times2\times3\times\cdots\times m} \tag{9.51}$$

という別の関係式があり，$2(m−1)$ 回の乗除算で値が計算できる．したがっ
て，値が一つの整数値で収まるのであれば，式(9.51)を使うべきである．こ
れに対して，多倍長演算などで乗除算に非常に時間がかかるようになると，
増分計算による方法が有効となる．

9.4　分割統治法

　大きな問題が与えられた場合に，それ全体をまとめて処理しようとすると，
計算の手間が非常に大きくなるのがふつうである．この問題に対処する方法
として，増分計算と並んで有力なものに，分割統治法がある．ここではその
原理と効率とを調べる．

(a) 問題の分割と統合

まず問題を分割することの効用を示す例を扱おう.

[例 9.13]　相撲大会を開いて，一番強い人と一番弱い人を決定したい．実力が上の人が常に勝つものとして，何回勝負を行なえばよいか．□

参加人数を n 人としよう．もっとも簡単な方法は，まずふつうの勝ちぬき戦を行なって最強の人を決定し，次に残りの $n-1$ 人で負けぬき戦（負けた人同士が次に対戦する）を行なってもっとも弱い人を決めるやり方である（図 9.19）．n 人の勝ちぬき戦で優勝者を決めるには，1戦ごとに1人消えていくことから，$n-1$ 回の対戦が必要である．したがってこの方法で必要な対戦数を $T_1(n)$ とすると

$$T_1(n) = (n-1) + (n-2) = 2n-3 \tag{9.52}$$

となる.

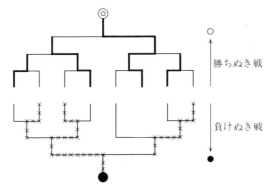

図 9.19　最強者と最弱者の決定．勝ちぬき戦の優勝者は負けぬき戦には出場しない.

ところが少し考えれば，この方法ではかなり無駄な勝負が行なわれてしまうことがわかる．第1回戦で勝った人（約 $n/2$ 人）は，自分が勝った相手より強いことがわかっているので，次回の負けぬき戦に出る資格はない．負けぬき戦は，初めの勝ちぬき戦で1回も勝たずに負けた人だけを集めて行なえばよい．この人数を k 人とすれば，負けぬき戦は $k-1$ 回の対戦ですむ.

ここで初回の勝ちぬき戦がどう行なわれるかが問題となる．前年の優勝者に他の人が順に挑み，結局全員が負けてしまう場合，k の値は $n-1$ となり，T_1 と同じ回数の勝負が必要となる（図 9.20）．これに対して，n 人をほぼ半

数に分けて第1回戦を行なうようにすると，k の値は約 $n/2$ となる．n を偶数とし，この場合の対戦数を $T_2(n)$ とすれば

$$T_2(n) = (n-1)+\left(\frac{n}{2}-1\right) = \frac{3}{2}n-2 \tag{9.53}$$

となり，$T_1(n)$ よりも $n/2-1$ 回も少ない（図9.21）．

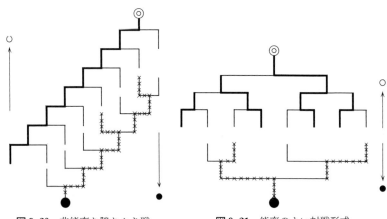

図 9.20　非能率な勝ちぬき戦．
負けぬき戦側の形は任意．　　　**図 9.21**　能率のよい対戦形式

　別の考え方をしてみよう．まず全体を半分に分け，それぞれのグループが独立に最強と最弱の人を決定する．そのあと，両グループの最強者どうしが対戦して全体の最強者を，最弱者どうしが対戦して最弱者を，それぞれ決める（図9.22）．この方法による対戦数を $T_3(n)$ とすると，

$$T_3(n) = 2T_3\left(\frac{n}{2}\right)+2 \tag{9.54}$$

となる．また明らかに

$$T_3(2) = 1$$

である．この二つの式から，$T_3(n)$ の形が求まる．簡単のために $n=2^p$ とする．

$$T_3(2) = 1$$
$$T_3(4) = 2\times1+2$$
$$T_3(8) = 2\times2\times1+2\times2+2$$
$$T_3(16) = 2\times2\times2\times1+2\times2\times2+2\times2+2 = 2^3+(2^3+2^2+2)$$

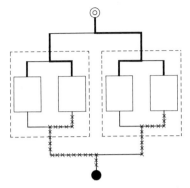

図 9.22 分割による最強最弱者の決定

$$T_3(32) = 2^4 + (2^4 + 2^3 + 2^2 + 2)$$

一般に

$$\begin{aligned}
T_3(n) = T_3(2^p) &= 2^{p-1} + (2^{p-1} + 2^{p-2} + \cdots + 2) \\
&= 2^{p-1} + 2(2^{p-1} - 1) \\
&= \frac{3}{2}n - 2
\end{aligned}$$
(9.55)

最後の方法は，まず全体を2分し（分割），それぞれについてもとと同じ問題を解き，最後に簡単な処理で全体に対する解を求めている（統合）．この，全体を分割してそれぞれを個別に処理し，最後に統合するやり方を，**分割統治法**(divide and conquer または divide and rule)と呼ぶ（図 9.23）．

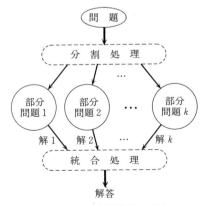

図 9.23 分割統治法の原理

T_3 を与えた分割統治の方法が，T_2 と同じ能率となった理由について考え
てみよう．T_2 の方法の要点は，初回の勝ちぬき戦で，

　　　　1回も勝たずに負ける人の数

を最小にすることであった．分割統治を行なうと，これが自然に実現される
のである．一般に分割統治法では，計算の中に含まれる無駄が，分割された
部分問題ごとに極力省かれるようになる．その結果として，全体の能率が向
上する．

(b)　分割統治と再帰計算

　分割統治法では，問題を(うまく)部分問題に分割することが必要である．
その分割は，最後の統合処理が簡単に行なえるようなものでなければならな
い．また一般に分割統治処理は，問題自体の大きさ(要素の個数など)が決め
られないか，非常に大きな場合に使われる．一定の大きさの小さな問題は，
それ専用の全体的アルゴリズムによって能率よく処理される．
　以上のような事情により，分割統治計算にはほとんどの場合**再帰計算**が使
われる．部分問題の種類が少なくてすむからである．最強最弱問題を配列上
で解く手続きを示そう．
　　[解 9.13]

```
    const  n = 100;
    type  index = 1..n;
    var  a : array[index] of integer;
    procedure  maxmin(i, j : index; var max, min : integer);
        var  max1, max2, min1, min2 : integer;
             m : index;
      begin
        if  j = i
          then begin  max := a[i]; min := a[i] end
          else
            if  j = i+1 then
              if  a[i] > a[j] then begin max := a[i];
                                          min := a[j] end
                          else  begin max := a[j];
```

$$min := a[i] \ \textbf{end}$$

$$\textbf{else begin} \ \ m := (i+j) \ \textbf{div} \ 2 \ ;$$
$$maxmin(i, m-1, max1, min1) \ ;$$
$$maxmin(m, j, max2, min2) \ ;$$
$$\textbf{if} \ max1 > max2 \ \textbf{then} \ max := max1$$
$$\textbf{else} \ \ max := max2 \ ;$$
$$\textbf{if} \ min1 < min2 \ \ \textbf{then} \ min := min1$$
$$\textbf{else} \ \ min := min2$$
$$\textbf{end}$$
$$\textbf{end} \ ; \qquad\qquad\qquad \blacksquare$$

何度も取り上げている 2 分探索法を，分割統治の考え方で検討してみよう．この探索法を再帰的関数で書くと次のようになる．

$$\textbf{function} \ binsearch(i, j : integer) : integer \ ;$$
$$\textbf{var} \ p : integer \ ;$$
$$\textbf{begin}$$
$$\textbf{if} \ i > j$$
$$\textbf{then} \ binsearch := j$$
$$\textbf{else begin} \ p := (i+j) \ \textbf{div} \ 2 \ ;$$
$$\textbf{if} \ a[p] <= key$$
$$\textbf{then} \ binsearch := binsearch(p+1, j)$$
$$\textbf{else} \ \ binsearch := binsearch(i, p-1)$$
$$\textbf{end}$$
$$\textbf{end} \ ;$$

関数の結果は，

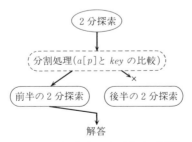

図 9.24 　2 分探索法の原理図．前半部分が選ばれた場合の図．

$$a[j] \leqq key < a[j+1]$$

を満たす j の値である．この関数の本体を見てもわかるとおり，この関数は部分問題を解くために自分自身を 2 か所で呼び出す形になってはいるが，常にそのどちらか一方しか呼び出さない．したがってこれは，ふつうの意味での分割統治の方法ではない(図 9.24)．整列をしてあるお蔭で，分割した部分問題の片方を，まったくやらないですましていることになる．

(c) 分割統治法の効果

問題をまず分割してから統合する分割統治の方法を使うと，併合整列や交換分割整列の例(第 6 章参照)のように n^2 の手間が $n \log_2 n$ ですんだり，最強最弱問題のように約 $2n$ の手間が約 $(3/2)n$ ですんだりする．ただし n は取り扱われる要素の数，すなわち問題の大きさである．ここでは，問題の分割と統合のやり方による全体の効率について調べてみよう．以下計算の手間を $T(n)$ と書くことにする．

(1) 2 分探索法の場合

前項で示した再帰的な関数から明らかなように，およそ

$$T(n) = T(n/2) + C_1 \qquad n \geqq 0$$
$$T(1) = C_2 \qquad\qquad (C_1, C_2 \text{ は定数})$$

が成り立つ．これを順番に展開していくと

$$T(n) = C_1 \log_2 n + C_1 + C_2$$

となり，だいたい

$$\log_2 n$$

に比例する手間となる．

(2) 最強最弱問題の場合

前項でやったように

$$T(n) = 2T(n/2) + 2 \qquad n \geqq 4$$
$$T(2) = 1$$

が成り立つ．これより

$$T(n) = \frac{3}{2}n - 2$$

となり，だいたい

$$n$$

に比例する手間となる.

(3) 併合整列の場合

各段階で必要な処理は,半分の長さの列をそれぞれ整列することと,それらを併合することである.前者の手間は $2T(n/2)$,後者の手間は $C_3 \cdot n$ となる.したがって

$$T(n) = 2T(n/2) + C_3 \cdot n \qquad n \geq 2$$
$$T(1) = C_4 \qquad\qquad (C_3, C_4 \text{ は定数})$$

が成り立つ.この解は

$$T(n) = C_3 n \log_2 n + C_4 n$$

である.n が大きくなってくると $\log_2 n$ の影響が大きくなるので,だいたい

$$n \log_2 n$$

に比例する手間といってよい.

以上の(1),(2),(3)を通して言えることは,計算の手間の式が

$$T(n) = aT(n/2) + bn + c$$
$$T(d) = e \qquad\qquad\qquad\qquad (9.56)$$

という形をしていることである.ここで $a \sim e$ は定数である.より一般的には,各段階で問題が二つ以上に分割されたり,2種類の部分問題に分けられたりするので,式の形はかなり複雑になる.分割数を p として,この式がどんな解を持つかを調べてみよう.簡単のために,

$$n = dp^k$$

とする.

$$
\begin{aligned}
T(n) = T(dp^k) \\
= aT(n/p) + bn + c \\
= aT(dp^{k-1}) + bdp^k + c \\
= a(aT(dp^{k-2}) + bdp^{k-1} + c) + bdp^k + c \\
= a(a(aT(dp^{k-3}) + bdp^{k-2} + c) + bdp^{k-1} + c) + bdp^k + c \\
= a^3 T(dp^{k-3}) + bd(a^2 p^{k-2} + ap^{k-1} + p^k) + c(a^2 + a + 1)
\end{aligned}
$$

これを続けていくと,結局

$$
\begin{aligned}
T(n) = a^k T(dp^0) + bdp^k((a/p)^{k-1} + (a/p)^{k-2} + \cdots + a/p + 1) \\
+ c(a^{k-1} + a^{k-2} + \cdots + a + 1) \qquad\qquad (9.57)
\end{aligned}
$$

となる．右辺第1項は ea^k となる．また

$$(\text{右辺第2項}) = \begin{cases} bdp^k k & a = p \text{ のとき} \\ bdp^k \dfrac{(a/p)^k - 1}{a/p - 1} & a \neq p \text{ のとき} \end{cases}$$

$$(\text{右辺第3項}) = \begin{cases} ck & a = 1 \text{ のとき} \\ c\dfrac{a^k - 1}{a - 1} & a \neq 1 \text{ のとき} \end{cases}$$

となる．これらから，次のような一般的な式が得られる．

$$k = \log_p \frac{n}{d} = \frac{\log_2 (n/d)}{\log_2 p}$$

ここで，次の関係式を使う．

$$X^k = X^{\log_p (n/d)} = (n/d)^{\log_p X}$$

(1)　$p=1$ の場合

これは問題が分割されない場合であり，ここでは除外する．

(2)　$a=p\neq1$ の場合

$$T(n) = \frac{e}{d}n + \frac{b}{\log_2 p}n \log_2 \frac{n}{d} + c\frac{n/d - 1}{a - 1} \tag{9.58}$$

これはまとめると

$$T(n) = f_1 n + f_2 n \log_2 n + f_3 \qquad (f_1, f_2, f_3 \text{ は定数}) \tag{9.59}$$

となる．最強最弱問題では $a=p=2$, $b=0$, $c=2$, $d=2$, $e=1$ なので

$$T(n) = \frac{n}{2} + 2\left(\frac{n}{2} - 1\right) = \frac{3}{2}n - 2$$

となった．これに対して併合整列のアルゴリズムでは，$a=p=2$, $b=c_3$, $c=0$, $d=1$, $e=c_4$ であり

$$T(n) = c_4 n + c_3 n \log_2 n$$

となった．

(3)　$a=1\neq p$ の場合

$$T(n) = e + bn\frac{(1/p)^k - 1}{1/p - 1} + \frac{c}{\log_2 p}\log_2 \frac{n}{d} \tag{9.60}$$

まとめると

$$T(n) = f_4 n + f_5 \log_2 n + f_6 \qquad (f_4, f_5, f_6 \text{ は定数}) \tag{9.61}$$

ということになる．2分探索法では $a=1$, $p=2$, $b=0$, $c=c_1$, $d=1$, $e=c_2$ なので

$$T(n) = c_2 + c_1 \log_2 n$$

という形になったわけである．

(4) $a \neq p$, $a \neq 1$ の場合

$$T(n) = e\left(\frac{n}{d}\right)^{\log_p a} + bn\frac{(a/p)^k - 1}{a/p - 1} + c\frac{(n/d)^{\log_p a} - 1}{a - 1}$$

ここで

$$\log_p a = \alpha, \quad a/p = \beta$$

とおくと

$$T(n) = e\left(\frac{n}{d}\right)^{\alpha} + bn\frac{(n/d)^{\alpha-1} - 1}{\beta - 1} + c\frac{(n/d)^{\alpha} - 1}{a - 1} \tag{9.62}$$

となり，まとめると

$$T(n) = f_7 n^{\alpha} + f_8 n + f_9 \quad (f_7, f_8, f_9 \text{ は定数}) \tag{9.63}$$

という形になる．とくに $a < p$ であれば α が 1 より小さくなるので，結局 $f_8 n$ の項が主な振舞を示すことになる．

(d) 分割統治と計算量

前項では，一段の分割に関する計算量の関係式から，全体の計算量 $T(n)$ を導き出した．多くの分割法では，p 等分に分けた部分問題全部を処理しなければならない．また分割自体が n に比例した手間を必要とすることが多い．これは(2)の場合 $(a = p \neq 1$, $b \neq 0)$ に相当し，$T(n)$ が概略 $n \log_2 n$ に比例することになる．世に知られている多くの高速化手法の計算量が $n \log_2 n$ に比例しているのはこのような理由による．

他の形の計算量となる例を示そう．

［例9.14］　多倍長乗算を高速化する．□

多倍長計算では，一つ一つの要素値を $x_0, x_1, \cdots, x_{n-1}$ としたとき，

$$x = x_0 + rx_1 + r^2 x_2 + \cdots + r^{n-1} x_{n-1}$$

という形で数を表現する．ここで r は，ふつうの場合，r^2 が一つの整数値で表わせる範囲で決める．さて，もう一つの多倍長の値を

$$y = y_0 + ry_1 + r^2 y_2 + \cdots + r^{n-1} y_{n-1}$$

とするとき，$x \times y$ の値は

$$xy = x_0 y_0 + r(x_0 y_1 + x_1 y_0) + r^2(x_0 y_2 + x_1 y_1 + x_2 y_0) +$$

$$\cdots + r^k (x_0 y_k + x_1 y_{k-1} + x_2 y_{k-2} + \cdots + x_{k-1} y_1 + x_k y_0) +$$
$$\cdots + r^{2n-3}(x_{n-2} y_{n-1} + x_{n-1} y_{n-2}) + r^{2n-2} x_{n-1} y_{n-1}$$

$$(9.64)$$

となる．これに分割統治法を適用してみよう．

いま n が偶数 $2m$ であるとして

$$x = (x_0 + r x_1 + \cdots + r^{m-1} x_{m-1}) + r^m (x_m + r x_{m+1} + \cdots + r^{m-1} x_{2m-1})$$

と表わし，y の式も同様に二つに分けたものとする．すると

$$
\begin{aligned}
xy = \quad & (x_0 + \cdots + r^{m-1} x_{m-1})(y_0 + \cdots + r^{m-1} y_{m-1}) \\
& + r^m ((x_0 + \cdots + r^{m-1} x_{m-1})(y_m + \cdots + r^{m-1} y_{2m-1}) \\
& \quad + (x_m + \cdots + r^{m-1} x_{2m-1})(y_0 + \cdots + r^{m-1} y_{m-1})) \\
& + r^{2m} (x_m + \cdots + r^{m-1} x_{2m-1})(y_m + \cdots + r^{m-1} y_{2m-1})
\end{aligned}
$$

$$(9.65)$$

となる．この計算に必要な乗算回数は，明らかに

$$T(n) = 4 \cdot T(n/2) \tag{9.66}$$

となる．また

$$T(1) = 1$$

である．これは標準式 (9.56) で $a=4$，$p=2$，$b=c=0$，$d=e=1$ という場合
に当り

$$T(n) = n^{\log_p a} = n^2 \tag{9.67}$$

が導かれる．

この方法は，実は図 9.25 で示されるとおり，もとの方法 (式 (9.64)) と同じ
だけの (乗算) 計算量を必要とする．すなわち，分割統治による高速化にはな
らなかったわけである．高速化するには，式 (9.66) の右辺の係数 4 が減らな
ければならない．$n=2$ の場合で考えてみよう．式 (9.65) に相当するのは

$$xy = x_0 y_0 + r(x_0 y_1 + x_1 y_0) + r^2 \cdot x_1 y_1 \tag{9.68}$$

である．この式の中の $x_i y_j$ という形の項を全部計算しているのが式 (9.65)
のやり方である (図 9.26 (a))．ところが，式 (9.68) の中の r の係数について
は，$x_0 y_1 + x_1 y_0$ の値がわかればよいのであって，$x_0 y_1$ と $x_1 y_0$ の個々の値はわ
からなくてもよい (図 9.26 (b))．たとえば

$$x_0 y_1 + x_1 y_0 = (x_0 + x_1)(y_0 + y_1) - x_0 y_0 - x_1 y_1 \tag{9.69}$$

とすれば，余分な乗算は 1 回ですみ，全体で 3 回の乗算で 3 個の係数値が計

算できる(図9.26(c)). これより,

$$T(n) = n^{\log_2 3} \fallingdotseq n^{1.5847} \tag{9.70}$$

となる. (9.67)と(9.70)の比較をしてみよう.

n	(9.67)	(9.70)
1	1	1
4	16	9
16	256	81
64	4096	729
256	65536	6561

$n=256$ で実に約10倍の高速化が得られている.

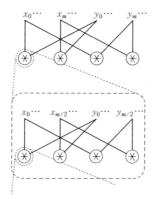

図9.25　多倍長乗算の分解

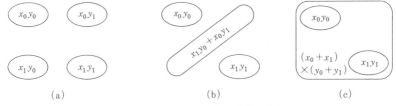

図9.26　2倍長乗算における係数の計算. (c)において, 全体から x_0y_0 と x_1y_1 を引けば, (b)の斜めの部分が求まる.

このほかの有名な例としては, 中央値を求める計算がある. n 個の要素の うち小さい方から k 番目のものを求める操作($1 \le k \le n$)は, $k=1$ または n であれば, n に比例する手間でできるが, その他の場合にはまず整列をする

必要があるように思われる．その場合，計算の手間は $n \log_2 n$ に比例してしまう．ところが，きわめて巧妙な操作を行なうと，式(9.63)の中の α を 1 より小さくすることができ，n が充分大きければ全体として n に比例する計算量とすることができる．

9.5 データの構造とアルゴリズム

本章で取り上げてきた各種のプログラミング技法では，変数の追加や表の利用などを行なってきた．そのような"データの構造"の変更にしたがって，アルゴリズムもいろいろに変形・変換される．すなわち，最終的な計算目標を達成するためのデータの構造とアルゴリズムとは，お互いに密接に関係し合っている．

ふつうの場合，アルゴリズムを変形(改良)するためにデータの方に細工が施される．しかしこれが逆であってもかまわないはずである．ここでは，アルゴリズムとデータの構造との絡み合いの例をいくつか調べよう．

(a) 表と計算順序

組合せ数の計算に表を利用する方法(解 9.12b，9.12c)を再び取り上げよう．$_7C_4$ の計算を行なうためには，図 9.27 のような順序で計算が進行する．矢印は，矢の先にある値の計算に，根元の値が使われることを示している．計算全体としてはこの矢印による前後関係さえ守っていればよいので，いろいろな計算順序が考えられる．たとえば解 9.12b の連想計算での順序は図 9.28 (a)，解 9.12c の計算での順序は図 9.28 (b)，のそれぞれで示されたようになる．この図で示されるような構造を**計算の構造**(computational structure)と呼ぶ．データの構造という場合には，この計算の構造も含めて考えることにする．

この，**計算順序の任意性**を利用すると，アルゴリズムとして異なったものが導かれることがある．

［例9.15］ 貸し自転車屋で1日の賃貸料の総計を計算する．自転車は1分1円で貸し出し，1日の終りには全車が返却される．データの構造とアルゴリズムとを定めよ．□

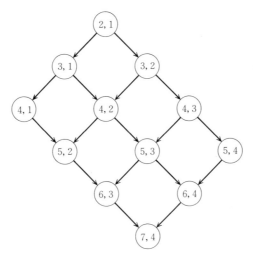

図 9.27 $_7C_4$ の計算における前後関係。$_pC_q$ を p, q で表わしてある。

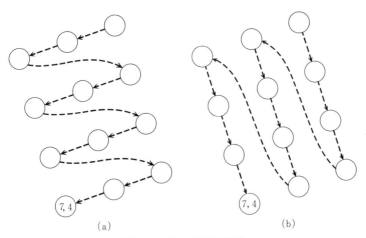

図 9.28 $_7C_4$ の計算の構造

　ごくふつうのやり方では，貸出し台帳を用意し，貸出しのたびに自転車番号と貸出し時刻を記録する。その自転車が返されたら，返却時刻と貸出し時間とを記入する。時刻はすべて，0 時 0 分から数えた分単位の値としておこう。1 日の終りには，この貸出し時間を全部足せばよい。このやり方の様子を図 9.29 に，計算の構造を図 9.30 に，それぞれ示す。貸出し時間は，返却

自動車番号	貸出し時刻	返却時刻	時間
1	−600	610	10
2	−605	700	95
1	−640		
3	−650	800	150
2	−730	820	90
4	−770		
3	−810	830	20

図 9.29　貸し自転車屋の台帳．貸出し時刻順に
欄がふえていく．現在は(おそらく)840 分(＝14
時 00 分)で，1 番と 4 番の自転車は貸出し中.

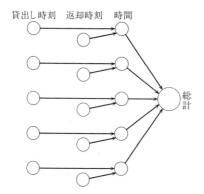

図 9.30　台帳方式による計算の構造

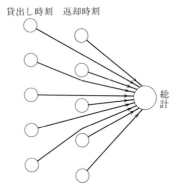

図 9.31　より単純な計算の構造

時刻から貸出し時刻を引いて求める．それで，貸出し時刻は負の値で示して
ある．

　図 9.30 は，総計を求めるための一つの計算手順を表わしている．自転車
は複数台あり，しかも貸し出した順番どおりに返却されるわけではない．し
たがってこの方法では，図 9.29 に示した 2 次元の配列がそのままデータ領
域として必要となる．ところが，求めるものが総計だけであることと，加減
算の順番は入れ換えてもよいことを考えると，図 9.31 のような計算手順で
もよいはずである．この図に則したアルゴリズムは，次のような非常に簡単
なものとなる．

```
var sum : integer ;
    sum := 0 ;
```

> **while** "開店している" **do**
>   **if** "貸出" **then** $sum := sum -$ "現在の時刻"
>   **else** $sum := sum +$ "現在の時刻"

必要なデータ領域は sum 一つしかない. 計算の構造に関する考察により, アルゴリズム, そしてデータの構造を極端に単純化することができた.

[例 9.16] 例 9.10 の増分計算解である解 9.10c では, 差分値である $g(x), h(x), k(x)$ を, 必要な範囲より少し先まで計算している. これを, 必要最低限にとどめる計算順序に変更する. ▯

解 9.10c での計算の構造を図 9.32 に示す. このうち, 右下に破線で囲んであるのが問題の部分である. 計算の順序は図 9.33(a) に示したとおりである. 図 9.32 を検討すると, 右下の部分を通らない図 9.33(b) のような計算順序も可能であることがわかる. ただしそのためには, 左上の部分を少し変更する必要がある. 実際のプログラムは次のようになる.

[解 9.10d]

> $x := 0$; $f := 0$;
> **if** $f <= 3000$ **then**
>   **begin** $g := 4$; $f := f+g$; $x := 1$;
>   **if** $f <= 3000$ **then**
>   **begin** $h := 22$; $g := g+h$; $f := f+g$; $x := 2$;
>   **if** $f <= 3000$ **then**
>   **begin** $k := 42$; $h := h+k$; $g := g+h$; $f := f+g$;
> $x := 3$;
>   **while** $f <= 3000$ **do**
>   **begin** $k := k+24$; $h := h+k$; $g := g+h$;
> $f := f+g$; $x := x+1$
>   **end**
>   **end**
>   **end**
>   **end**;
>   "$x-1$ が答" ▮

もっとも内側の WHILE 文の本体での値の計算順序が, 解 9.10c とは逆になっていることに注意しよう. また, $f(2)$ が 3000 より小さいことが, もし他の方法でわかっているとすると, 先頭の部分は次のように簡略化することが

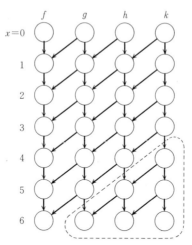

図 9.32　多項式の増分計算の計算構造

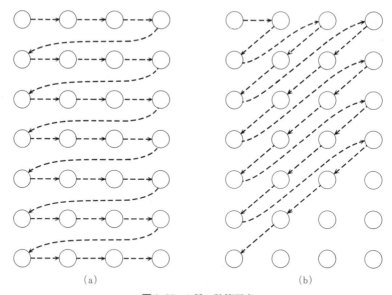

(a)   (b)

図 9.33　2 種の計算順序

できる.

$$f := 0\,;\ g := 4\,;\ h := 22\,;\ k := 42\,;$$
$$f := f + 3 * g + 3 * h + k\,;$$
$$g := g + 2 * h + k\,;$$

$$h := h+k\,;$$

　ここで得られた計算順序は，f, g, h, k を別々の関数として宣言し，連想計算の仕組みを取り入れることによっても実現できる．連想計算では，必要としない値は計算しないからである．

　ここで述べた方法は，計算の順序関係が問題となる部分計算全般にわたって有効である．

(b)　データ形式とアルゴリズム

　計算順序なども含めたデータの構造は，それを処理するアルゴリズムに多大な影響を与える．いくつかの例を示そう．

　[例 9.17]　一つの数値列を単調増加な部分列にわけ，部分列ごとに 1 行に印刷する．□

　第 7 章のファイル処理の中に，上昇列を連とする自然併合を使った整列があった．自然併合の基礎は，全体の列の中に埋まっている非減少列の連である．これを別々の行に印刷して示すのがこの例題である．たとえばもとの列が

　　　　7　12　15　8　9　4　6　11　13　10　5　14

であるとき，求められている出力は次のようになる．

　　　　7　12　15
　　　　8　9
　　　　4　6　11　13
　　　10
　　　　5　14

ここではこの列が配列 a の $a[1]$ から $a[n]$（$n \geqq 1$）までに入っているものとしよう．

　まず，**出力**形式に則したプログラムを作ろう（図 9.34）．データの構造とい

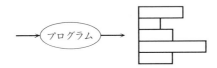

図 9.34　出力構造とプログラム

う場合，入力するデータばかりではなく，出力するデータに要求される構造
も考えに入れる必要がある．この例での出力は，明らかに 2 次元の表である．
ただし全体の行数も不明であるし，各行の長さも不定なので，FOR 文を 2 重
にするというわけにはいかない．

[解 9.17a]

```
procedure upseqwritea ;
    var i : integer ;
    function more : Boolean ;
        begin if i = n then more := false
                        else   more := a[i] <= a[i+1]
        end ;
    begin  i := 0 ;
        while i < n do
        begin  i := i+1 ; write (a[i]) ;
            while more do
                begin  i := i+1 ; write (a[i]) end ;
            writeln
        end
    end ;
```

次に同じ問題を，出力にではなく**入力**データの形式に則して考えてみよう
（図 9.35）．入力データは単なる 1 次元の列なので，単一の WHILE 文を使
うアルゴリズムとなる．

図 9.35 入力構造とプログラム

[解 9.17b]

```
procedure upseqwriteb ;
    var i : integer ;
    function newline : Boolean ;
        begin if i = n then newline := true
                        else   newline := a[i] > a[i+1]
        end ;
```

```
begin i := 0 ;
  while i < n do
    begin i := i+1 ; write(a[i]) ;
      if newline then writeln
    end
end ;
```

　解9.17a と 9.17b で特徴的なことは，対象とするデータの構造にしたがっ
て，アルゴリズムの構造も決まることである．実際，大量のデータに対して
定形的な処理を施すことの多い事務計算の分野では，入出力データ(ふつう
はファイル)の形式と処理の種類とを指定して，処理プログラム自体を自動
生成するようなことも行なわれている．

(c)　データ駆動型アルゴリズム

　データの形式によるアルゴリズム構造の決定は，データとアルゴリズムと
の強い関連性を示している．ここでは一歩進んで，データの内容とアルゴリ
ズムとの関連性についてみてみよう．

　[例9.18]　上昇列の印刷の例題の解を，データの形式に手を加えることに
よって改良する．[]

　解9.17a と 9.17b とを複雑にしているのは，反復や選択の条件の部分であ
る．たとえば解9.17a の関数 more では，配列への不当な参照 $a[n+1]$ を避
け，配列の末尾であることを検査するために，余分な IF 文が必要となって
いる．解9.17b の関数 newline でも同様の事情がある．これらはすべて，
　　　配列の末尾が最後の上昇列の末尾と一致している
ことから起きる現象である(図9.36(a))．すなわち，最後の上昇列だけが他
の上昇列とは異なる扱いを必要としているのである．

　データの形式に手を加えてこの特別扱いを解消する簡単な方法は，最後の
上昇列の末尾も他の上昇列の末尾と同じ条件で検出できるようにすることで
ある．こうするためには，比較

$$a[n] > a[n+1]$$

が可能であること，すなわち本来の末尾($a[n]$)の次にこの条件を満たす値を
入れておくことが必要となる(図9.36(b))．この処置を施すと，以前の解は

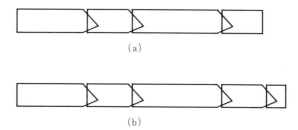

図 9.36　上昇列の並び方. 上昇列の末尾は
"次" の要素まで調べないと決まらない.（a）
では最後の上昇列の次の要素はない.

それぞれ次のようになる.

［解 9.18a］

```
procedure upseqwrite2a;
    var i: integer;
  begin i := 1;
    while i <= n do
      begin while a[i] <= a[i+1] do
              begin write(a[i]); i := i+1 end;
              writeln(a[i]); i := i+1
      end
  end;
```

［解 9.18b］

```
procedure upseqwrite2b;
    var i: integer;
  begin i := 1;
    while i <= n do
      begin write(a[i]); i := i+1;
        if a[i-1] > a[i] then writeln
      end
  end;
```

内側の WHILE 文または IF 文の条件判定が単純化された分だけ, アルゴリ
ズム全体は高速化されている.

　データ形式の別種の変更について考えてみよう. それぞれの解の中に現わ

れている条件式

$$a[i] <= a[i+1] \quad または \quad a[i-1] > a[i]$$

といったものは，上昇列の末尾を検出するためのものである．この情報が前もって求められており，データの中に書き込まれているような状況を考えよう．先程のデータの例では

$$7 \quad 12 \quad 15 \quad X \quad 8 \quad 9 \quad X \quad 4 \quad 6 \quad 11 \quad 13 \quad X \quad 10 \quad X \quad 5 \quad 14 \quad X$$

となる．ここで X は上昇列終了を示すためのデータとする．このデータに対応するアルゴリズムを示そう．

［解 9.18c］

```
procedure upseqwrite2c ;
    var i : integer ;
  begin i := 1 ;
    while i <= n do
      begin while a[i] <> X do
              begin write(a[i]) ; i := i+1 end ;
              writeln ; i := i+1
          end
      end ;                                        ■
```

［解 9.18d］

```
procedure upseqwrite2d ;
    var i : integer ;
    begin
    for i := 1 to n do
      if a[i] = X then writeln else write(a[i])
    end ;                                          ■
```

最後の解では，制御の構造が非常に簡単になったために，FOR 文ですませられるようになっている．

(d) 番兵法

　注意深い読者は，前項の手法が番兵の手法と似ていることに気づかれたであろう．実際，よく知られている"走りぬけ防止用"の番兵は，前項の議論から導くことができる．いま配列 $a[1..n]$ の中からデータ X を探す場合には，

配列全体は次のような構造になっているものと考えられる.

$$yyy\cdots yXyyy\cdots yXyy\cdots yXyy\cdots y$$

ここで y は X とは異なる値とする. これは明らかに,

$$yyy\cdots yX$$

という形の列の並びであり, 最後の列のみ X が欠けた状態になっている. したがって, この中から X を探索する反復文の条件は, それに対応して複雑になる. これを改善するには, データ列に手を加え, 最後に余分な X をつけ加えればよい.

$$yyy\cdots yXyyy\cdots yXyy\cdots yXyy\cdots yX$$

こうしておけば, 途中に X がまったく存在しない場合でも

$$yyyy\cdots\cdots yyX$$

という形になり, 標準的な WHILE 文

while $a[i] <> X$ **do** $i := i+1$

に適合した形となる.

探索のための番兵は, 木構造で用いられることもある(図 9.37). この場

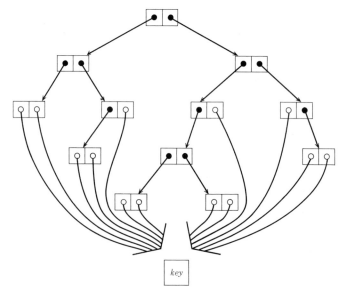

図 9.37 木構造用の番兵. ○印は番兵が入ったデータを指すポインタ. 通常は NIL が使われる(番兵なしの場合).

合，木の葉に当る部分には **nil** ではなく，探索している値をあらかじめ入れておいたデータへのポインタを入れておく．探索条件が単純となる理由は線形探索の場合とまったく同じである．

双方向リストの例(第8章)においても，処理手順を単純化するために，付加的なデータを用意した(解8.2b)．これも同種の考え方で説明することができる．

以上述べたように，データの構造をより規則的なものにすることによってアルゴリズムを単純化するという手法は，ごく一般的に使用されている．このためにデータにつけ加えられる値，あるいはより一般的に，データの構造に加えられた変更のことは，**一般化番兵**(generalized sentinel)と呼ぶことができよう．アルゴリズムが単純化すれば，その中のループ不変量などの条件式も簡単になることは言うまでもない．さらに解9.18c，9.18d で用いた末尾指示データ X のような番兵により，アルゴリズムがさらに単純化され，その能率も向上する．このようなデータ X は，ファイル処理などでは前準備の段階で容易に書いておくことができる．したがって，集計処理などを行なうファイルにはこれを書いておくことが望ましい．

9.6　構造化プログラミングと文書化

本章ではプログラミング全般にわたる一般的な手法のいくつかを示したが，最後に，それらに則したプログラムの書き方についての注意点を示しておこう．

(a) 表明

9.1節(a)において，プログラムの"状態"について考える場合は，そこで成立する条件に着目することが重要であることを示した．この"成立条件"は，プログラムでは次の二つの面で重要である．

(1) プログラムを作る場合には，もともと問題で要求されている条件があり，それをいろいろに分解して単純なものにしたものが，これらの"成立条件"になる．すなわちこれらの成立条件は，プログラミング時にたいへん重要なものである．この側面については，これまでの各節で折り

に触れて言及してきた.

(2)　できあがったプログラムを解読したり正当性の証明を行なったりする場合には，これらの条件が重要な手掛りとなる．例9.3で示した2分法の終了状態の決定などはそのよい例である.

プログラム(あるいはアルゴリズム)の各所において，そこで成立しているべき条件を記したものを，**表明**(assertion)と呼ぶ．上で示したように，表明のもととなる条件はプログラミング時に導出される．そしてもしそれが記されていれば，解読や証明の有力な手掛りとなる．表明は，9.1節(d)で示した表現にならって，{ }の中に書いてプログラム中に置く．書く場所はプログラムの節目節目でよく，あまり多いとかえってじゃまになる．また，ある程度以上大きな反復文には，必ずループ不変量を添えるようにする．配列の単純併合整列のプログラム(6.3節(d))を例として，表明の書き方を示そう.

```
procedure mergesort(low, high: ind ; var a, b: ar);
    {前提条件: low ≦ high}
    {結果条件: a[low..high] の整列した内容が b[low..high] に
    書かれる}
    var i, j, t, mid: integer;
        c: ar;
    procedure copy(var p: integer);
        begin b[j] := c[p]; p := p+1; j := j+1 end;
    begin
        if low = high
            then b[low] := a[low]      {b[low..high] は整列した！}
            else begin mid := (low + high) div 2;
                mergesort(low, mid, a, c);
                mergesort(mid+1, high, a, c);
                    {c[low..mid] と c[mid+1..high] は別個に
                    整列されている}
                i := low ; t := mid+1; j := low;
                while (i <= mid) and (t <= high) do
                    {c[low..i-1] と c[mid+1..t-1] はすでに
                    併合され b[low..j-1] に書かれている}
                    if c[i] < c[t] then copy(i) else copy(t);
```

$\{c[low..high]$ の前半か後半のどちらか一方は
完全に処理された．他方はまだ残っている$\}$
while $i <= mid$ **do** $copy(i)$；
while $t <= high$ **do** $copy(t)$
$\{c[low..high]$ はすべて処理され，結果が
$b[low..high]$ に書かれている$\}$

        end

    end；

　実際にはもっとまばらでよい．また，上に示したような表現を数式と併用
するとわかりやすくなるが，言葉で表わしたことがらの意味(たとえば"処理
された")はきちんと押さえておく必要がある．

(b) プログラム構造とその表記

　Pascal を始め，ほとんどすべてのプログラム言語は，いわゆる**自由形式**
(free format)でプログラムを書かせている．この方式では行の区切りは空
白一つ程度の意味しかなく，空白の連続も一つの空白と等価に扱われる．し
たがって同じプログラムでもさまざまな書き方ができる．解 9.18c の手続き
$upseqwrite2c$ を例にとろう．この手続きは次のように書いてもかまわない．

    procedure $upseqwrite2c$；**var** i：$integer$；**begin** $i := 1$；
    while $i <= n$ **do begin while** $a[i] <> X$ **do begin** $write$
    $(a[i])$；$i := i+1$ **end**；$writeln$；$i := i+1$ **end end**；

昔，紙カードに穴をあけてプログラムを表わしていた時代に，カード代を節
約するためにこの種の"詰込み"を行なったという，笑い話のような話があ
る．確かにこうすれば 3 行ですむので，もとの 9 行の半分以下となっている．
しかし，このプログラムは"読めない"．書いた当人も，すぐその内容がわか
らなくなるような代物である．

　プログラムを書く場合には，その構造がよくわかるようにしなければなら
ない．この例では少なくとも，これが手続きであることは示さなければなら
ない．一般的な書き方は次のとおり．

    procedure $upseqwrite2c$；
    "局所宣言"
    "本体"

実行の制御構造については一般的に使われているのは次のような形である.

複合文　　**begin**
　　　　　　　"本体"
　　　　　　end
反復文　　**while** $i <= n$ **do**
　　　　　　　"本体"
選択文　　**if** "条件" **then** …
　　　　　　　　　　else …

これだけの形を覚えたところで，先ほどの例を書いてみよう.

```
procedure upseqwrite2c ;
var i : integer ;
begin
i := 1 ;
while i <= n do
begin
while a[i] <> X do
begin
write(a[i]) ; i := i+1
end ;
writeln ;
i := i+1
end
end ;
```

これではやはり，構造はあまりよくわからない.WHILE文の2行と，"$write(a[i])$; $i := i+1$"の行が，かろうじてある種のまとまりを示しているだけである.

　次の手法は**字下げ**(indentation)である.ある構造が他のより大きな構造に含まれる場合，小さい方を少し右へずらして書く.こうすると，より小さな構造はより右にずれることになる.

```
procedure upseqwrite2c ;
    var i : integer ;
    begin
      i := 1 ;
```

```
while  i <= n do
  begin
    while  a[i] <> X do
      begin
        write(a[i]) ; i := i+1
      end ;
    writeln ;
    i := i+1
  end
end ;
```

ここまでが，ごく一般的に使われている書き方である．本書ではこれを基本として，若干行数が減るようなくふうをしている．

(c)　文書としてのプログラム

　これまでに示した**表明の挿入**や**構造の表現**は，プログラムを人間が読む文書として扱うためのものである．これは，プログラムが自分や他人によって何回も“読まれる”必要があるからである．その最たるものは教科書や参考書である．もし本書の中の例題プログラムが全部“ベタ詰め方式”で書かれていたとすると，およそわかりにくいものになってしまうであろう．

　文書として考えたときの，他のいくつかの留意点をあげておく．まず文書は，始めの方にその**概要**を示しておく必要がある．終りまで読んで初めて全体の内容がわかるのでは困る．プログラムでこのために用いられるのは，手続き名や関数名と，表明の挿入である．(a)項で例示した手続きの表明のうち，手続き名のすぐ下に書かれているのがそれである．多くの場合，その手続きや関数が起動される際に仮定されている**前提条件**(precondition)と，終了時に実現される**結果条件**(postcondition, 帰結ともいう)とを書く．すなわち，その手続きを p とするとき

$$\{\text{precondition}\}\ p\ \{\text{postcondition}\}$$

が成立することを保証することになる．

　文書の量と構造も問題となる．構造化されていない長大な文書は，非常に理解しづらい．そのような場合には，全体をいくつかに分け，さらにそれぞれをまたいくつかに分け，という操作を行なって，最後に一目見て理解でき

る程度の大きさにまで分割を行なう．本書の章・節・小節分けも同じ趣旨で行なわれている．プログラムにおける分割の単位は，いうまでもなく手続きや関数である．これらをうまく用い，かつ個々の手続きや関数の大きさを適当なものにすることによって，プログラムの文書性は非常によくなるのである．手続きや関数の適当な大きさとしては，10〜20行程度が妥当であろう．

第9章のまとめ

9.1 与えられた問題を正確に把握するには，種々の条件式を用いるとよい．条件式が直接にアルゴリズムと対応することもある．

9.2 反復実行の一定の場所で常に成り立っている条件を，ループ不変条件またはループ不変量と呼ぶ．これは問題とその解法との橋渡しの役目を持っている．

9.3 プログラム言語の公理的定義法では，実行の制御やデータの構造のパターンごとに，成り立つ条件やその変化を規定する．ホーア論理が有名である．

9.4 逐次接近法は，近似的な解から始めて真の解へだんだんと接近していく問題解決の技法（パターン）である．逐次接近によるアルゴリズムを改良するには，真の解への近づき方が速くなるようにする．2分探索やニュートン法はその例である．

9.5 部分計算は，無駄な計算の回数を減らす一般的な方法である．部分計算のためには，一般に，新しい変数群を導入する必要がある．

9.6 部分計算には，反復や選択の実行に先立って，いつも同じ計算値となるものをあらかじめ計算しておく前計算，これまでの計算値を利用して次の値を求める増分計算，使いそうな値を前計算によって表にしてしまう表計算，1回計算した値を保存して，それを2回目以降参照する連想計算，などがある．

9.7 分割統治法は，問題全体をいくつかの部分問題に分割してそれぞれを個別に解き，最後にその結果を統合するという問題解決の技法である．

9.8 分割統治法において，分割した問題がもとの問題と同じになる（問題の大きさは異なる）ときには，再帰的手続きや関数が使われる．

9.9 分割統治法による計算の手間は分割数を $p(>1)$，解かなければならない部分問題の数を a とすると，

(1) $a=1$ の場合は n および $\log_2 n$ に比例する項の和，

(2) $1<a=p$ の場合は n および $n \log_2 n$ に比例する項の和，

(3) $1<a \neq p$ の場合は n および $n^{\log_p a}$ に比例する項の和，

となる．

9.10 同じ問題を解く場合でも，種々のアルゴリズムに対応して種々のデータ構造が使われる．計算順序に関する構造の解析から，新しいアルゴリズムが作れ

ることがある．

9.11　アルゴリズムの入力と出力となるデータの構造は，アルゴリズム自体の構造に多大な影響を与える．

9.12　一般化番兵法は，データの内容の規則性を増したり，アルゴリズムの一部をデータで置き換えたりすることによって，アルゴリズムを単純化し，能率を上げる手法である．

9.13　表明は，アルゴリズムの各所において，そこで成立しているべき条件式を記したものである．表明は，プログラミング時およびプログラムを読むときに役立つと同時に，正当性の証明のためにも重要である．

9.14　自由形式のプログラム言語では，実行の制御によるパターン化や字下げによって，プログラムの構造がわかるようにする．

9.15　プログラムテキストを文書としてよりよくするために，表明の挿入，構造の(字下げによる)表現，先頭部における概要の明記，手続きや関数による全体の分割と構造化，などを行なう．

キーワード

条件式　　ループ不変条件　　ループ不変量　　公理的定義法　　ホーア論理
逐次接近法　　ニュートン法
部分計算　　前計算　　増分計算　　ホーナーの方法　　差分　　表計算
KMP法　　連想計算　　パスカルの三角形
分割統治法　　再帰計算　　計算の構造　　一般化番兵
表明　　自由形式　　字下げ　　前提条件　　結果条件

演習問題 9

9.1　式(9.1)にならって，m が 3 数 x, y, z の最大値であることを条件式で表わせ．

9.2　以下の反復文について，記された条件がループ不変量であることを示せ．

(a)　$x := 0 \, ; \, y := 0 \, ;$　　　　　　　　　　条件：$2x + y = 0$

　　　while $x < 10$ **do**

　　　　begin $x := x+1 \, ; \, y := y-2$ **end**

(b)　$x := 1 \, ;$　　　　　　　　　　　　　　条件：$(x-1)^2 < 1000$

　　　while $x * x < 1000$ **do**

　　　　$x := x+1$

(c)　$x := 0 \, ; \, y := b \, ;$　　　　　　　　　条件：$ax + y = b$

　　　while $y >= a$ **do**　　　　　　　　ただし $a, b > 0$ とする

　　　　begin $x := x+1 \, ; \, y := y-a$ **end**

9.3 次のプログラムは x^N を計算するためのものである。 $N \geqq 0$ の場合に正しく値が求まることを，ループ不変量を使って示せ．

> $n := N$; $s := 1$; $p := x$;
>
> **while** $n > 0$ **do**
>
>   **begin if** $odd(n)$ **then** $s := s * p$; $n := n$ **div** 2; $p := p * p$
>
>   **end** ;

9.4 空間内の2直線 l_1 と l_2 との間の最短距離を，逐次接近の方法で求めよ（図 9.38）．直線の表現としては，パラメータを t として，$x = x(t)$, $y = y(t)$, $z = z(t)$ とするのがよい．

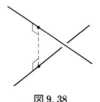

図 9.38

9.5 三角関数 $\sin x$, $\cos x$ を使って，逐次接近の方法で円周率 π を求めよ．ちなみに π は，$\sin x = 0$ の根の一つである．

9.6 素数を小さい方から順に求めよ．ある数が素数であるかどうかは，その数の平方根以下の素数すべてで割り切れるかどうかを調べればよい．

9.7 9.3 節(c)で示した文字列照合の，実際のプログラムを書け．

9.8 以下の式で定義される数の計算に，連想計算の方法を用いよ．また，どの計算が，一番連想計算に向いているかを示せ．

  (a) $f_0 = 1$, $f_1 = 1$, $f_k = f_{k-1} + f_{k-2}$ $(k \geqq 2)$

  (b) $f_0 = 1$, $f_k = f_{k-1} + f_{k \, \mathrm{div} \, 2}$ $(k \geqq 1)$

  (c) $f_0 = 1$, $f_k = f_{k \, \mathrm{div} \, 2} + f_{k \, \mathrm{div} \, 3}$ $(k \geqq 1)$

  (d) $f_0 = 1$, $f_k = f_{k \, \mathrm{div} \, 2} + f_{k \, \mathrm{div} \, 4}$ $(k \geqq 1)$

9.9 長さ n の配列 $a[1..n]$ について，二つの部分 $a[1..p]$ と $a[p+1..n]$ とを入れ換えたい（$1 \leqq p \leqq n$）．この処理を再帰手続きによって行ない，計算の手間を求めよ．

9.10 図 9.39 は3倍長の乗算を高速化するための原理図で，図 9.26(c)に対応している．この図をもとにして，$9 (= 3^2)$ 回よりも少ない回数の部分乗算で係数を求める方法を構成し，式(9.70)に対応する計算の手間を求めよ．

9.11 フィボナッチ数の定義は

$$f_1 = f_2 = 1, \qquad f_k = f_{k-1} + f_{k-2} \qquad (k > 2)$$

であり，これに則した方法で f_n を計算すると n に比例する手間がかかる．これを改良するために次のような方法を考える．v_k を2次元ベクトル (f_k, f_{k-1})

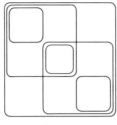

図 9.39

とすると

$$v_1 = (1, 1)$$

$$v_k = v_{k-1}\begin{pmatrix} 1 & 1 \\ 1 & 0 \end{pmatrix} = v_{k-1}A$$

となり，一般に

$$v_k = v_1 A^{k-1}$$

で表わされる．この行列のべき乗の計算を，ふつうの数のべき乗の計算と同様に高速化するプログラムを作れ．またその方法での f_n の計算の手間を求めよ．

9.12　二つの2次元実数配列 u, v について考える．

$$\mathbf{var}\ u, v : \mathbf{array}[0..n, 0..n]\ of\ real;$$

これに対して，次の操作を順に施す．

　　すべての $i, j\ (1 \leq i, j \leq n-1)$ について

$$v[i, j] := u[i-1, j] + u[i, j-1] + u[i, j+1] + u[i+1, j]$$

　　同じくすべての $i, j\ (1 \leq i, j \leq n-1)$ について

$$u[i, j] := v[i, j]/4$$

これらをひとまとめにして操作 α とし，α を1回施したあとの u の状態を $\alpha(u)$ で表わす．

(1)　すべての i, j について $u[i, j] := abs(i-j)$ としておいてから，$\alpha(u)$，$\alpha(\alpha(u))$，$\alpha(\alpha(\alpha(u)))$，… の様子を調べよ．

(2)　u に α を k 回施したもの，すなわち $\alpha^k(u)$ のうち，特定の一つの要素 $u[p, q]$ の値だけが知りたいものとする．効率のよい計算法を考案せよ．

9.13　長さ n の実数配列を要素とするファイル f と，長さ m の整数配列を要素とするファイル g とがある．n と m は等しいとは限らない．f の内容を読んで，その要素の中の実数値を順に整数化して，m 個ずつまとめて g に出力するプログラムを作れ．

9.14　次のような2人ゲーム $J(p)$ を考える．

　　直線状に並んだ $3p$ 個のマス目の中の，左端 p 個に先手の駒，右端 p 個に後手の駒を置く．真ん中 p 個のマス目は空いている．この状態から始め

て，先手は駒を右の方へ，後手は左の方へ，交互に一つずつ動かす．駒は，
すぐ前が空いていればそこへ，すぐ前から相手の駒が連続していてその次
が空いていればそこへ，それぞれ動かせる．自分の駒は飛び越せない．
　相手の駒が最初いたところに先に自分の駒を全部移すか，相手の手番で相
手に動かす駒がない場合に勝ちとする．
このゲームが先手必勝か後手必勝かを計算する．ちなみに $J(1)$ と $J(2)$ は後
手必勝である．$J(3)$ はどうか（図 9.40）．

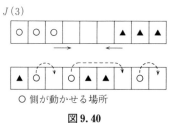

○ 側が動かせる場所

図 9.40

(1)　次のような再帰的関数でこれを計算せよ．
　　手番（先/後）も引数とし，その局面で自分に許される選択を順に行なって，
　　相手番として再帰呼出しをする．それがすべて必勝（自分がどうやっても
　　相手が勝つ）ならば答は必敗，一つでも必敗があれば答は必勝とする．
(2)　この関数の計算に連想計算の機構を組み込め．連想のための引数は局面
　　と手番である．連想データの蓄積には 2 分探索木あるいは 1 次元配列を用いよ．
9.15　本章の演習問題の解に，適切な表明を挿入せよ．

10
■ ■ ■ ■
プログラミングと言語

　第1章において，計算の実行方法を示すものをプログラム，そのための記法や約束事項の集まりをプログラム言語と呼ぶことを学んだ．そしてそれ以降は，プログラム言語の一つであるPascal を用いて，いろいろな問題を解決するためのアルゴリズムを調べてきた．その議論は，Pascal の持つ汎用性により充分に一般的なものではあるが，やはり言語としての Pascal の枠組みの中で行なわれたものである．

　本章では，他の代表的なプログラム言語や，ここでは紹介しなかった Pascal の機能について，プログラミングとの係わり合いの様子を示す．他の言語を紹介することが主な目的ではないので，言語の要素ごとに議論をすることにする．

10.1　制御構造とプログラミング

変数の概念を基本とするプログラム言語では，その変数の構造であるデータ型やデータ構造と並んで，変数値の更新のやり方を示す実行の制御構造が，プログラミング上重要な項目となる．

(a)　実行の効果と実行の流れ

これまでに示した Pascal の制御構造は，手続きや関数呼出しの話を除けば，次のように要約できる．

単なるまとめ　　複合文

反復実行文　　　WHILE 文，REPEAT 文，FOR 文

選択実行文　　　IF 文，CASE 文

これらは，第3章で示したとおり，並べたり順に入れ子にしたりすることによって，全体としてきれいに**構造化されたプログラム**を作り上げる要素となっている．本書ではさらにそれを徹底させるために，REPEAT 文は紹介にとどめた．たとえば，関数根を2分法で求めるプログラム(解 5.13)の中では

$$m := (p+q)/2\ ;$$
while $(p < m)$ **and** $(m < q)$ **do**
　begin if $f(m) > 0$ **then** $q := m$ **else** $p := m\ ;$
　　$m := (p+q)/2$
　end

という部分がある．これを REPEAT 文で書くと

$$m := p\ ;$$
repeat if $f(m) > 0$ **then** $q := m$ **else** $p := m\ ;$
　$m := (p+q)/2$
until $(p >= m)$ **or** $(m >= q)$

となろう．平均値の計算の重複がなくなっており，一見すると効率がよくなったように思われるかもしれない．しかし実際の実行文の数を調べてみると，WHILE 版の方が IF 文1回だけ少ないことがあるのである．また REPEAT 文では，反復の継続を判断する条件が最後に書かれているので，記法上のわかりやすさという点から見て，WHILE 文より劣るといえる．反復回数の

0(反復しない)を特別扱いしていることで，表明などによるプログラムの理解もより複雑になる．本書で REPEAT 文を使わなかったのは，以上のような理由による．

さて，きれいに構造化されたプログラムでは，部分部分の実行の効果を**表明**として書くことが，比較的容易である．表明として書けるということは，その部分の内部がどのような順でどう実行されるかについては，考えなくてもすむということである．すなわち，**実行の流れ**(flow)ではなく**実行の効果**(effect)に沿ったプログラミングが可能となる．ところが，実行の流れを意識しないと利用できない言語要素が存在する．その代表例は GOTO 文で，Pascal にも備わっている．GOTO 文は，次のような例で用いられることが多い．これは，3 次元配列の中における探索である．

```
var a : array[1..n, 1..m, 1..l] of integer ;
    i, j, k : integer ;
......
    i := 1 ;
    while i <= n do
      begin j := 1 ;
        while j <= m do
          begin k := 1 ;
            while k <= l do
              if a[i, j, k] = key then goto 1
                                  else k := k+1 ;
            j := j+1
          end ;
        i := i+1
      end ;
  1 : if i <= n then "(i, j, k) が答"
              else "見つからない"
```

もっとも内側の WHILE 文の中で *key* と等しい要素が見つかったら，全体の構造はいっさい無視して，最後の次の文へ"飛んでゆく"．飛び先を示すための名前(ここでは 1)を**ラベル**(label)と呼ぶ．

この例における 3 重の WHILE 文のうちもっとも内側のものが，"$k <= l$"という正規の継続条件だけでは制御されていないのは明らかである．い

いかえると，ループ不変量が反復の内容に依存してしまい，反復の条件だけからは読みとれなくなっている．その外側の WHILE 文では事情がもっと悪くなっている．ここでのループ不変量は，反復の要素文である内側の WHILE 文の，さらに内側の内容に依存してしまっている．もっとも外側の WHILE 文でも事情は同様である．

この例を構造化するには，"まだ見つかっていない"ことを示す論理変数を導入するか，全体を一つの反復文とする．後者の例を示しておく．

$$i := 1 ;\ j := 1 ;\ k := 1 ;$$
$$\textbf{while}\ a[i, j, k] <> key\ \textbf{do}$$
$$\textbf{if}\ k < l$$
$$\textbf{then}\ k := k+1$$
$$\textbf{else begin}\ k := 1 ;$$
$$\textbf{if}\ j < m$$
$$\textbf{then}\ j := j+1$$
$$\textbf{else begin}\ j := 1 ;\ i := i+1\ \textbf{end}$$
$$\textbf{end}$$

ただし $a[n+1, 1, 1] = key$ という番兵が必要である．

GOTO 文は，Pascal ばかりではなく，科学技術計算用の FORTRAN，事務処理用の COBOL，システム記述用の C など，ほとんどすべての言語で提供されている．このうち FORTRAN では，実行制御の構造として，FOR 文に相当する DO 文と，IF 文だけしか用意されていないので，WHILE 文に相当するものは次のようにして自分で作る必要がある．

```
100 IF(X.EQ.0) GOTO 110     X=0 の意味
    "反復本体"
    GOTO 100                100, 110 はラベル
110 ……
```

Pascal では，このような GOTO 文の使用は不必要であり，表明を主体とするプログラミングがやりやすくなっている．

(b)　実行制御のための条件式

線形探索で番兵が必要である理由について，もう一度考えてみよう．配列 $a[1..n]$ の中から値 key を探すのに

$$i := 1 ;$$
$$\textbf{while}\ (i <= n)\ \textbf{and}\ (a[i] <> key)\ \textbf{do}\ i := i+1$$

とすることの問題点は，この条件式が論理型の式として完全に評価されてしまうので，第1項が成立しない場合 $(i>n)$ でも第2項が計算され，$a[n+1]$ が参照されてエラーとなることであった．これを解決する一つの手段は，条件式の部分を関数として定義することである．

$$\textbf{function}\ more:\ Boolean ;$$
$$\textbf{begin if}\ i > n\ \textbf{then}\ more := false$$
$$\textbf{else}\quad more := a[i] <> key$$
$$\textbf{end} ;$$

すなわち，第1項が $false$ の場合は

$$false\ \textbf{and}\ false = false$$
$$false\ \textbf{and}\ true = false$$

という式から，第2項の値にかかわらず全体が $false$ となるので，第2項は計算しないようにすればよい．

　論理式が IF 文や WHILE 文の条件部に使われる場合，以上のような事情となることがときどきある．そこで言語によっては，ここで示したような**条件式の IF 文化**を，自動的に行なうものもある．前述した FORTRAN や，システム記述用としてよく使われている C でも，これが許されている．ただしやり方は処理系ごとに異なってもよく，まったくやらない場合もあり得る．FORTRAN の言語仕様ではもっと進んで，式全体の値さえ正しければどんな順序で評価してもよいことになっている．たとえば，f と g を関数，a と b を変数とするとき，

```
IF(f(x).EQ.g(x) .AND. a.EQ.b)……
```

という式（$((f(x)=g(x))\ \textbf{and}\ (a=b)$ の意味）の評価を，第2項から始めてもかまわない．簡単にすむ変数同士の比較で値が $false$ になれば，関数呼出しを2回も行なわなくてよいからである．

　以上のような**部分評価**や**評価順序の変更**の考え方は，論理式に限らず一般の式にも適用できる．しかしこれは，制御構造における GOTO 文の使用と同じく，式を全体として考えることを困難にするやり方である．このような言語でプログラムを作る場合には，その点に充分留意する必要がある．

(c) 手続きと関数

手続きと関数は，大きなプログラムを作る場合には，モジュール化の手段
として欠かせないものである．それで，すべての言語には形態の差こそあれ，
これらの機能が備えられている．手続きと関数については，その指定の方法
と引数の受け渡しの方法が，言語によってさまざまとなっている．

事務処理用言語 COBOL では，あるプログラムの中で用いる手続きは，
段落という単位を基本として構成される．ただし，段落宣言というような
ものは存在せず，プログラム中のあるところに段落名をつけると，そこか
ら次の段落名の前までが，一つの段落となる．もっとも簡単な手続きの呼
出しは

      PERFORM BINSEARCH.

という形である．ここで BINSEARCH は段落名とする．引数は渡せない．さ
らに，いくつかの段落をまとめて呼び出すことができる．

      PERFORM BSINIT THRU BSFINAL.

これで，段落 BSINIT から始まり BSFINAL で終る途中の段落すべてが指定さ
れる．PERFORM 文ではこのほかに，定数回の反復を指示する TIMES や，
終了する条件で反復を指示する UNTIL，FOR 文類似の VARING-FROM-BY-
UNTIL といった付加指示が可能である．このように COBOL の手続きでは，
PERFORM 文，すなわち呼出し文によって，実行される範囲や実行のやり
方が制御される．手続きがまとまった実体として定義され，その呼出しが実
行の制御構造とは分離されている FORTRAN や Pascal などとは，また異
なったプログラミングが必要となる．

手続きの引数については，仮引数と実引数との間で"何が受け渡されるか"
が問題となる．言語によってはこれがあいまいで，実引数として変数 x を指
定した場合，x の値が手続きに渡されるのか，x の存在自身が渡されるのか
の区別がないものもある．Pascal の値引数と変数引数の方法は，その意味
において明快なものとなっている．また，引数の受け渡し方が唯一ではなく
いく通りもある場合には，呼出し側と呼ばれる側が同じ方式で処理する必要
がある．たとえば FORTRAN では，コンパイラが別々に処理したプログラ
ムであっても，片方が他を呼ぶという形でまとめて実行することができる．
しかしたいていの場合呼出し方式までは記録しておかないので，プログラマ

の方で注意して合わせる必要がある.

　プログラミングの観点からは，**再帰呼出し**が利用可能であることも重要な事項である．再帰呼出しの概念は，数値処理のアルゴリズムを明確に記述する目的で，ALGOL 60 という言語で定式化された．しかしその後は演算能率の方を重視するようになり，現在の FORTRAN や COBOL では再帰呼出しは禁止されている．しかしながら本書でも示したとおり，簡単に反復構造に直せる場合以外は，再帰性の存在がアルゴリズム記述に果している役割は大きい．とくに，プログラムをトップダウン的に開発したり，分割統治の考えを使ったり，連想計算の機構を利用したりする場合には，再帰的手続きや関数の利用は必須であるといっても過言ではない.

10.2　データ型とプログラミング

　プログラム言語によって，用意されているデータ型やデータの構造化法はさまざまである．これもまた，プログラミングに大きな影響を与える項目である.

(a)　基本データ型

　基本となるデータ型については，その種類と性質が言語によってさまざまである．種類としては，Pascal が持つ次の 4 種がもっとも一般的である.

　　　整数型，　実数型，　論理型，　文字型

このうち論理型については，実行の制御を行なう条件式としてだけ使用し，独立した値としては扱わない言語もある．また論理型がなく，条件式は整数値の零と非零で代用するものも多い．線形探索の例で示すと

$$\textbf{while}\ ((i-n)*(a[i]-key))\ \textbf{do}\ \cdots$$

といった具合である（言語 C の例）．この反復文は，$i=n$ または $a[i]=key$ となった時点で条件値が 0 となり，終了する.

　文字型については，長さに上限のついた文字列型まで許す言語も多い．上限が実質上ない場合もある．Pascal の固定長配列による文字列の表現は，いちばん制限の強いやり方である．また文字列については，その部分列をとり出す関数が用意されることもある．しかしながら，実際には文字を一つ一

つ処理するのと同様の手間がかかっていることを忘れてはならない.

　FORTRAN や Pascal が扱っているような実数型がない言語もある. た
とえば事務計算では, 精度や誤差という考え方が許されない(場合がほとん
どである)ので, 小数点つきの数であっても**誤差のない表現(固定小数点)**が
使われる. これは本質的には整数型と同等である. 逆に FORTRAN では,
有効桁数の多い, すなわち精度の高い実数型として**倍精度実数型**を用意し,
精密な科学技術計算の要求に応じている. また, 科学技術計算特有のデータ
型として, **複素数型**を用意してある言語もある(FORTRAN など).

　データ型の性質については, 上記の精度や桁数のほかに, **数表現**がある.
ふつうの言語の処理系では数値の内部表現は 2 進法によっている. また 2 の
べき数である 16 が底となることもある. ところがこれでは, 実数値の表記
と内部値との間の誤差は避けられない. たとえば, 元金 100 万円の 5 パーセ
ント増しの計算を

　　　　　1000000 ＊ 1.05

とすると, 答が

　　　　　1049999.99…

となり, 切り捨て関数 *trunc* を使うと結果が

　　　　　1049999

となったりする. 1 円損をしたことになる. この例では *trunc* のかわりに四
捨五入関数 *round* を使えばよいように思えるが, 誤差の大きさが一般には
不明確であるので, 解決策にはならない. 固定小数点数はこのために使用さ
れ, "1.05" と書いたら正確に 1.05 を表現する. また, この数を 5 で割ると,
正確に 0.21 となることが保証される. この, 表記上の操作と内部演算の一致
をよりきちんと実現するために, 内部表現を 10 進法で行なう方法がある.
COBOL のプログラムでは, そのような **10 進表現数**を主に扱う. また大型
のコンピュータでは, 10 進演算命令を備えているものも多い.

(b)　データ型の定義

　データ型という概念は, 多くの言語にふつうに備わっているわけではない.
基本データ型は別として, その他の型をプログラマが定義していける機能を
持つ言語は数少ない. Pascal はその一つである. 一般的なデータ型という

概念のない言語では，たとえば型の別名づけの機能もない．FORTRAN や
COBOL がその例である．これらの言語では，配列は変数の一つの性質のよ
うに扱われる．たとえば FORTRAN では

```
INTEGER IX(500)
```

という宣言が，Pascal の

var *ix* : **array**[1..500] **of** *integer* ;

のかわりとなる．

　データ型の概念を独立なものとした結果，数え上げ型や部分範囲型の創出，
要求に応じていくらでも複雑に構造化できるデータ型の利用，信頼性の高い
ポインタ型の使用，などが可能となった．

(c) データ構造化機能

　第6章でも見たとおり，配列はもっとも基本的なデータ構造化手法として，
ほとんどすべての言語に取り入れられている．これに対してレコード型の方
は，単なる変数の性質として扱うわけにはいかないこともあって，たとえば
FORTRAN には存在しない．Pascal での

type *mix* = **record** *i* : *integer* ; *r* : *real* **end** :
var *x* : *mix* ;
　　　a : **array**[1..100] **of** *mix* ;

という宣言と同じ内容を FORTRAN で書くとすれば

```
INTEGER xi, ai(100)
REAL xr, ar(100)
```

となろう．*a*[50].*i* に対応するのは ai(50) となる．COBOL では，変数の内
訳の宣言という形で，レコード形式が指定できる．

```
WORKING STORAGE SECTION
01  X.
  02  XI    PICTURE  999999.        6桁の整数
  02  XR    PICTURE  999999V999.    小数点以下は3桁
01  A  OCCURS  100 TIMES.
  02  AI    PICTURE  999999.
  02  AR    PICTURE  999999V999.
```

レコード型の変数は，まとめて内容を移送したりすることができる．

　Pascal には，順序型の値の集まりを値とする**集合型**(set type)がある．た
とえば次のように使用する．

$$\textbf{type}\ month = (jan,\ feb,\ mar,\ apr,\ may,\ june,$$
$$july,\ aug,\ sep,\ oct,\ nov,\ dec)\ ;$$
$$months = \textbf{set of}\ month\ ;$$
$$\textbf{var}\ longmonth,\ summer,\ longsummer\ :\ months\ ;$$
　　　……

$$longmonth := [jan,\ mar,\ may,\ july,\ aug,\ oct,\ dec]\ ;$$
$$summer := [june] + [july,\ aug]\ ;$$
$$longsummer := longmonth * summer\ ;$$
$$\textbf{for}\ i := jan\ \textbf{to}\ dec\ \textbf{do}$$
$$\textbf{if}\ i\ \textbf{in}\ longsummer\ \textbf{then}\ enjoylife\ ;$$

型 *months* の値は集合で，次のようなものがある．

　　要素数 0 :　　[ ] 空集合
　　　　 1 :　　[*jan*], [*feb*], …, [*dec*]
　　　　 2 :　　[*jan, feb*], [*jan, mar*], …, [*nov, dec*]
　　　　 3 :　　[*jan, feb, mar*], [*jan, feb, apr*], …
　　　　　　　　…

演算としては，＋(集合の合併)，＊(共通集合)，−(差集合)，＝ と ＜＞ (比
較)，＜＝ と ＞＝ (包含比較)，in (要素判定)が用意されている．

　実際のプログラミングの場では，この集合型が適切なものとして使用され
る状況はあまりない．全体集合の大きさ(上例では 12)に比して，変数で扱う
値の集合としての大きさ(要素数．*longmonth* では 7，*summer* では 3)の割
合が大きい(1 に近い)か小さい(0 に近い)場合には，配列や木構造などを用
いた方が能率のよいことが多いからである．全体集合の大きさが整数値のビ
ット数以内の場合には，上に示した演算を直接行なうハードウェア命令がふ
つう存在するので，うまく利用すると能率のよいプログラムが書けることも
ある．

10.3　記法とプログラミング

　プログラム言語では，プログラムを実際に目に見える形にする規則(構文

規則)も与える．プログラマは，これに則ってプログラムを書く．したがって，構文規則もプログラミングに影響を与えることになる．

(a) 構文記号

構文の主な形を形づくるための記号を**構文記号**と呼ぼう．構文記号には，制御構造やデータ構造のためのものと，より小さな構文要素を作るためのものとが存在する．たとえば文

$$\textbf{while } i < 10 \textbf{ do } i := i + a[i]$$

では，語記号 **while**, **do**, それに $:=$ が前者の，$<$, $+$, $[,]$ が後者の，それぞれ構文記号である．一般に，前者は語記号で，後者はふつうの記号で，それぞれ表わすが，そうでない言語もある．たとえば，複合文を作るための構文記号は，Pascal では **begin** と **end** であるが，C では $\{$ と $\}$ である．また，Pascal では

$$x := a + b + c$$

と書くところを，COBOL では

```
ADD A B C GIVING X
```

と表わす．一般に，記述の簡潔性を重んずる言語ではふつうの記号が多用され，文書性，すなわち読みやすさを重んずる言語では語記号を多く使用する．Pascal はちょうど中間ぐらいに位置した言語であると言える．配列の内容を複写する例を，Pascal と C で示しておく．

Pascal: $\quad i := p; \; j := q;$

$\qquad$ **while** $i <= p+50$ **do**

$\qquad\quad$ **begin** $a[i] := b[j]; \; i := i+1; \; j := j+1$ **end** ;

C: $\qquad i = p; \; j = q;$

$\qquad$ **while** $(i <= p+50) \; a[i++] = b[j++];$

(b) 名前

構文記号以外のものは，数や文字列の表記と，プログラマが使う名前の綴りである．名前は標準的に用意されているものもある．綴りの制限としては，最大長と構成文字集合がある．もっともきつい制限をしている FORTRAN では，長さは 6 文字までで，先頭は英字，2 文字目以降は英字か数字である．

Pascal では長さ制限がない．COBOL では 30 文字以内で，ハイフン記号が末尾以外であれば使える．アンダラインや $ 記号が使える言語もある．一般に，プログラマが使う名前としてはそう長いものは必要がないが，二つ以上の単語からなる名前も使いたいことが多いので，英数字以外の記号が一，二あると便利である．

$$\textbf{procedure} \ \textit{plot\_curve}(\textit{init\_val}, \textit{final\_val} : \textit{real}) ;$$

という具合である．

FORTRAN では，変数などの型宣言をやらないですますために，他の宣言がなければ

整数型のものの先頭文字は I, J, K, L, M, N のいずれか

実数型のものの先頭文字は A～H，O～Z のいずれか

とすることになっている．このような文法で名前自体に型の情報を持たせている言語はあまり例がない．

名前については，その**有効範囲**(scope)という別の性質が存在する．i, j, k といった単純な名前や，*init, start, total* といったよく使用する名前については，有効範囲を限る機能(局所宣言)がたいへん重要である．この機能がないと，何百行ものプログラムではすぐに名前の衝突が起ってしまうからである．

(c) プログラム書式

前章において，プログラムの構造がよくわかる書き方の例を示した．字下げなどによって構造の表現が可能であるのは，自由形式の利点としてあげられる．固定形式しか許さない言語では，このような自由な配置は不可能である．ただし，多くの言語はまったく自由な形式を許しているため，以下のような不都合も生じる．

$$\textbf{if} \ a > 0$$
$$\textbf{then if} \ b > 0 \ \textbf{then} \ \textit{write}(a)$$
$$\textbf{else} \ \textit{write}(b)$$

3 行目の **else** は，2 行目の 2 番目の **then** に対応すべきものであり，1 番目の **then** に並べているこの書き方では，簡単に誤解を招いてしまう．

このようなことが起きるのは，プログラムテキストの意味と字下げ操作に

何の関連づけもなされていないからである．この事情を改善する方法として
は

(1)　プログラムを読んでその意味どおりの配置で印刷するシステムを使
　　う，

(2)　字下げにプログラム要素としての意味を与える，

といったやり方がある．上に示したプログラム片を(1)のシステムにかける
と，出力はたとえば

> **if** $a > 0$
> 　　**then if** $b > 0$ **then** *write*(a)
> 　　　　　　　**else**　*write*(b)

となる．(2)の方法では，たとえば

> **while** $i <= n$
> 　*write*$(a[i])$
> 　$i := i+1$

と書いて，複合文であることを示したりする．どちらの方法も，後からの修
正などを考えると，これを支援するシステムが必要である．

10.4　　言語処理系とプログラミング

　われわれが書くプログラムを，同じ計算手順を表わす機械語のプログラム
へ変換するシステムをコンパイラと呼ぶことは，第1章で学んだ．実際には，
この定義は正確ではない．同じ計算手順ではなく，同じ計算結果を与えるこ
とが，現実のコンパイラの目的となっているからである．同じ計算結果が得
られるものであれば，そのための計算の手間は少なければ少ないほどよい．
この，計算の手間を少なくする処理を**最適化**(optimization)，この処理が組
み込まれたコンパイラを**最適化コンパイラ**(optimizing compiler)と呼ぶ．

　9.3節で示した部分計算のうち簡単なものは，最適化コンパイラによって
処理される．たとえばプログラムでは

> *writeln*$(i, sqrt(a*a+b*b) * cos(i/180*3.141592),$
> 　　　$sqrt(a*a+b*b) * sin(i/180*3.141592))$

と書いてあっても，この文の解析により二つの共通部分式

$$sqrt(a*a+b*b)$$
$$i/180*3.141592$$

が検出され，作業用の変数 $w1, w2$ が自動的に作られて

$$w1 := sqrt(a*a+b*b)\,;\ w2 := i/180*3.141592\,;$$
$$writeln(i, w1*cos(w2), w1*sin(w2))$$

に変換される．これを人手で行なったのが，解 9.9b の前計算であった．最適化コンパイラを使用する場合は，前計算のための余分な変数について，人間が気をわずらわせる必要がなくなる．

　ある種の増分計算や少数回の反復の展開なども，最適化の項目となる．例を示しておく．

　もとのプログラム 1：

$$\mathbf{for}\ i := 1\ \mathbf{to}\ 10\ \mathbf{do}\ write(a[i*i-1])$$

　最適化の結果例 1：

$$w1 := 0\,;\ w2 := 3\,;$$
$$\mathbf{while}\ w1 <= 99\ \mathbf{do}$$
$$\quad \mathbf{begin}\ write(a[w1])\,;\ w1 := w1+w2\,;\ w2 := w2+2\ \mathbf{end}$$

　もとのプログラム 2：

$$s := 1\,;$$
$$\mathbf{for}\ i := 1\ \mathbf{to}\ n\ \mathbf{do}\ s := s*x$$

　最適化の結果例 2：

$$\mathbf{if}\ n > 4$$
$$\quad \mathbf{then\ begin}\ s := 1\,;\ \mathbf{for}\ i := 1\ \mathbf{to}\ n\ \mathbf{do}\ s := s*x\ \mathbf{end}$$
$$\quad \mathbf{else\ case}\ n\ \mathbf{of}$$
$$\qquad 4 : s := x*x*x*x\,;$$
$$\qquad 3 : s := x*x*x\,;$$
$$\qquad 2 : s := x*x\,;$$
$$\qquad 1 : s := x\,;$$
$$\qquad 0 : s := 1$$
$$\qquad \mathbf{end}$$

　もとのプログラム 3：

$$k := 4\,;$$
$$\text{“}k\ \text{への代入がない計算列”}\,;$$

$$\textbf{if } k < 3 \textbf{ then } write(k, k * k)$$
$$\textbf{else } \quad k := k * k$$

最適化の結果例 3 :

$$k := 4 ;$$
$$\text{``k への代入がない計算列''} ;$$
$$k := 16 ;$$

　このような最適化の技法は，とくに FORTRAN の処理系で非常に進歩してきており，プログラムの構造を詳細に解析した結果を利用するようになってきている．このような場合，とくに部分計算については，複雑な効率化を人手でやって山のような補助変数の管理に苦しむよりは，もともとの明快なプログラムを使って仕事を進める方が能率がよい場合が多い．ただし他の言語については，最適化はほとんどなされないので，第 9 章で述べた部分計算の手法に慣れておく必要がある．

第 10 章のまとめ

10.1　構造化されたプログラムでは，実行に関する表明を書くのが比較的容易である．これにより，実行の流れではなく実行の効果に則したプログラミングが可能となる．

10.2　GOTO 文の使用はプログラムの構造を無視しがちになるので，表明が作りにくくなり，プログラミングが複雑になる．

10.3　条件式を部分的に評価したり，評価順序を入れ換えたりして，実行の能率を上げる手法がある．

10.4　手続きや関数が，それ自身実体として明確になっていない言語もある．また引数の機構もさまざまである．

10.5　再帰呼出しはプログラミング上重要な手段である．

10.6　基本データ型についても，言語によってさまざまな差異があり，論理型のないもの，精度の高い実数を持つもの，固定小数点数や 10 進表現数を持つもの，などがある．

10.7　データ型の概念を持つ言語はそう多くはない．Pascal には，配列とレコードのほかに，集合型というデータ構造化手法がある．

10.8　実際のプログラムの文面を作る規則である構文規則では，構文記号によってプログラムの主な形を作る．構文記号は，簡潔性と文書性との兼ね合いによって，言語ごとにさまざまなものが使われる．

10.9　名前については，各種の制限事項のほかに，有効範囲が設定できることが

重要である．

10.10　部分計算などの手法によるプログラムの効率化を最適化と呼ぶ．最適化をかなりの程度行なうコンパイラも作られるようになってきた．

キーワード

実行の流れ　　実行の効果　　GOTO文　　ラベル　　部分評価
評価順序の変更
段落（COBOL）　　PERFORM文
固定小数点　　倍精度実数型　　複素数型　　10進表現数　　集合型
構文記号　　名前　　有効範囲　　最適化　　最適化コンパイラ

演習問題の解答

ここに示したプログラムなどはあくまで一つの例である.

1 計算とプログラム

1.1

```
program double (output) ;
  const int = 0.07 ;
  var r : real ;
      i : integer ;
begin
  r := 1 ;  i := 0 ;
  while r < = 2.0 do
    begin  i := i+1 ;  r := r * (1+int)  end ;
  writeln (i, r)
end.
```

1.2 ある年の9月現在でA方式の方が有利であれば,その年以降はずっとA方式の方が有利である.このような最初の年数(月数)をまず求め,そこまでの範囲で比較する.

```
procedure fukuri2 ;
  begin fukuri (a, 12, inta) ;  fukuri (b, 3, intb)  end ;

begin
  n := 9 ;  fukuri2 ;
  while b > = a do begin  n := n+12 ;  fukuri2  end ;
  n1 := n ;  n := 0 ;
  while n < = n1−12 do
    begin fukuri2 ;
      if b > = a then writeln (n, '−', n+2) ;
      n := n+3
    end ;
end.
```

1. 3

(1)

n	a	s	x	y
25	7	0	0	
25	7	7	1	
25	7	14	2	
25	7	21	3	
25	7	21	3	4

(2) $x = n$ **div** $a,\ y = n$ **mod** a

(3) $n > 0$ かつ $a \leqq 0$ または $a < n \leqq 0$

(4) $s = a \times x$

1. 4

```
function heron(a, b, c : real) : real ;
   begin s := (a+b+c)/2 ;
      heron := sqrt(s * (s−a) * (s−b) * (s−c))
   end ;
```

変数 s は別に用意されていると仮定した.

1. 5

```
program sort3(input, output) ;
   var x, y, z : integer ;
begin
   read(x) ; read(y) ; read(z) ;
   if y < x
      then if y < z
              then if x < z
                      then write(y, x, z)
                      else write(y, z, x)
              else write(z, y, x)
      else if x < z
              then if y < z
                      then write(x, y, z)
                      else write(x, z, y)
              else write(z, x, y) ;
```

writeln
end.

1.6　(1) 6 通り. (2) *YZY, YYY, ZZX, ZZZ, YXX, XXX* の 6 種.

2　値とその扱い

2.1　(3) のみ示す.

因子 (=項):	p　q	f　g	
単純式 (=式):	$p+q$	$f-g$	
因子:	$(p+q)$	$(f-g)$	
項:	$(p+q)/(f-g)$		
単純式 (=式):	$(p+q)/(f-g)$		

2.2

(1), (2), (5), (9), (10)	整数型
(3), (4), (7)	実数型
(6), (8)	論理型

2.3　f は正 n 角形の一辺の長さの自乗で, n^2 に逆比例して小さくなる. したがって $2.0 - sqrt(4.0 - f)$ の計算で f が約 10^{-k} のとき, 次の値は 0 となる. 以降はすべて 0 が出力される.

2.4

$read(c)$; **while** $c = ' '$ **do** $read(c)$; $d := 0$;
while $('0' <= c)$ **and** $(c <= '9')$ **do**
　begin $d := d * 10 + (ord(c) - ord('0'))$; $read(c)$ **end** ;
if $c <> '.'$
　then $writeln('integer\ ', d)$　　　　　　　　　　　整数
　else begin $r := d$; $f := 0.1$; $read(c)$;
　　　　while $('0' <= c)$ **and** $(c <= '9')$ **do**
　　　　　begin $r := r + f * (ord(c) - ord('0'))$;
　　　　　$f := f/10$; $read(c)$
　　　　end ;
　　　　$writeln('real\ \ \ \ ', r)$　　　　　　　　　　実数
　　end

2.5 加える数を半分半分にしていく.

```
program precision(output);
  var a: real;
begin
  a := 1.0;
  while 1.0+a <> 1.0 do a := a/2;
  writeln(a);
end.
```

3 実行制御の構造

3.1

```
program fare(input, output);
  var k: integer;
      e: integer;
begin
  read(k);
  if k <= 10 then e := 200 else
  if k <= 30 then e := 200+(k-10)*10
                else e := 200+(30-10)*10+(k-30)*5;
  writeln(k, e);
end.
```

3.2

```
program interest(output);
  const n = 5;
  var s: real;
      r, d: real;
      i, k: integer;
begin
  for k := 0 to 11 do
    begin r := 0.0; d := 1.0; s := 1.0;
      while d > 0.00001 do
        begin s := 1.0; d := d/10;
          while s < 1.5 do
            begin r := r+d;
              s := 1.0;
```

$$\textbf{for } i := 1 \textbf{ to } n \textbf{ do } s := s * (1+r) ;$$
$$s := s * (1+k/12 * n/100) ;$$
$$\textbf{end} ;$$
$$r := r - d ;$$
$$\textbf{end} ;$$
$$writeln(k : 2, r * 100 : 7 : 3)$$
$$\textbf{end} ;$$
$$\textbf{end}.$$

3.3　省略

3.4

(1)　$a = C, \ b = A, \ c = B$

(2)　$a := a + b ; \ b := a - b ; \ a := a - b$

3.5

入れ子 IF 文版

```
if x > y
  then if z > w
          then if x > z then m1 := x
                        else m1 := z
          else if x > w then m1 := x
                        else m1 := w
  else if z > w
          then if y > z then m1 := y
                        else m1 := z
          else if y > w then m1 := y
                        else m1 := w ;
```

IF 文列版

```
m2 := x ;
if y > m2 then m2 := y ;
if z > m2 then m2 := z ;
if w > m2 then m2 := w ;
```

3.6

```
program printcard (input, output) ;
  var x : integer ;
```

```
        xu, xl : integer ;
  begin
    read (x) ;
    while x > 0 do
      begin
        xu := x div 100 ; xl := x mod 100 ;        数値の分離
        if (xl < = 1) or (15 < = xl)                範囲検査
          then write ('?') else
        if xl < = 10
          then write (xl : 2)                       数札出力
          else case xl of
                11 : write ('Jack') ;
                12 : write ('Queen') ;              絵札出力
                13 : write ('King') ;
                14 : write ('Ace') ;
              end ;
        write (' of ') ;
        if 4 < = xu                                 範囲検査
          then write ('!') ;
          else case xu of
                0 : write ('Club') ;
                1 : write ('Diamond') ;             スーツ出力
                2 : write ('Heart') ;
                3 : write ('Spade') ;
              end ;
        writeln ;
        read (x)
      end
  end.
```

4 数え上げと構造データ型

4.1

```
    var y1, y2 : integer ;
        m1, m2 : month ;
        d1, d2 : date ;
        n, w : integer ;
```

```
function tomonth(x: integer): month;
  "整数値を month 値に変換"
begin
  read(y1, w, d1); m1 := tomonth(w);
  read(y2, w, d2); m2 := tomonth(w);
  n := 1 − d1;
  while (y2 > y1) or (y2 = y1) and (m2 > m1) do
    begin
      case m1 of
        jan, mar, may, july, aug, oct, dec: n := n+31;
                   apr, june, sep, nov: n := n+30;
                                   feb: n := n+28;
      end;
      if (m1 = feb) and (y1 mod 4 = 0) then n := n+1;
      if m1 < dec then m1 := succ(m1)
                  else begin y1 := y1+1; m1 := jan end;
    end;
  n := n + (d2−1);
  writeln(n);
end.
```

4.2

(1)　(a) *thu*　(b) *sat*　(c) 誤り　(d) *d=sun* のとき誤り　(e), (f) 常に求まる
(g) 4　(h) −4　(i) *s=spade* のとき誤り　(j) 誤り

(2)　(a) *wed*　(b) *d=mon* のとき誤り, その他は *d*　(c) *w*　(d) *d=mon*,
sat, sun のとき誤り, その他は *d*　(e), (f) *s=spade* のとき誤り　(g) 誤り　(h) 4

4.3

```
with x do
  begin e := x1.e+x2.e; m := x1.m*x2.m;
    while m >= mmax do
      begin m := m div r; e := e+1 end
  end
```

4.4　$r1.v1.x$ が, $r2.v1.x$ と $r2.v2.x$ とで作られる範囲のどこにあるかを調べ, 次に $r1.v2.x$ について同じ処理をする. y 座標についても調べて, 最後に組み合わせて判定する. 詳細は省略.

4.5

```
type suit = (club, diamond, heart, spade) ;
     rank = (two, three, four, five, six, seven,
                eight, nine, ten, jack, queen, king, ace) ;
     card = record s : suit ; r : rank end ;
var a, b, c, w : card ;
    "w に最強カードを求める"
w := a ;
if (b.s > w.s) or (b.s = w.s) and (b.r > w.r) then w := b ;
if (c.s > w.s) or (c.s = w.s) and (c.r > w.r) then w := c ;
```

4.6

(1)
```
const pi = 3.1415926535 ;
type kind = (cart, polar) ;
     point = record case k : kind of
                    cart : (x, y : real) ;
                    polar : (a, r : real)
             end ;
```

(2)
```
       "点 p を回転させた位置を q に入れる"
q := p ;
case p.k of
  cart : with q do
           case rot of
               0 : ;
              90 : begin x := -y ; y := x end ;
             180 : begin x := -x ; y := -y end ;
             270 : begin x :=  y ; y := -x end ;
           end ;
  polar : begin q.a := q.a + rot/180 * pi ;
                if q.a > 2 * pi then q.a := q.a - 2 * pi
          end
end ;
```

5 手続きと関数

5.1

(a) *add*(1988, *mult*(50, 7))

(b) $sub(neg(divide(73, 6)), divide(73, 6))$

(c) $rem(mult(2, 91), 8)$

(d) $idiv(66, idiv(14, 5))$

(e) $trunc(rem(94, 3))$

(f) $mult(sin(add(a, b)), cos(sub(a, b)))$

(g) $add(add(ord(mon), ord(wed)), ord(sat))$

(h) $mult(mult(mult(x, x), x), exp(neg(mult(x, x))))$

5. 2

(1)
```
function leap(y : integer) : Boolean ;
   begin
      leap := (y mod 4 = 0) and (y mod 100 < > 0) or
              (y mod 400 = 0)
   end ;
```

(2)
```
function norm(x, y : real) : real ;
   begin norm := sqrt(x * x + y * y) end ;
```

(3)
```
function intcube(x : real) : integer ;
      var k : integer ;
   begin
      if x = 0 then intcube := 0
            else begin k := 0 ;
                  while k * k * k < = x do k := k+1 ;
                  intcube := k-1
               end
   end ;
```

(4)
```
function triangle(a, b, c : real) : Boolean ;
   begin
      triangle := ((a+b) > c) and (abs(a-b) < c)
   end ;
```

(5)
```
function vowel(c : char) : integer ;
   begin vowel := -1 ;
      if c = 'a' then vowel := 0 else
      if c = 'i' then vowel := 1 else
      if c = 'u' then vowel := 2 else
      if c = 'e' then vowel := 3 else
      if c = 'o' then vowel := 4
   end ;
```

5.3

(1)　120(12 が 10 回 0 に加えられる)

(2)　(a) 120　(b) 0(x にまず 0 が代入される)　(c) 45(＝0＋1＋2＋…＋9)

5.4　x と y の正負に注意すること.

  procedure *topolar*$(x, y: real;$　**var** $r, a: real)$;

  begin

   $r := sqrt(x * x + y * y)$;

   if $x = 0$ **then if** $y = 0$ **then** $a := 0$ **else**

         if $y > 0$ **then** $a := pi/2$

           else　$a := 3 * pi/2$

     else begin　$a := arctan(y/x)$;

        if $x < 0$ **then** $a := a + pi$ **else**

        if $y < 0$ **then** $a := a + 2 * pi$

      end

  end ;

5.5

  procedure *compdiv*(**var**　$x, y, z: complex$);

   var $n: real$;

  begin $n := y.re * y.re + y.im * y.im$;

   if $n = 0$

    then *writeln*('Complex Zero Division')

    else　**with** z **do**

      begin　$re := (x.re * y.re + x.im * y.im)/n$;

        $im := (-x.re * y.im + x.im * y.re)/n$

      end

  end ;

5.6　加算の手続きのみ示す.

  procedure *addvector*(**var** $a, b, c: vector$);

  begin

   if $b.kind = rela$

    then

     case $a.kind$ **of**

      $posi$: **begin** $c.kind := posi$; $c.p.x := a.p.x + b.r.x$;

         $c.p.y := a.p.y + b.r.y$ **end**;

$rela$: **begin** $c.kind := rela$; $c.r.x := a.r.x + b.r.x$;
$c.r.y := a.r.y + b.r.y$ **end**;

$velo$: $writeln$('velo+rela not defined');

　　end

　　else $writeln$('addition with rela not defined')

end;

5.7　関数は省略
(1)　乗算 $2(m-1)$ 回，除算 1 回
(2)　乗算，除算ともに m 回
(3)　加算 $_nC_m - 1$ 回

5.8　第2引数として "10の(第1引数値の桁数-1)乗" を使う.

```
function rev(n, f : integer) : integer ;
  begin
    if f = 1
      then rev := n mod 10
      else rev := (n mod 10) * f + rev(n div 10, f div 10)
  end ;
```

5.9　2点 $(p, f(p))$, $(q, f(q))$ を通る直線が X 軸を横切る点の x 座標を次の m の値とする. 詳細は省略.

6　配列

6.1

```
program histogram(input, output) ;
  const size = 50 ;
  type index = 0..size ;
  var a : array[index] of integer ;
      i, k : index ;
      j, n : integer ;
      x, s : real ;
begin
  for k := 0 to size do a[k] := 0 ;        配列クリア
  n := 0 ; s := 0 ; read(x) ;
  while x > 0 do
```

```
        begin k := trunc(x/5)+1; a[k] := a[k]+1;        データ入力
           n := n+1; s := s+x; read(x)
        end;
    if n = 0
      then writeln('No input data')
      else begin writeln('average = ', s/n : 6 : 2);        平均値
           a[0] := 1;
           k := size; while a[k] = 0 do k := k-1;        ない範囲を除外
           i := 1; while (a[i] = 0) and (i < k) do i := i+1;
           for i := i to k do
             begin write(i*5-5 : 3, ' <= .. < ', i*5 : 3, ':');
               for j := 1 to a[i] do write('*'); writeln
             end;
          end
    end.
```

6.2 次の 6.3 の解答を参照のこと.

6.3

```
program longfactorial(output);
  const size = 70; max = 50;
  type unit = 0..9;
       index = 0..size;
  var a: array[index] of unit;
      i: index;
      n, w: integer;
begin
  a[0] := 1; for i := 1 to size do a[i] := 0;
  n := 1;
  while n <= max do
    begin w := 0;
      for i := 0 to size do
        begin w := w+a[i]*n; a[i] := w mod 10;
              w := w div 10 end;
      n := n+1;
    end;
  i := size;
```

```
    while a[i] = 0 do begin write(' ') ; i := i−1 end ;
    for i := i downto 0 do write(a[i] : 1) ;
    writeln ;
  end .
```

6.4

```
  program naturallogbase (output) ;
    const size = 104 ; radix = 10 ; radixm1 = 9 ;
    type unit = 0 .. radixm1 ;
         index = 0 .. size ;
    var a, d : array[index] of unit ;
        i, dmin : index ;
        n, w : integer ;
  begin
    for i := 0 to size do begin a[i] := 0 ; d[i] := 0 end ;
    a[0] := 2 ; d[0] := 1 ;
    n := 2 ; dmin := 0 ;
    while dmin < size do
      begin w := 0 ;
        for i := dmin to size do
          begin w := w * radix + d[i] ; d[i] := w div n ;
                w := w mod n end ;
        while (d[dmin] = 0) and (dmin < size) do dmin := dmin+1 ;
        w := 0 ;
        for i := size downto dmin do
          begin w := a[i]+d[i]+w ; a[i] := w mod radix ;
                w := w div radix end ;
        for i := dmin−1 downto 0 do
          begin w := a[i]+w ; a[i] := w mod radix ;
                w := w div radix end ;
        n := n+1
      end ;
    writeln('e = ', a[0] : 1, '.') ;
    for i := 1 to 100 do write(a[i] : 1) ; writeln
  end .
```

6.5 省略.

6.6

```
program simuleq(input, output);
  const n = 3; n1 = 4;
  type eix = 1..n; rix = 1..n1;
       row = array[rix] of real;
       coef = array[eix] of row;
  var a: coef;
      i, j: eix;
      k: rix;
procedure readin;
    var i: eix; j: rix;
    begin
    for i := 1 to n do for j := 1 to n1 do read(a[i, j])
    end;
begin
  readin;
  for i := 1 to n do
    begin for k := i+1 to n1 do
            a[i, k] := a[i, k]/a[i, i];              {rowdiv}
        for j := i+1 to n do
          for k := i+1 to n1 do
            a[j, k] := a[j, k]−a[i, k]*a[j, i];       {rowdif}
    end;
  for i := n−1 downto 1 do
    for j := n downto i+1 do
      a[i, n1] := a[i, n1]−a[j, n1]*a[i, j];          {rowdif}
  for i := 1 to n do writeln('x', i:1, '=', a[i, n1])
end.
```

6.7 もともと整列していれば1回も交換されない．また逆順に整列されている
場合は，常に交換が起る．

6.8

```
for k := n downto 2 do
  begin p := k;
    for i := 1 to k−1 do
      if a[i] > a[p] then p := i;
```

$$swap(a[k], a[p])$$
end ;
交換の最大回数が，約 $n^2/2$ から n に減る．

6.9, 6.10　ともに整列操作の応用である．詳細は省略．

6.11　番兵として $chr(0)$ と $chr(1)$ を使う．
$t[n+1] := chr(0)$; $p[m+1] := chr(1)$;
$i := 0$; $j := 0$;
while $(j < m+1)$ **and** $(i+m <= n)$ **do**
　begin $i := i+1$; $j := 1$;
　　while $t[i+j-1] = p[j]$ **do** $j := j+1$
　end ;

6.12

```
program futuredate(input, output) ;
    type month = 0..12 ;
         mname = packed array[1..3] of char ;
    var mt : array[0..12] of mname ;
        x : mname ;
        c1, c2, c3 : char ;
        mval : 0..12 ;
        dval : 1..31 ;
        ival : integer ;
    procedure setnames ;
        begin mt[1] := 'jan' ; mt[2] := 'feb' ; mt[3] := 'mar' ;
              mt[4] := 'apr' ; mt[5] := 'may' ; mt[6] := 'jun' ;
              mt[7] := 'jly' ; mt[8] := 'aug' ; mt[9] := 'sep' ;
              mt[10] := 'oct' ; mt[11] := 'nov' ; mt[12] := 'dec'
        end ;
    function monthdays(m : month) : integer ;
    begin case m of      0 : monthdays := 0 ;
                         2 : monthdays := 28 ;
                4, 6, 9, 11 : monthdays := 30 ;
         1, 3, 5, 7, 8, 10, 12 : monthdays := 31
              end
    end ;
```

```pascal
begin
  setnames ;
{input monthname, day, ndays}
  read (c1, c2, c3) ; x[1] := c1 ; x[2] := c2 ; x[3] := c3 ;
  read (dval) ; read (ival) ;
{search month name}
  mt[0] := x ; mval := 12 ;
  while x < > mt[mval] do mval := mval−1 ;
  if mval = 0
    then writeln ('invalid month')
  else if ival < 0
    then writeln ('forward days only')
  else if (dval < 1) or (monthdays (mval) < dval)
    then writeln ('illegal start dates')
  else
{main part}
    begin
      ival := ival + dval ;   {count from 0-th day of mval}
      while ival > 365 do ival := ival − 365 ;
      while ival > monthdays (mval) do
        begin ival := ival − monthdays (mval) ;
          if mval = 12 then mval := 1 else mval := mval + 1
        end ;
      writeln ('ans =', mt[mval], ival : 3)
    end
end .
```

7　ファイル

7.1

```pascal
program cardprint (input, output, f) ;
  const n = 80 ;
  type index = 1 .. n ;
       char80 = array[index] of char ;
       tape = file of char80 ;
  var f : tape ;
      x : char80 ;
```

```
          line : integer ;
    procedure show ;
        var i : index ;
      begin for i := 1 to n do write (x[i]) ; writeln end ;
    function endline : Boolean ;
        var i : index ;
      begin if (x[1] = 'E') and (x[2] = 'N') and (x[3] = 'D')
              then begin i := n ; while x[i] = ' ' do i := i−1 ;
                     endline := (i = 3)
                   end
              else endline := false
      end ;

  begin
    line := 0 ; reset (f) ; x[1] := '.' ;
    while not eof (f) and not endline do
      begin read (f, x) ; line := line+1 ;
        write (line : 4, ' ') ; show
      end
  end .
```

関数 endline が，終了指定行を検出する．

7.2 手続き unitmerge のみ示す．

```
    procedure unitmerge (var g0, g1, g2, g3 : tape ; size : integer) ;
    var e0, e1, e2 : integer ;
    procedure p(var g : tape ; var e : integer) ;
      begin copy (g, g3) ; e := e+1 end ;
    begin
      e0 := 0 ; e1 :=0 ; e2 := 0 ;
      while (e0 < size) and (e1 < size) and (e2 < size) do
        if (g0↑ < g1↑) and (g0↑ < g2↑)
          then p(g0, e0)
          else
        if (g1↑ < g2↑)
          then p(g1, e1)
          else p(g2, e2) ;
      while e0 < size do p(g0, e0) ;
```

```
    while e1 < size do p(g1, e1) ;
    while e2 < size do p(g2, e2) ;
end ;
```

7.3　手続き *distribute* が，2 本の作業ファイル *g0* と *g1* に要素を分配する．ある *n* について，*g0* の要素数 = f_n，*g1* の要素数 = f_{n-1} となっている．手続き *singlemerge*(*lf*, *sf*, *fnew*) は，*sf* 全体と *lf* の一部分を併合して *fnew* へ書き込む．

```
program fibonaccimerge(input, output, fin, fout) ;
    type tape = file of integer ;
    var fin, fout : tape ;
        f : array[0..2] of tape ;
        leng, w, lsize, ssize, ls, ss : integer ;
        b0, b1, b2 : integer ;

procedure copy(var f, g : tape ; var e : integer) ;
    begin g↑ := f↑ ; put(g) ; get(f) ; e := e+1 end ;

procedure singlemerge(var lf, sf, fnew : tape ; lsize, ssize : integer) ;
    procedure unitmerge ;
        var el, es : integer ;
        begin el := 0 ; es := 0 ;
            while (el < lsize) and (es < ssize) do
                if lf↑ < sf↑ then copy(lf, fnew, el)
                            else  copy(sf, fnew, es) ;
            while el < lsize do copy(lf, fnew, el) ;
            while es < ssize do copy(sf, fnew, es) ;
        end ;
    begin
        reset(lf) ; rewrite(fnew) ;
        while not eof(sf) do unitmerge
    end ;

procedure distribute(var f, g0, g1 : tape ; var lsize, ssize : integer) ;
    var s0, s1, fb0, fb1, fb2, max : integer ;
    begin fb1 := 0 ; fb2 := 1 ; s0 := 0 ; s1 := 0 ;
        max := -10000 ;
        reset(f) ; rewrite(g0) ; rewrite(g1) ;
```

```
    while not eof (f) do {s0 = fb1 or s1 = fb1}
      begin
        if f↑ > max then max := f↑;
        if s1 = fb1 then copy (f, g0, s0) else copy (f, g1, s1);
        if not eof (f) and (s0 = fb2)
           then begin fb0 := fb1; fb1 := fb2; fb2 := fb0 + fb1 end
      end;
    leng := s0 + s1;
    while s0 < fb2 do begin write (g0, max + 1); s0 := s0 + 1 end;
    while s1 < fb1 do begin write (g1, max + 1); s1 := s1 + 1 end;
    lsize := fb2; ssize := fb1;
  end;

begin
  distribute (fin, f[0], f[1], ls, ss);
  b0 := 0; b1 := 1; b2 := 2; lsize := 1; ssize := 1; reset (f[1]);
  while lsize < ls do
    begin
      singlemerge (f[b0], f[b1], f[b2], lsize, ssize);
      w := lsize + ssize; ssize := lsize; lsize := w;
      w := b0; b0 := b2; b2 := b1; b1 := w;
    end;
  singlemerge (f[b0], f[b1], f[b2], lsize, ssize);
  reset (f[b2]); rewrite (fout); w := 0;
  while w < leng do copy (f[b2], fout, w)
end.
```

7.4　省略.

7.5　総合的なファイル処理で，つき合わせおよび更新の処理まで含む. 詳細は省略.

7.6　省略.

7.7　手続き *readreal2* のみ示す. 使われている手続きと関数は次のとおり.
　　printerror　　　エラーを出力する.
　　readsign　　　次の入力文字が空白か '+' であれば1, '−' であれば

−1，その他の場合は 0 を返す．

intread   指定桁数(第 2 引数)だけきっちりと整数値を読み，第 1 引数へ代入する．結果は桁数で，エラーがあれば −1.

checkchar   指定された文字があれば *true* を返す．

```
procedure readreal2(var r : real ; w, d : integer) ;
  var x1, x2, s, k : integer ; v : real ;
  begin
    if w < d+3 then printerror (21) else
    begin s := readsign ;
      if s = 0 then printerror (22) else
      begin k := intread (x1, w−d−2) ;
        if k < = 0 then printerror (23) else
        begin
          if not checkchar ('.') then printerror (24) else
          begin k := intread (x2, d) ;
            if k < = 0 then printerror (25) else
            begin v := x2 ;
              for k := 1 to d do v := v/10 ; r := s * (v+x1) ;
            end
          end
        end
      end
    end
  end ;
```

8 ポインタとデータ構造

8.1

```
type tree = record
              data : T ;
              x, y : tree
            end ;
```

図示は省略．

8.2

(1) *new* が呼ばれたら常に新しい領域の添字を返す． *dispose* は何もしない．余

分な領域は不要である.

（2）*dispose* で返された領域を線形リストで管理する. *new* はこのリストが空でなければ，リストの先頭を取り出す. ポインタ用の添字領域が必要である.

どちらの方法でも，データの型ごとに *new* と *dispose* を別々に用意する必要がある.

8.3 データ全体は，文字列を表わす配列をデータとする線形リストで管理する. リストの先頭と末尾には余分なデータを一つずつ用意しておき，*root*1 と *root*2 とがそれらを指している. 整列に際しては，空白文字は非空白文字より大きいこととした.

```
program wordsort (input, output);
  const maxlen = 7;
  type ind = 1..maxlen;
       pname = ↑name;
       name = array[ind] of char;
       pnode = ↑node;
       node = record nx: pnode;
                     nm: pname
              end;
  var root1, root2: pnode;
      data: name;
      nextch: char;
      k: ind;
  procedure init;
    begin new(root1); new(root2);
    root1↑.nx := root2;
    root2↑.nx := nil;
    nextch := ' ';
    writeln('go!');
    end;
  procedure putdata;
    var x: pnode;
    begin new(x);
    with x↑ do begin nx := root1↑.nx; root1↑.nx := x;
                new(nm); nm↑ := data
               end
    end;
```

```
procedure getname ;
    var i : integer ;
  begin
    while (nextch = ' ') and not eof do read (nextch) ;
    i := 0 ;
    while nextch < > ' ' do
      begin i := i+1 ; data[i] := nextch ; read (nextch) end ;
    for i := i+1 to maxlen do data[i] := ' '
  end ;


procedure showname (var x : name) ;
    var i : ind ;
  begin for i := 1 to maxlen do write (x[i]) end ;


procedure show (p : pnode ; k : integer) ;
    procedure s (p : pnode) ;
      begin
        if (p↑.nx < > nil) and (p↑.nm↑[k] < > ' ')
          then begin showname (p↑.nm↑) ; s (p↑.nx)
                  end
      end ;
  begin s (p) ; writeln end ;


procedure chsort (k : ind) ;     "単純な方法"
    var p, q, r : pnode ;
        w : pname ;
    function less (a, b : char) : Boolean ;
      begin less := (a < > ' ') and ((b = ' ') or (a < b)) end ;
  begin
    p := root1↑.nx ;
    while p < > root2 do
      begin r := p ; q := p↑.nx ;
        while q < > root2 do
          begin
            if less (q↑.nm↑[k], r↑.nm↑[k]) then r := q ;
            q := q↑.nx
```

```
          end ;
      w := p↑.nm ; p↑.nm := r↑.nm ; r↑.nm := w ;
      p := p↑.nx
    end ;
  end ;

begin
  init ;
  while not eof do
    begin getname ; putdata end ;
  show(root1↑.nx) ;
  for k := 1 to maxlen do
    begin chsort(k) ; show(root1↑.nx, k) end ;
end.
```

8.4　手続き・関数の詳細は省略.
(1)　3個の点のレコード型.
(2)　点の配列と頂点数(整数)とをまとめたレコード型.
(3)　点の線形リストと頂点数.
(4)　点の双方向リストと頂点数.
(5)　(4)のデータ全体をさらにリストにしたもの.

8.5　概略のみ示す. 関数 size は線形リストの長さを返す. check は s と h の値を求め, $s*rad+h$ という一つの整数値で返す. shownum は数の出力, putdata は線形リストへの挿入, generate は初期データ, すなわち許される数全体を表わす線形リストの作成をそれぞれ行なう. 全体の処理は, 残っている各候補について, それが質問に使われた場合に, 残りの候補をどう分割するかを調べ, 最適なもの(分割された候補数の最大のものと最小のものの差($tmax-tmin$)が最小となるもの)を選び(xx), それで質問する. このプログラムは, 重複した処理が多いので, もっと効率化することができる.

```
program game(input, output) ;
  const n = 3 ; rad = 100 ;
  type ind = 1..n ; ind0 = 0..n ;
       num = array[ind] of 0..9 ;
       pnode = ↑node ;
       node = record nm : num ; nx : pnode end ;
       tab = array[ind0, ind0] of integer ;
```

```
var root : pnode ;
    table : tab ;
    strike, hit : ind0 ;
    xx, q : pnode ;
    min, tmax, tmin : integer ;
    "size, check, shownum, putdata, generate の宣言"


procedure distri (q, r : pnode ; var t : tab) ;
    var s, h : ind0 ;
        v : integer ;
  begin for s := 0 to n do
            for h := 0 to n do t[s, h] := 0 ;
        while r < > nil do
          begin v := check (q↑. nm, r↑. nm) ;
            s := v div rad ; h := v mod rad ;
            t[s, h] := t[s, h]+1 ;
            r := r↑. nx
          end ;
    end ;


function choose (xx, rr : pnode ; strike, hit : ind0) : pnode ;
    var p : pnode ;
        sh : integer ;
  begin p := nil ; sh := strike * rad + hit ;
        while rr < > nil do
          begin if check (xx↑. nm, rr↑. nm) = sh
                    then putdata (p, rr↑. nm) ;
            q := rr ; rr := rr↑. nx ; dispose (q)
          end ;
        choose := p
    end ;


procedure minmax (var tmin, tmax : integer ; var t : tab) ;
    var s, h : ind0 ;
  begin tmin := t[0, 0] ; tmax := t[0, 0] ;
      for s := 0 to n do
        for h := 0 to n do
```

```
            begin if t[s, h] < tmin then tmin := t[s, h] ;
                  if t[s, h] > tmax then tmax := t[s, h]
            end
      end ;

begin
   root := generate ; xx := root ;
   while size(root) > 1 do
      begin min := size(root) ;
         q := root ;
         while q <> nil do
            begin distri(q, root, table) ;
               minmax(tmin, tmax, table) ;
               if tmax − tmin < min
                  then begin xx := q ; min := tmax − tmin end ;
               q := q↑.nx
            end ;
         write('next guess =') ; shownum(xx) ; writeln ;
         read(strike, hit) ;
         root := choose(xx, root, strike, hit) ;
      end ;
   if size(root) = 0
      then writeln('You told a lie!')
      else begin writeln('Your number should be ') ;
            shownum(root) ; writeln
         end ;
end.
```

9　プログラミングの方法

9.1

$(m = x)$ **and** $(m \geq y)$ **and** $(m \geq z)$ **or**
$(m = y)$ **and** $(m \geq z)$ **and** $(m \geq x)$ **or**
$(m = z)$ **and** $(m \geq x)$ **and** $(m \geq y)$

9.2

(a)　$P = $ "$2x + y = 0$" とする.

[a.1] $x := 0$; $y := 0$ で P 成立.

[a.2] $\{Q\}$ $x := x+1$; $y := y-2$ $\{P\}$ とすると

$$Q = (P_{y-2}^y)_{x+1}^x = \text{``}2(x+1)+(y-2) = 0\text{''} = P$$

よって P はループ不変量.

(b) $P = \text{``}(x-1)^2 < 1000\text{''}$ とする.

[b.1] $x := 1$ で P 成立 ($0^2 < 1000$).

[b.2] $\{Q\}$ $x := x+1$ $\{P\}$ とすると

$$Q = P_{x+1}^x = \text{``}x^2 < 1000\text{''}$$

ここで x が正で Q ならば常に P. よって P はループ不変量.

(c) $P = \text{``}ax+y = b\text{''}$ とする.

[c.1] $x := 0$; $y := b$ で P 成立.

[c.2] $\{Q\}$ $x := x+1$; $y := y-a$ $\{P\}$ とすると

$$Q = (P_{y-a}^y)_{x+1}^x = \text{``}a(x+1)+(y-a) = b\text{''} = P$$

よって P はループ不変量.

9.3 $N=0$ の場合は反復文がまったく実行されないので, 結果は $n=0, s=1, p=x$ となる. これより最終状態では $s=x^N$ が予想される. また反復文の直前ではいつでも $s=1$ なので, ここでは $s=x^0$ が成立している. この形の差を補うのが p と n の役目である. たとえばループ不変量は

$$P = \text{``}p^n s = x^N\text{''}$$

となる. ここで

$$\{Q\} \ n := n \ \textbf{div} \ 2 \ ; \ p := p * p \ \{P\}$$

とすると,

$$Q = (P_{p*p}^p)_{n \, \textbf{div} \, 2}^n = \text{``}p^{2(n \, \textbf{div} \, 2)} s = x^N\text{''}$$

となる. この式は, n が偶数なら P と等しくなるが, 奇数のときは $2(n \ \textbf{div} \ 2) = n-1$ となり, P にならない. これを等しくするには, s を $s*p$ と置き換えればよい. 実際にプログラムはそうなっていて, ループ不変量が P であることが示された. 反復終了時には $n=0$ となるので,

$$P \ \textbf{and} \ (n = 0) = \text{``}s = x^N\text{''}$$

が得られる.

9.4 l_1 上の1点を固定して, その点にもっとも近い l_2 上の点を求める. 次に, 求まった l_2 上の点にもっとも近い l_1 上の点を求める. 以下同様. 詳細は省略. 複雑な空間曲線の間の最短距離の計算にも応用できる.

9.5 約3である π をはさむように初期範囲(たとえば $[2, 4]$)を設定する. 範囲の両端で符号が異なることを確かめること. 詳細は省略.

9.6　調べる数と割る数を両方とも奇数のみに限定すると，さらに高速化がはかれる．

```
program primes (output);
  const max = 1000;
  var x, p: integer;
begin
  write (2:5);  x := 3;
  while x <= max do
    begin p := 3;
      while (p * p <= x) and (x mod p <> 0) do p := p+2;
      if p * p > x then write (x:5);
      x := x+2
    end;
  writeln
end.
```

9.7　照合の主部分のみを示す．内側の反復文終了時に "*more*" であった場合の，*j* の値の更新方法に注意のこと．

```
i := 1;  j := 1;  more := true;
while more and (i+maxm-1 <= maxn) do
  begin more := false;
    while not more and (j <= maxm) do
      if t[i+j-1] = p[j]
        then j := j+1
        else more := true;
    if more then
      begin i := i+s[j];
        if s[j] > 1 then j := j-s[j] else j := 1
      end
  end;
if not more then writeln (i) else writeln ('none');
```

9.8　連想のためのデータ構造としては，ほとんどすべての添字値が参照されるのであれば配列を，参照されるのがごく一部なのであれば2分探索木などを，それぞれ用いればよい．後者の場合のほうが，より連想計算向きである．その意味で，(c)や(d)が連想計算に向いている．

9.9 前半部分が短ければ，まず等長である $a[1..p]$ と $a[p+1..2p]$ とを交換し，次に $a[p+1..2p]$ と $a[2p+1..n]$ とを自分自身を使って交換する．前半部分の方が長い場合も同様，前半（または後半）部分の長さが1である場合が最悪で，$n-1$ 重の再帰呼出しによって $n-1$ 回の要素値の交換が行なわれる．ちょうど半分に分かれる場合には，値の交換は $n/2$ 回である．以下に示す手続き *swap* では，問題中のパラメータ $(1, p, n)$ をそれぞれ l, d, h としている．

```
procedure swap(l, h, d : integer);
    procedure swap0(h1, h2 : ind; len : integer);
        var w : integer;
            h1max : ind;
        begin h1max := h1 + len;
            while h1 < h1max do
                begin w := a[h1]; a[h1] := a[h2]; a[h2] := w;
                    h1 := h1+1; h2 := h2+1
                end;
        end;
    begin
      if (l <= d) and (d < h) then
        if d - l + 1 < h - d
          then begin swap0(l, d+1, d-l+1);
                     swap(d+1, h, 2*d-l+1) end
          else  begin swap0(2*d-h+1, d+1, h-d);
                     swap(l, d, 2*d-h) end;
    end;
```

9.10
$$xy = x_0 y_0 + r(x_0 y_1 + x_1 y_0) + r^2(x_0 y_2 + x_1 y_1 + x_2 y_0) + r^3(x_1 y_2 + x_2 y_1) + r^4 x_2 y_2$$
ここで
$$A = (x_0 + x_1 + x_2)(y_0 + y_1 + y_2)$$
$$B = (x_0 + x_1)(y_0 + y_1)$$
$$C = (x_1 + x_2)(y_1 + y_2)$$
$$D = x_0 y_0, \quad E = x_1 y_1, \quad F = x_2 y_2$$
とすれば，係数は順に $D, B-D-E, A-B-C+2E, C-E-F, F$ となる．必要乗算回数は6回．$T(n) \approx n^{1.635}$．

9.11 型定義と行列乗算，および行列べき乗の方法を示す．

```
type a22 = array[1..2, 1..2] of integer;
```

```
procedure mult (var a, b, c : a22) ;
  begin  c[1, 1] := a[1, 1] * b[1, 1] + a[1, 2] * b[2, 1] ;
         c[1, 2] := a[1, 1] * b[1, 2] + a[1, 2] * b[2, 2] ;
         c[2, 1] := a[2, 1] * b[1, 1] + a[2, 2] * b[2, 1] ;
         c[2, 2] := a[2, 1] * b[1, 2] + a[2, 2] * b[2, 2]
  end ;
procedure power (var a : a22 ; n : integer) ;
    var b, c : a22 ;
  begin
    if n = 0 then  a := a0
              else begin  power (b, n div 2) ; mult (b, b, c) ;
                          if odd (n) then mult (c, a1, a) else a := c
                   end
  end ;
```

ここで $a0$ は単位行列, $a1$ は問題中の行列 A を示す.

9.12　いわゆる境界値問題の数値解法である. 無限に精度を高めたとすると, 解は方程式

$$\frac{\partial^2 u}{\partial i^2} + \frac{\partial^2 u}{\partial j^2} = 0$$

を満たす.

(1) は省略.

(2) $a^k(u)$ の中の要素 $u[p, q]$ に影響を与えるもとの u の要素は, それを $u[i, j]$ とするとき,

$$|p - i| + |q - j| \leq k$$

を満たす. したがって, この範囲だけで演算をすればよい.

9.13　入力ファイル f の状態は, 最後の要素(実数が n 個)を読んだ時点で eof となることに注意. また, ファイル G の最後の要素(整数が m 個)の書出しを忘れないようにすること.

```
program sizeconv (output, f, g) ;
  const n = 9 ; m = 8 ;
  type rarray = array [1 .. n] of real ;
       iarray = array [1 .. m] of integer ;
       rtape = file of rarray ;
       itape = file of iarray ;
  var f : rtape ; af : rarray ; pf : 1 .. n ;
```

$$g: itape\;;\; ag: iarray\;;\; pg: 1..m\;;$$

```
begin
  reset (f) ;  pf := n ;
  rewrite (g) ;  pg := 1 ;
  while not (eof (f) and (pf = n)) do
    begin
      if pf < n then pf := pf+1
                else begin read (f, af) ; pf := 1 end ;
      ag[pg] := trunc (af[pf]) ;
      if pg < m then pg := pg+1
                else begin write (g, ag) ; pg := 1 end ;
    end ;
  if pg > 1 then
    begin for pg := pg to m do ag[pg] := 0 ;
      write (g, ag)
    end ;
end.
```

9. 14

(1)　は省略.

(2)　$J(3)$ の局面を単純にコード化すると，各マス目の状態が 3 通りであることから，$3^9 = 19683$ 種となる．これだけの領域が利用可能であれば，配列による連想計算がもっとも速い．これに対して真の局面数は $_9C_3 \times _6C_3 \times _3C_3 = 1680$ なので，記憶領域が制限されている場合は 2 分探索木を使う．詳細は省略.

9. 15　省略.

参考書

主に成書を示した．論文の段階まで学習したい読者は，それぞれの書を参照のこと．また，『岩波講座ソフトウェア科学』(全17巻)の各巻は，本書がその基礎を与えていると同時に，本書の参考書でもある．

主にプログラミングに関するもの

[1] Wirth, N.: Systematic Programming: An Introduction, B. G. Teubner, Stuttgart, 1972. (邦訳)野下浩平，筧捷彦，武市正人：系統的プログラミング——入門，近代科学社，1975.
　原著の発行当時はまだできたてであった Pascal を使ったプログラミングの解説書．表明の重要性などにも触れている．

[2] Dahl, O.-J., Dijkstra, E. W., Hoare, C. A. R.: Structured Programming, Academic Press, 1972. (邦訳)野下浩平，川合慧，武市正人：構造化プログラミング(サイエンスライブラリ情報電算機32)，サイエンス社，1975.
　構造化(あるいは構造的)プログラミングという言葉で有名となった書で，プログラミング自体を本格的に論じた初めてのもの．段階的洗練や公理的定義などが詳しく述べられている．

[3] Dijkstra, E. W.: A Discipline of Programming, Prentice-Hall, 1976. (邦訳)浦昭二，土居範久，原田賢一：プログラミング原論(サイエンスライブラリ情報電算機42)，サイエンス社，1983.
　構造化プログラミング用の言語を提案し，それによるアルゴリズム記述法を示した書．

[4] Gries, D.: The Science of Programming, Springer-Verlag, 1981.
　本書の第9章と同じく，プログラミングそのものを論じた書．数学的な基礎から始めて，その上に各種のプログラミングパターンを展開している．

[5] 筧捷彦，川合慧，武市正人，竹内郁雄，野下浩平，安村通晃：プログラミング・セミナー，共立出版，1985.
　共立出版の雑誌 *bit* に連載された同名の記事をまとめたもの．プログラミングをいろいろな題材をもとにして語っている．

[6] Gronogo, P., Nelson, S. H.: Problem Solving and Computer Programming, Addison-Wesley, 1982. (邦訳)永田守男：問題解決とプログラミング(ソフトウェア工学ライブラリ12)，近代科学社，1985.
　問題解決の一般的手法の解説書．プログラムの量は非常に少ないが，れっきとし

たプログラミングの教科書である．

[7]　Schneider, G. M., Weingart, S. W., Perlman, D. M.：An Introduction to Programming and Problem Solving with Pascal, John Wiley & Sons, 1982.
　　プログラミングについて，数多くの視点，たとえば信頼性，効率，言語批判，などから論じている．本書と似た性格であるが，いくぶん未整理なところが目につく．

主にアルゴリズムに関するもの

[8]　Wirth, N.：Algorithms＋Data Structures＝Programs, Prentice-Hall, 1976. (邦訳)片山卓也：アルゴリズム＋データ構造＝プログラム，日本コンピュータ協会，1979.
　　Pascal を中心として，種々の言語要素の利用法を示した書．プログラミングというよりは，部分的アルゴリズムを数多く収めたもの．ポインタの扱いが詳しい．
[9]　野下浩平，高岡忠雄，町田元：基本的算法(岩波講座情報科学 10)，岩波書店，1983.
　　算法(アルゴリズム)についての解説書．計算量の話が中心となっている．
[10]　Knuth, D. E.：The Art of Computer Programming, Vols. 1-3, Addison-Wesley, 1973(2nd ed.), 1969, 1973. (邦訳)広瀬健：基本算法/基礎概念，米田信夫，筧捷彦：基本算法/情報構造，渋谷政昭：準数値算法/乱数，中川圭介：準数値算法/算術演算，サイエンス社．(訳は原著第 2 巻まで)
　　ありとあらゆるアルゴリズムを収めることを目的とした大著．細かな解析が多い．アルゴリズムの本としては，この書以降まとまった本がいくつか出版されている．複雑なアルゴリズムの解説の中で，問題解決の手法が示される部分もある．

主に Pascal に関するもの

[11]　川合慧：PASCAL 入門，共立出版，1981.
　　Pascal の構文を中心として，プログラミングの方法を示した解説書．
[12]　米田信夫，疋田輝雄：PASCAL プログラミング(サイエンスライブラリ情報電算機 38)，サイエンス社，1979.
　　Pascal をとりあげた最初の邦書．言語機能が簡潔に示されている．
[13]　Jensen, K., Wirth, N.：Pascal User Manual and Report, Springer-Verlag, 1975.
　　Pascal の文法書および解説書として有名な書．文法の簡潔な定義のむずかしさの例としても知られる．

その他

[14]　木村泉，米澤明憲：算法表現論(岩波講座情報科学 12)，岩波書店，1982.

計算という話題を中心に，いろいろな計算モデルとその性質を述べた書．形式的
な取り扱いに特徴がある．

[15]　Dijkstra, E. W. : Goto Statement Considered Harmful, *Comm. ACM,* Vol.
11, No. 3, March 1968, pp. 147-148.

飛越し文(GOTO 文)が，プログラムの構造上非常に取り扱いにくいものである
ことを，はじめて明確に示した論文．この論文以降プログラムの構造化の重要性
が認識されるようになり，Pascal が生まれるもとともなった．

[16]　Hoare, C. A. R., Wirth, N. : An Axiomatic Definition of the Programming
Language PASCAL, *Acta Informatica,* Vol. 2, 1973, pp. 335-355.

Pascal の命令や制御構造，データ構造の形式的意味をはじめて示した論文．プ
ログラムの世界に論理体系を持ち込んで，形式的議論を可能とした．この体系は
Hoare Logic(ホーア論理)と呼ばれている．

プログラム索引

事項索引

川合　慧(かわい　さとる)

1944 年生まれ

1967 年東京大学理学部物理学科卒業

東京大学教育用計算機センター助教授，同理学部情
　　　報科学科助教授などを経て，

現在　東京大学教養学部情報・図形科学教授　理学
　　　博士

専攻　プログラム言語および処理系　コンピュータ
　　　グラフィクス

岩波講座 ソフトウェア科学 2　　　　　　　　　　　　第 1 回配本(全 17 巻)

プログラミングの方法

1988 年 6 月 6 日　第 1 刷発行　　　　　　　　　定価 3300 円
1994 年 4 月 28 日　第 7 刷発行　　　　　　　　　(本体 3204 円)

発行所：〒101-02 東京都千代田区一ツ橋 2-5-5　株式会社 岩波書店
印刷：精興社　製本：松岳社　　　　　　　　　Tel. 03-5210-4000(案内)